PADRÕES DE CONEXÃO

Fritjof Capra

Autor do *best-seller* internacional

O Tao da Física

PADRÕES DE CONEXÃO

Uma Introdução Concisa das Ideias Essenciais de um dos Mais Importantes Pensadores Sistêmicos do Mundo Contemporâneo

Tradução

Mayra Teruya Eichemberg

Editora Cultrix

SÃO PAULO

Título do original: *Patterns of Connection.*

1ª edição 2022.

Foto da capa: adaptada da fotografia da USGS on Unsplash.

Editor: Adilson Silva Ramachandra
Gerente editorial: Roseli de S. Ferraz
Revisão técnica: Newton Roberval Eichemberg
Gerente de produção editorial: Indiara Faria Kayo
Editoração eletrônica: Join Bureau
Revisão: Claudete Agua de Melo

Dados Internacionais de Catalogação na Publicação (CIP)
(Câmara Brasileira do Livro, SP, Brasil)

Capra, Fritjof
Padrões de conexão : uma introdução concisa das ideias essenciais de um dos mais importantes pensadores sistêmicos do mundo contemporâneo / Fritjof Capra; tradução Mayra Teruya Eichemberg. – 1. ed. – São Paulo, SP: Editora Cultrix, 2022.

Título original: Patterns of Connection.
ISBN 978-65-5736-203-7

1. Ambientalismo – Aspectos religiosos 2. Filosofia e ciência 3. Física 4. Física – Filosofia 5. Teoria dos sistemas – Século 21 I. Título.

22-117663 CDD-501

Índices para catálogo sistemático:

1. Ciência: Filosofia e teoria 501
Eliete Marques da Silva – Bibliotecária – CRB-8/9380

Direitos de tradução para a língua portuguesa adquiridos com exclusividade pela EDITORA PENSAMENTO-CULTRIX LTDA., que se reserva a propriedade literária desta tradução.
Rua Dr. Mário Vicente, 368 – 04270-000 – São Paulo, SP – Fone: (11) 2066-9000
http://www.editoracultrix.com.br
E-mail: atendimento@editoracultrix.com.br
Foi feito o depósito legal.

Sumário

Agradecimentos

ENQUANTO EU COLETAVA OS ensaios reunidos neste livro e redigia as narrativas introdutórias para cada capítulo, tive numerosos diálogos e discussões com amigos e colegas sobre a história e a evolução da atual mudança de paradigmas na ciência e na sociedade, bem como sobre uma perspectiva sistêmica dos eventos atuais.

Sou especialmente grato a Hazel Henderson, Terry Irwin, Jeremy Lent, Pier Luigi Luisi, Oscar Motomura e Daniel Wahl por conversas esclarecedoras; aos alunos do meu Capra Course *on-line* ao redor do mundo por inúmeras discussões estimulantes; e a Mira Michelle Kennedy e Phoebe Tickell por facilitá-las.

Sou muito grato a Miguel Altieri e a Jonathan Ashmore por suas leituras críticas do manuscrito e pelas muitas sugestões úteis.

Devo um agradecimento especial ao meu agente, Andy Ross, e ao meu editor, Stephen Hull, pelo incentivo, apoio e conselhos.

Por último, mas não menos importante, sou profundamente grato à minha esposa, Elizabeth, e à minha filha, Juliette, pela compreensão e pelo apoio, como também por numerosas sugestões editoriais.

Prefácio

FUI TREINADO COMO FÍSICO e passei vinte anos, de 1965 a 1985, fazendo pesquisas em física teórica de alta energia em várias universidades europeias e norte-americanas. Logo de início, interessei-me pelas implicações filosóficas da revolução conceitual que ocorreu na física moderna – uma mudança da visão de mundo mecanicista de Descartes e Newton para uma visão sistêmica e ecológica. No início da década de 1970, comecei a explorar essas implicações sistematicamente, publicando minhas descobertas em uma série de livros, bem como em numerosos artigos, palestras e seminários.

Por fim, em meados da década de 1980, interrompi por completo meu trabalho em física e me tornei escritor, educador e ativista em tempo integral. Minha pesquisa e meus escritos desde essa época envolveram explorações de muitos campos do conhecimento em um processo sinuoso, com muitas procuras tangenciais (e às vezes errôneas), mas sempre com uma perspectiva sistêmica explícita. Olhando agora para essas explorações passadas, posso reconhecer que elas corresponderam a uma investigação sistemática de um tema recorrente: a mudança fundamental de visão de mundo, ou mudança de paradigma, que ocorre atualmente na ciência e na sociedade, o desdobramento de uma nova visão da realidade e as implicações sociais e políticas dessa transformação cultural.

Os ensaios presentes neste livro refletem a evolução do meu pensamento durante cinco décadas (de 1971 a 2020). Muitos contêm materiais que nunca estiveram em nenhum dos meus livros, e alguns nunca sequer apareceram impressos.[1]

Esses ensaios combinam e inter-relacionam os dois lados da minha vida profissional, como cientista e escritor científico, por um lado, e como educador ambiental e ativista, por outro. Portanto, eles refletem não apenas a trajetória da minha carreira, mas também a história de vários movimentos voltados para a mudança social – da contracultura da década de 1960 ao movimento *New Age* da década de 1970, a emergência da Política Verde na década de 1980, e a ascensão da sociedade civil global da década de 1990 até o presente.

Minha pesquisa sobre a mudança de paradigmas na ciência e na sociedade culminou em uma grande síntese que discuto em detalhes no livro *The Systems View of Life: A Unifying Vision*,* em coautoria com Pier Luigi Luisi.[2] Diferentemente de *A Visão Sistêmica da Vida*, o presente livro não é um resumo da minha visão de mundo, mas, em vez disso, é um relato pessoal de minha jornada intelectual, documentado por uma série de ensaios, juntamente com comentários extensos que entrelaçam os ensaios e fornecem um contexto histórico e filosófico.

Padrões de Conexão mostra a evolução do meu pensamento muito antes de ele ser aceito pelos *establishments* acadêmicos e políticos. Os ensaios ilustram meu fascínio pela filosofia da física quântica e meu encontro com o misticismo oriental, que culminou na redação de *The Tao of Physics*,[3]** a mudança de foco de minha pesquisa da física para as ciências da vida, meu projeto de 25 anos, no qual me propus a formular uma grande síntese da visão sistêmica da vida, e minhas atividades como ativista e educador ambiental.

Desde meus anos de estudante em Viena, eu estava fascinado pelas mudanças dramáticas de conceitos e ideias que ocorreram na física durante as primeiras três décadas do século XX. Esse fascínio foi estimulado pela leitura do livro *Physics and Philosophy* (*Física e Filosofia*) de Werner Heisenberg,[4] um dos fundadores da teoria quântica. Nesse livro, Heisenberg descreve vividamente como a exploração de fenômenos atômicos e subatômicos colocou um punhado de físicos em contato com uma realidade estranha e inesperada, que

---

* *A Visão Sistêmica da Vida: Uma Concepção Unificada e suas Implicações Filosóficas, Políticas, Sociais e Econômicas*. São Paulo: Cultrix, 2014.

** *O Tao da Física*. São Paulo: Cultrix, 1985.

os forçou a mudar dramaticamente seus conceitos básicos, sua linguagem e toda a sua visão de mundo. O livro de Heisenberg teve uma influência decisiva em meu pensamento e determinou a trajetória de toda a minha carreira como cientista e escritor.

Entre meus anos de estudante em Viena e a redação do meu primeiro livro, situa-se o período de minha vida em que experimentei a mais profunda e radical transformação pessoal – o período da década de 1960. A espiritualidade, o questionamento da autoridade, o sentido de empoderamento e a experiência de comunidade, que foram característicos daqueles anos de formação, tornaram-se a base dos meus valores e das minhas atividades como ativista e educador ambiental. Durante a década de 1960, vivenciei o memorável levante estudantil em Paris, que ainda é em geral conhecido simplesmente como "Maio de 68". No outono desse ano, eu me mudei para a Califórnia, onde abracei totalmente a contracultura, li livros sobre o misticismo oriental, pratiquei meditação e experimentei substâncias psicodélicas – tudo isso enquanto também continuava minhas pesquisas em física de alta energia.

Com a resultante expansão da minha consciência, logo reconheci paralelismos significativos entre os conceitos básicos da física moderna, conforme foi discutido no livro de Heisenberg, e as principais ideias das tradições espirituais orientais. Em 1970, enquanto trabalhava no Imperial College de Londres, decidi escrever um livro sobre minha descoberta de que a física moderna nos leva a uma visão consistente do mundo que está em harmonia com a antiga sabedoria oriental. Publicado pela primeira vez em 1975, *O Tao da Física* ainda é meu livro mais conhecido e de maior sucesso. Ele está disponível em mais de quarenta edições, em mais de vinte idiomas e vendeu mais de um milhão de cópias em todo o mundo.

Como consequência desse tremendo sucesso, fui convidado a dar palestras e seminários para pessoas e organizações de todas as esferas da vida. Em discussões, muitas delas me disseram que uma mudança semelhante de visão de mundo – de uma visão mecanicista para uma visão holística e ecológica – também estava acontecendo agora em seus campos. Essas discussões me estimularam a expandir meu foco da física para esses outros campos – biologia, medicina, psicologia, economia, administração, e assim por diante.

Para conectar as mudanças conceituais que ocorrem na ciência com a mudança mais ampla de visão de mundo e de valores na sociedade, precisei ir além da física e procurei um arcabouço mais amplo correspondente. Ao fazer isso, compreendi que nossas principais questões sociais – saúde, educação, direitos humanos, justiça social, poder político, proteção do meio ambiente, gestão de empresas, e economia –, todas elas, têm a ver com sistemas vivos, com seres humanos individuais, sistemas sociais e ecossistemas.

Com essa constatação, meus interesses de pesquisa mudaram da física para as ciências da vida, e comecei a desenvolver um novo arcabouço conceitual que poderia incorporar várias dimensões da vida usando percepções esclarecedoras vindas da teoria dos sistemas vivos, da teoria da complexidade e da ecologia. Apresentei resumos desse arcabouço, à medida que ele evoluía, em vários livros: *The Turning Point*,[5] *The Web of Life*,[6] *The Hidden Connections*.[7]* Minha síntese final, como mencionei, está publicada no manual didático *A Visão Sistêmica da Vida*, que escrevi em coautoria com Pier Luigi Luisi. Na verdade, eu já havia usado esta expressão, "a visão sistêmica da vida", em 1982, para descrever minha síntese na primeira formulação, ainda provisória, em *O Ponto de Mutação*.

Para mim, esse manual didático é realmente uma grande síntese do meu trabalho ao longo de quarenta anos. Pier Luigi Luisi contribuiu com muitas porções adicionais, incluindo seções importantes sobre bioquímica, genética, evolução e a origem da vida. O que também é novo no livro é uma extensa seção de mais de sessenta páginas dedicada a discussões detalhadas de soluções sistêmicas eficazes (isto é, soluções baseadas no pensamento sistêmico) para a nossa crise global. Essas soluções incluem propostas para remodelar a globalização econômica e reestruturar corporações; novas formas de propriedade que não são extrativistas, mas geradoras; uma ampla variedade de soluções sistêmicas para os problemas interligados de energia, alimentação, pobreza e mudança climática; e um grande número de projetos de soluções sistêmicas conhecidos coletivamente como ecoplanejamento (*ecodesign*), que incorporam os princípios básicos da ecologia. Muitas dessas soluções não eram conhecidas em 2002, quando

---

* *O Ponto de Mutação*. São Paulo: Cultrix, 1986. *A Teia da Vida*. São Paulo: Cultrix, 1997. *As Conexões Ocultas*. São Paulo: Cultrix, 2002.

publiquei pela primeira vez minha síntese completa sobre a visão sistêmica da vida em *As Conexões Ocultas*.

Meu interesse em aplicar o pensamento sistêmico para resolver os principais problemas do nosso tempo remonta à década de 1980, quando iniciei meu envolvimento com o ativismo ambiental. Em 1984, eu e um pequeno grupo de amigos e colegas fundamos um *think tank* ecológico chamado Elmwood Institute, que nos dez anos seguintes construiu uma rede de pensadores e ativistas em muitos campos e em muitas partes do mundo. Em 1994, transformamos o Instituto na organização Center for Ecoliteracy (Centro para Alfabetização Ecológica), que promove a "educação para uma vida sustentável" em escolas primárias e secundárias.

Ao longo dos anos, percebi que os dois lados da minha vida profissional – como cientista e escritor, e como educador ambiental e ativista – estavam intimamente relacionados. Essa foi uma constatação muito feliz, pois me permitiu prosseguir com meus interesses intelectuais como cientista de uma maneira que fosse totalmente coerente com meus valores.

O foco principal da minha educação ambiental e do meu ativismo consiste em ajudar a construir e a estimular comunidades sustentáveis. Para fazer isso, podemos aprender valiosas lições obtidas no estudo dos ecossistemas, que *são* comunidades sustentáveis de plantas, animais e microrganismos. Portanto, a busca pela sustentabilidade ecológica naturalmente leva à pergunta: "Como os ecossistemas funcionam? Como eles se organizam para sustentar seus processos vitais ao longo do tempo?". Essa pergunta, por sua vez, leva à pergunta mais geral: "Como os sistemas vivos – organismos, ecossistemas e sistemas sociais – se organizam?". Em outras palavras, qual é a natureza da vida? E esse é o foco do meu trabalho teórico.

Os ensaios neste livro estão agrupados em onze capítulos de acordo com os assuntos que estavam no centro da minha atenção durante as várias fases da minha carreira, e estão distribuídos, mais ou menos, em ordem cronológica. No Capítulo 1, reviso minhas raízes filosóficas, prestando homenagem a Werner Heisenberg, que teve uma influência decisiva no meu pensamento e na reflexão sobre a contracultura da década de 1960, o período formativo da minha juventude.

Os ensaios do Capítulo 2 narram minha descoberta dos paralelismos entre a física moderna e o misticismo oriental. Eles se baseiam nos meus dois primeiros artigos sobre o assunto e em uma palestra que dei no CERN, o prestigiado centro de pesquisas europeu em física das partículas, nos anos anteriores à publicação de *O Tao da Física*. Concluo o Capítulo 2 com uma homenagem a Geoffrey Chew, cujo pensamento influenciou profundamente minhas visões da ciência.

No Capítulo 3, discuto as implicações da "nova física" (como eu as via na época) para a medicina, a psicologia e a economia, e concluo o capítulo com uma revisão dos desenvolvimentos na física teórica das partículas desde a publicação de *O Tao da Física*.

O Capítulo 4 reflete minha mudança de enfoque da física para as ciências da vida. Ele começa com uma homenagem a Gregory Bateson, cuja influência desencadeou essa mudança, seguida por um resumo da minha primeira tentativa de síntese da visão sistêmica da vida, conforme publiquei em *O Ponto de Mutação* em 1982. Esse capítulo inclui uma avaliação do papel da física na atual mudança de paradigmas, corrigindo e qualificando os argumentos que apresentei vários anos antes no ensaio reproduzido no Capítulo 3.

No Capítulo 5, exploro várias implicações sociais e políticas da visão sistêmica da vida, a começar pelo reconhecimento de que os principais problemas do nosso tempo são problemas sistêmicos, todos eles interconectados e interdependentes. Os ensaios nesse capítulo decorreram de minhas atividades como ativista ambiental durante a década de 1980.

Os ensaios do Capítulo 6 refletem meu trabalho em educação ambiental durante a década de 1990. Eles são baseados em palestras que proferi a professores e administradores em escolas públicas norte-americanas, promovendo os conceitos de alfabetização ecológica e educação para a sustentabilidade.

O Capítulo 7 representa a etapa seguinte na minha síntese da visão sistêmica da vida (publicada em *A Teia da Vida* em 1996), na qual integrei as percepções desbravadoras da teoria da complexidade, bem como as teorias sobre a auto-organização da vida de Ilya Prigogine, Humberto Maturana e Francisco Varela. O primeiro ensaio é uma homenagem ao trabalho pioneiro dos pensadores sistêmicos russos durante as primeiras cinco décadas do século XX. Os ensaios subsequentes, que exploram o tema "complexidade e vida", baseiam-se em seminários em três cenários muito especiais – na Irlanda, em Cuba e em um teatro em São Francisco.

Os ensaios do Capítulo 8 incorporam minha síntese completa, integrando as dimensões biológica, cognitiva, social e ecológica da vida. Eles incluem minha revisão de um filme documentário sobre o artista escocês Andy Goldsworthy, cujas esculturas efêmeras expressam, a meu ver, uma compreensão intuitiva da dinâmica essencial da vida.

No Capítulo 9, assim como no Capítulo 5, discuto as implicações sociais e políticas da visão sistêmica da vida, mas dessa vez com base no arcabouço conceitual de minha síntese completa, publicada em *As Conexões Ocultas* em 2002. Os ensaios nesse capítulo analisam a natureza sistêmica dos problemas globais do mundo e revisam as soluções sistêmicas correspondentes.

Em março de 2020, quando estava prestes a terminar o manuscrito deste livro, minha vida cotidiana mudou drasticamente, assim como a vida de todas as pessoas do mundo, pela eclosão da pandemia da Covid-19. Coloquei meu manuscrito de lado e me concentrei em tentar entender as origens e o impacto da pandemia sob uma perspectiva sistêmica. Enquanto me abrigava em casa, tornei-me mais *on-line* do que nunca, pois recebi incontáveis pedidos para uma análise sistêmica da Covid-19. O Ensaio 27 é meu resumo dessa análise. Argumento que o coronavírus deve ser considerado como uma resposta biológica de Gaia, nosso planeta vivo, para a emergência ecológica e social que a humanidade produziu sobre si mesma, e discuto as lições valiosas, que salvam vidas, e que Gaia nos ofereceu com essa pandemia e a necessidade urgente de aplicar essas lições também à crise climática.

No Capítulo 10, exploro as dimensões éticas da visão sistêmica da vida. Isso inclui uma revisão da filosofia da ecologia profunda e da declaração dos valores e princípios éticos apresentados na Carta da Terra.

No último capítulo, o Capítulo 11, reviso a evolução do meu pensamento sobre ciência e espiritualidade – o tema que me colocou na estrada, há cinquenta anos, explorando as várias áreas do conhecimento e as estratégias ativistas discutidas nos ensaios incluídos neste livro

Fritjof Capra

Berkeley, agosto de 2020

Notas

1. Cópias dos ensaios originais estão disponíveis na coleção "Fritjof Capra Papers", reunidos nos arquivos da Biblioteca Bancroft, Universidade da Califórnia, em Berkeley, com número de arquivo: BANC MSS 2019/173.
2. Capra e Luisi (2014).
3. Capra (1975).
4. Heisenberg (1958).
5. Capra (1982).
6. Capra (1996).
7. Capra (2002).

CAPÍTULO 1

Raízes Filosóficas

Heisenberg e os Anos 1960

NA MINHA INFÂNCIA E no início da minha juventude, tive três experiências de formação que moldaram meus valores e minha maneira de pensar. A primeira delas foi que eu cresci em uma fazenda. Passei a maior parte dos primeiros doze anos da minha vida em uma fazenda no sul da Áustria, na região rural. Isso foi logo depois da Segunda Guerra Mundial. A fazenda pertencia à minha avó, e foi lá que toda a nossa família se refugiou da guerra. Éramos cerca de dez ou quinze membros da família, o que vocês chamariam agora de uma família estendida, e havia muitos refugiados dos países vizinhos – Hungria, Tchecoslováquia, Iugoslávia, e assim por diante – que trabalhavam na fazenda, construindo abrigos para si próprios onde eles pudessem dormir. A comunidade na fazenda da minha avó era grande. Naquela época, logo depois da guerra, você não podia comprar muito; tudo ruíra e a fazenda era totalmente autossuficiente. Tínhamos nossas frutas e verduras, vacas para o leite e a manteiga, galinhas para os ovos e porcos para a carne. Assávamos nosso pão, extraíamos óleo de sementes de girassol, e cidra de maçãs e peras. Tudo era reciclado, até mesmo o metal, usado pelo nosso vizinho, que era ferreiro.

Nesses primeiros doze anos de minha vida, tive um contato muito direto com a natureza. Meu irmão, meus primos e eu passávamos o verão todo descalços, e também trabalhávamos um pouco na fazenda. Um dos tipos de produtos que cultivávamos eram maçãs de muitas espécies diferentes, pelas quais nosso vale (o *Lavanttal*) era famoso. Quando criança, eu não só sabia os nomes dessas espécies de maçãs, mas também conseguia identificar as árvores correspondentes por sua casca, folhas e padrões de crescimento. Muitas das coisas sobre as quais tenho escrito – percepção ecológica, reciclagem, sustentabilidade, o sentido de comunidade – são coisas que vivenciei em minha infância na fazenda.

No início da década de 1950, meus pais mudaram-se para Innsbruck, no coração dos Alpes tiroleses, onde continuei a me sentir perto da natureza, mas dessa vez fazendo caminhadas e esquiando nas montanhas. Durante minha adolescência em Innsbruck, meus pais foram a segunda influência formativa em meu desenvolvimento intelectual. Minha mãe era poetisa, dramaturga e crítica literária. Meu pai era advogado e também filósofo amador. Ele tinha uma grande biblioteca de livros de filosofia e adorava conversar sobre os grandes filósofos alemães – Kant, Hegel, Schopenhauer e outros. Ele também tinha livros sobre hinduísmo e budismo, e falava com frequência sobre as diferenças entre o budismo e o cristianismo.

Minha mãe lia Shakespeare e outros poetas para meu irmão e para mim desde quando éramos crianças. Ela trabalhava em suas poesias e peças bem cedo pela manhã antes de cuidar de sua família. O quarto dela era próximo ao do meu irmão e do meu, e durante todos esses anos, eu acordava todas as manhãs com os sons macios de sua máquina de escrever. Acredito que herdei da minha mãe não só o dom, mas também a disciplina da escrita.

Cresci em meio a muitas conversas sobre filosofia, arte e literatura na mesa de jantar. Meus pais eram apaixonados por arte. Começando em meados da década de 1950, íamos para a Itália em nossas férias de verão, onde vivenciei o estilo bem diferente de vida italiano como a grande arte e arquitetura renascentista e barroca. Em resumo, o ambiente familiar durante minha adolescência foi artístico e filosófico. A terceira influência formativa durante o início dos meus anos de juventude foi um professor de matemática muito especial no colégio, Peter Lesky, que despertou em mim um fascínio pelo pensamento abstrato, o que acabou me levando à física teórica. Lesky era jovem, recém-saído da universidade e muito entusiasmado pela matemática, uma empolgação que ele transmitia a nós estudantes, especialmente àqueles de nós que tinham talento para a matemática. Ele captou toda a nossa atenção quando nos contou sobre problemas matemáticos que não haviam sido resolvidos, e nós perguntávamos a ele:

"Se eu resolver isso, vou receber o Prêmio Nobel?" Ele realmente estimulou nossa criatividade. Lembro-me que trabalhei arduamente com trigonometria em casa e consegui derivar um teorema matemático, apenas para ficar arrasado quando meu professor me disse que ele já havia sido descoberto.

Também tive aulas particulares com Lesky depois da aula. Eu me lembro de que ele me ensinou cálculo quando eu tinha 15 ou 16 anos. Eu estava tão entusiasmado com a matemática que decidi me tornar matemático. Quando me inscrevi na Universidade de Innsbruck, escolhi a matemática como a disciplina principal e a física como a secundária. No meu primeiro curso de matemática, sobre cálculo, tive um professor muito entediante. Mas o professor de física teórica, Ferdinand Cap, era brilhante e empolgante. Cap amava sua física e eu fui muito inspirado por ele. Então, mudei da matemática para a física depois do meu primeiro semestre. Isso ocorreu novamente em virtude da influência de um professor inspirador.

Um acontecimento-chave na minha vida como estudante de física (primeiro em Innsbruck e depois em Viena) foi a minha leitura do livro *Física e Filosofia*,[1] de Werner Heisenberg, seu relato clássico da história e da filosofia da física quântica. É um livro acadêmico, às vezes muito técnico, mas também cheio de detalhes pessoais e até mesmo de passagens altamente emocionais. Heisenberg, um dos fundadores da teoria quântica e, juntamente com Albert Einstein e Niels Bohr, um dos gigantes da física moderna, descreve vividamente como um punhado de físicos na década de 1920 encontrou uma realidade estranha e desconcertante em seus experimentos atômicos e como esses cientistas, em sua luta para compreender essa nova realidade, tornaram-se dolorosamente cientes de que seus conceitos básicos, sua linguagem e toda sua maneira de pensar eram inadequados para descrever fenômenos atômicos.

Li *Física e Filosofia* no fim da década de 1950, logo depois de sua publicação. Como um jovem estudante, não entendi mais do que cerca de metade do livro, mas o adorei, e ele permaneceu comigo durante toda a minha carreira. Eu o leio repetidas vezes, e aprendi com Heisenberg que a "nova física" implicava uma visão de mundo totalmente nova.

Na verdade, olhando para trás, posso apontar uma frase no livro de Heisenberg que plantou uma semente em minha mente, a qual amadureceria mais de uma década depois, em minha investigação sistemática das limitações da visão de mundo cartesiana. "A partição [cartesiana]", escreveu Heisenberg, "penetrou profundamente na mente humana durante os três séculos que se seguiram a Descartes, e ainda levará muito tempo para ser substituída por uma atitude realmente diferente em relação ao problema da realidade."[2]

Meu primeiro ensaio neste livro é, apropriadamente, uma homenagem a Werner Heisenberg. Explico como Heisenberg se defrontou diretamente com a estranha realidade dos fenômenos atômicos, como ele desenvolveu a primeira formulação logicamente consistente da teoria quântica, e como reconheceu que esse novo formalismo forçaria os físicos a restringir a aplicabilidade de suas noções intuitivas de espaço e tempo, e de causa e efeito. Sua grandeza não estava apenas no fato de que ele reconheceu essas limitações e suas profundas implicações filosóficas, mas também no fato de que foi capaz de delimitá-las em uma forma matemática precisa, que agora leva o seu nome, o princípio da incerteza de Heisenberg.

Eu encontrei Heisenberg duas vezes em minha vida: em 1972, logo depois de começar a trabalhar em *O Tao da Física*, e em 1974, quando lhe mostrei meu manuscrito completo. Ambos os encontros, descritos em detalhes em meu livro *Uncommon Wisdom*,[3]* foram altamente inspiradores para mim e me deram uma enorme confiança. No fim de nossa longa e detalhada discussão sobre o meu manuscrito, Heisenberg disse simplesmente: "Basicamente, estou totalmente de acordo com você".

Durante nosso primeiro encontro, Heisenberg contou-me que ele havia se familiarizado com a filosofia indiana durante longas discussões com o célebre poeta indiano Rabindranath Tagore, que o hospedou em sua casa. Ele também mencionou que reconhecer os paralelismos entre os conceitos da física quântica e a sabedoria indiana foi um grande conforto para ele.

Por muitos anos, não consegui encontrar uma confirmação independente dessa história. Recentemente, porém, descobri duas fontes nas quais o encontro Heisenberg-Tagore é mencionado. Elas confirmam minha lembrança com apenas pequenas diferenças. No meu segundo ensaio, discuto a documentação

* *Sabedoria Incomum*. São Paulo: Cultrix, 1990.

detalhada desse encontro, que foi um evento significativo na história da ciência moderna, mas ainda não é amplamente conhecido.

O terceiro ensaio neste capítulo é uma reflexão sobre a década de 1960, o período formativo da minha juventude, no qual experimentei a transformação pessoal mais profunda e mais radical. Tento evocar o espírito da contracultura daquele período extraordinário, identificando suas características definidoras e suas expressões em muitas formas de arte que muitas vezes envolviam inovações radicais. No fim do ensaio, abordo algumas perguntas que são frequentemente feitas hoje em dia: "O que aconteceu com os movimentos culturais dos anos 1960? O que eles alcançaram, e se isso aconteceu, qual é o seu legado?".

Tento responder a essas perguntas chamando a atenção para a aceitação de muitos dos valores culturais alternativos da década de 1960 na sociedade *mainstream* de hoje, e discuto a influência significativa da contracultura no início da revolução da tecnologia da informação na década de 1970, o fim da Guerra Fria, a ascensão da Política Verde na década de 1980, e a emergência de uma sociedade civil globalizada, promovendo os valores da dignidade humana e da sustentabilidade ecológica, na década de 1990. Essa nova forma de comunidade alternativa global, compartilhando valores fundamentais e fazendo uso extensivo de redes eletrônicas, além de contatos humanos frequentes, é talvez o legado mais importante dos anos 1960.

Notas

1. Heisenberg (1958).
2. *Ibidem*, p. 81.
3. Capra (1988).

ENSAIO 1

Werner Heisenberg

Explorador dos Limites da Imaginação Humana

1976

Um mês atrás, em 1º de fevereiro, Werner Heisenberg faleceu aos 74 anos de idade. Ele foi um dos fundadores da teoria quântica e será lembrado, juntamente com Albert Einstein e Niels Bohr, como um dos gigantes da ciência moderna, que desempenhou um papel decisivo na evolução intelectual da humanidade.

A teoria darwinista da evolução pode ter sido chocante, e a descoberta do código genético por Watson e Crick foi com certeza uma das façanhas mais espetaculares da ciência moderna. Mas a física moderna desafiou seriamente a capacidade humana para compreender o universo.

No início do século XX, pela primeira vez os físicos sondaram profundamente no mundo atômico, em um domínio da natureza muito distante de seu ambiente cotidiano, e, ao fazer isso, eles transcenderam os limites da imaginação sensorial. Eles descobriram, para sua grande surpresa e consternação, que não podiam mais contar, com absoluta certeza, com a lógica e o senso comum, pois a linguagem comum muitas vezes era completamente inadequada para descrever os fenômenos recém-descobertos.

Essa descoberta foi um grande choque para a maioria deles. Einstein sentiu esse choque quando entrou em contato pela primeira vez com a nova realidade da física atômica. Ele escreveu em sua autobiografia: "Todas as minhas tentativas de adaptar o fundamento teórico da física a esse [novo tipo de] conhecimento falharam completamente. Era como se o chão tivesse sido arrancado debaixo de nós, sem que se pudesse enxergar uma base sólida em qualquer lugar sobre o qual se teria condições de edificar uma construção".[1]

A física moderna forçou os cientistas a pensar em novas categorias sobre o universo. Foi uma grande conquista de Heisenberg reconhecer isso claramente e construir, no âmbito dessas novas categorias, a base sólida que Einstein não conseguia ver em lugar nenhum.

Heisenberg se envolveu com a física atômica aos 20 anos de idade, quando era estudante da Universidade de Munique. Em 1922, seu professor, Arnold Sommerfeld, convidou-o a assistir a uma série de palestras proferidas por Niels Bohr em Göttingen. O tópico das palestras era a nova teoria atômica de Bohr, que tinha sido saudada como uma enorme conquista e estava sendo estudada por físicos em toda a Europa.

Na discussão que se seguiu a uma dessas palestras, Heisenberg discordou de Bohr sobre um ponto técnico específico. Bohr ficou tão impressionado com os argumentos claros desse jovem estudante que o convidou a caminhar com ele para que ambos pudessem continuar sua discussão. Essa caminhada, que durou várias horas, foi o primeiro encontro de duas mentes extraordinárias, cuja interação posterior se tornaria uma grande força no desenvolvimento da física atômica.

Niels Bohr, dezesseis anos mais velho que Heisenberg, era um homem com intuição suprema e um profundo apreço pelos mistérios do mundo, um homem influenciado pela filosofia religiosa de Kierkegaard e os escritos místicos de William James. Ele nunca gostou de sistemas axiomáticos e declarava repetidamente: "Tudo o que digo deve ser entendido não como uma afirmação, mas como uma pergunta". Werner Heisenberg, por outro lado, tinha uma mente clara, analítica e matemática, e estava filosoficamente arraigado no pensamento grego, com o qual estava familiarizado desde a juventude. Bohr e Heisenberg representaram os aspectos *yin* e *yang* da mente humana. A interação dinâmica e muitas vezes dramática desses polos complementares foi um processo único na história da ciência moderna e levou a um de seus maiores triunfos.

Bohr postulou que os átomos só poderiam existir em estados distintos e estacionários em que seus elétrons circulavam em torno do núcleo e apenas em certas órbitas com diâmetros bem definidos. Essa teoria baseava-se em uma combinação da mecânica clássica, para descrever o movimento dos elétrons, com as chamadas condições quânticas, que foram impostas sobre esse movimento para determinar os diâmetros das órbitas eletrônicas.

No entanto, as investigações dos físicos atômicos estavam infestadas por paradoxos e aparentes contradições entre os resultados de diferentes experimentos. Muitos desses paradoxos estavam relacionados com a natureza dual da matéria subatômica, que às vezes aparecia como partículas, e às vezes como ondas, um comportamento extremamente intrigante, que também era exibido pela luz ou, mais geralmente, pela radiação eletromagnética.

Por exemplo, descobriu-se que a luz era emitida e absorvida sob a forma de *quanta*, mas quando essas partículas de luz (agora conhecidas como fótons) viajavam pelo espaço, elas apareciam como campos elétricos e magnéticos vibrantes, que apresentavam todo o comportamento característico de ondas. Os elétrons sempre foram considerados como partículas, e, no entanto, quando se fazia um feixe dessas partículas atravessar uma pequena fenda, ele se difratava – em outras palavras, os elétrons também se comportavam como ondas. O estranho é que quanto mais os físicos tentavam esclarecer a situação, mais acentuados se tornavam os paradoxos.

Aqui, Heisenberg deu sua primeira contribuição crucial. Ele percebeu que os paradoxos na física atômica apareciam sempre que se tentava descrever fenômenos atômicos com base em uma fundamentação cognitiva clássica, e ele foi corajoso o bastante para descartar esse arcabouço conceitual clássico. Em 1925, publicou um artigo no qual abandonou a descrição de Bohr do movimento dos elétrons em função de suas posições e velocidades. Ele substituiu a descrição de Bohr por um arcabouço muito mais abstrato, no qual quantidades físicas eram representadas por conjuntos de números que obedeciam a uma regra de multiplicação peculiar. Esses conjuntos foram posteriormente reconhecidos como matrizes, e todo o formalismo é agora conhecido como mecânica matricial de Heisenberg. A mecânica matricial de Heisenberg foi a primeira formulação logicamente consistente da teoria quântica.

Um ano depois, essa formulação foi complementada por um formalismo diferente, elaborado por Erwin Schrödinger e conhecido como "mecânica ondulatória". Ambos os formalismos são logicamente consistentes e matematicamente equivalentes; os mesmos fenômenos atômicos podem ser descritos em duas linguagens matemáticas diferentes.

No fim de 1926, então, os físicos tinham um formalismo matemático completo e logicamente consistente, mas nem sempre sabiam como usá-lo para descrever uma dada situação experimental. Heisenberg reconheceu que a raiz dessas dificuldades era a falta de uma interpretação definida do formalismo, e ele passou os meses seguintes em discussões intensas, exaustivas e, muitas vezes, altamente emocionais com Bohr, Schrödinger e outros, até que a situação foi finalmente esclarecida. O próprio Heisenberg descreveu esse período crucial da história da teoria quântica da maneira mais vívida:

> Um estudo intensivo de todas as questões relativas à interpretação da teoria quântica em Copenhague finalmente levou a um completo [...] esclarecimento da situação. Mas não era uma solução que pudesse ser facilmente aceita. Lembro-me de discussões com Bohr que duraram muitas horas, até muito tarde da noite, e terminavam quase em desespero; e quando, ao fim da discussão, eu ia caminhar sozinho no parque da vizinhança, repetia para mim mesmo, vezes e mais vezes, a pergunta: "Será possível que a natureza seja tão absurda quanto pareceu a nós nesses experimentos atômicos?".[2]

Heisenberg reconheceu que o formalismo da teoria quântica não pode ser interpretado nos mesmos termos com os quais entendemos nossas noções intuitivas de espaço e tempo, ou de causa e efeito, mas, ao mesmo tempo, ele percebeu que todos os nossos conceitos estão conectados com essas noções intuitivas de espaço e tempo. Ele concluiu que não havia outra saída que não fosse a de manter as noções intuitivas clássicas, mas restringindo sua aplicabilidade.

O Princípio da Incerteza

A grande realização de Heisenberg foi a de conseguir expressar essas limitações dos conceitos clássicos sob uma forma matemática precisa, que agora leva o seu nome e é conhecida como princípio da incerteza de Heisenberg. Esse princípio consiste em um conjunto de relações matemáticas que determinam até que ponto os conceitos clássicos podem ser aplicados aos fenômenos atômicos e, assim, demarcar os limites da imaginação humana no mundo subatômico.

Para compreender a substância do princípio da incerteza, temos de estudar a relação entre a imagem da onda e a imagem da partícula de matéria subatômica. De acordo com as ideias clássicas, uma onda é um padrão vibratório movendo-se pelo espaço. Ela é caracterizada por uma amplitude A, a largura (ou altura) do topo até o ponto médio da vibração, e por um comprimento de onda L, a distância entre duas cristas sucessivas.

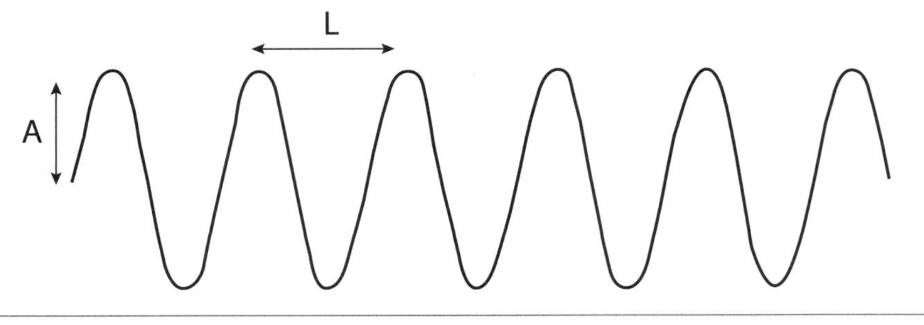

Figura 1. Um padrão ondulatório.

Por outro lado, uma partícula não está espalhada no espaço, mas tem uma posição bem definida em qualquer instante, e seu estado de movimento é descrito por sua velocidade. É óbvio que por muito tempo os físicos acharam impossível aceitar que algo pudesse ser simultaneamente uma partícula – isto é, uma entidade confinada a um volume muito pequeno – e uma onda – isto é, um fenômeno que, em vez de se confinar a um volume pequeno, pode se espalhar por um volume muito grande –, como seus experimentos pareciam indicar.

A aparente contradição entre as duas figuras foi resolvida de uma maneira totalmente inesperada, que colocou em cheque o próprio fundamento da visão clássica da matéria – o conceito de sua realidade.

No nível subatômico, a matéria não existe com certeza em lugares definidos, mas, em vez disso, mostra – como Heisenberg se expressou – "tendências para existir". A teoria quântica expressa essas tendências como probabilidades e associa essas probabilidades a quantidades matemáticas que tomam a forma de ondas. É por isso que as partículas podem ser ondas ao mesmo tempo. Elas não são ondas tridimensionais "reais", como ondas sonoras ou ondas na água. Elas são "ondas de probabilidade", quantidades matemáticas abstratas com todas as propriedades características de ondas relacionadas às probabilidades de se encontrar as partículas em pontos específicos do espaço e em tempos específicos. Todas as leis básicas da física atômica são expressas em função dessas probabilidades. Nós nunca podemos prever com certeza um evento atômico; só podemos dizer o quão provável é que isso aconteça, expresso como "ondas de probabilidade".

Agora, a teoria quântica associa da seguinte maneira as propriedades de uma onda de probabilidade com as propriedades das partículas correspondentes. Onde a amplitude da onda é grande, é provável que encontremos a partícula se procurarmos por ela; onde a amplitude é pequena, é improvável que a encontremos. Como a amplitude da onda nos dá informações sobre a posição da partícula, as informações sobre a sua velocidade estão contidas no comprimento de onda da onda. Quanto menor for o comprimento de onda, mais rápida será a partícula.

Uma onda que se espalha como a do nosso exemplo não nos diz muito sobre a posição da partícula correspondente. Ela pode ser encontrada em qualquer lugar ao longo da onda com a mesma probabilidade. No entanto, muitas vezes lidamos com situações em que a posição da partícula é conhecida até certo ponto, por exemplo, na descrição de um elétron em um átomo. Nesse caso, as probabilidades de encontrar a partícula em vários lugares devem ser confinadas a uma certa região. Fora dessa região, elas precisam ser iguais a zero. Isso pode ser obtido por meio de um padrão de onda como o do diagrama a seguir, que corresponde a uma partícula localizada na região X.

Esse padrão é chamado de pacote de onda. Ele mostra que a partícula está localizada em algum lugar dentro da região X, mas não nos permite localizá-la com mais precisão. Para pontos dentro da região, podemos apenas obter as probabilidades para a presença da partícula. Portanto, o comprimento do pacote de onda representa uma incerteza na posição da partícula. Em relação à velocidade da partícula, a propriedade importante desse pacote de onda é que ele não tem comprimento de onda definido; ou seja, a distância entre duas cristas consecutivas não é igual à distância entre duas outras cristas consecutivas quaisquer em todo o padrão.

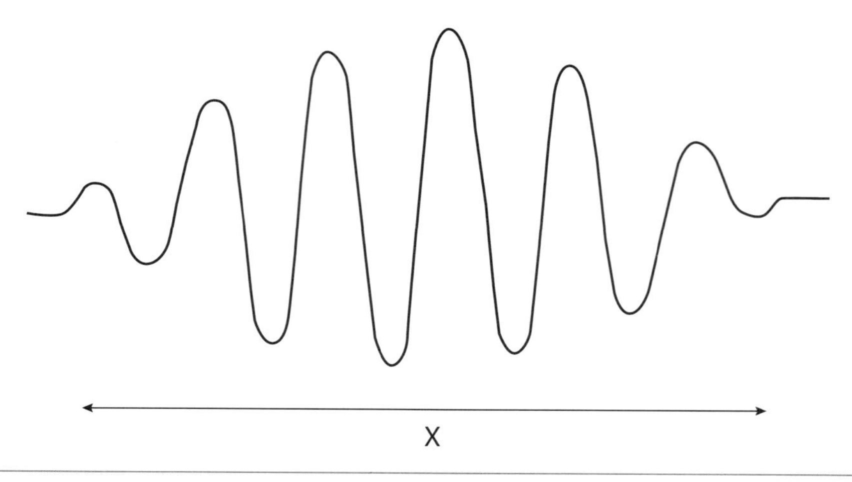

Figura 2. Um pacote de onda correspondente a uma partícula localizada em algum lugar da região X.

Há um espalhamento no comprimento de onda, cuja quantidade depende do comprimento do pacote de onda: quanto mais curto for o pacote de onda, mais longo será o espalhamento no comprimento de onda. Isso não tem nada a ver com a teoria quântica, mas simplesmente segue-se das propriedades das ondas. Os pacotes de onda não têm um comprimento de onda definido. A teoria quântica entra em jogo quando associamos o comprimento de onda com a velocidade da partícula correspondente. Se o pacote de onda não tem um comprimento de onda bem definido, a partícula não tem uma velocidade bem definida. Isso significa que não há apenas uma incerteza na posição da partícula, correspondente ao comprimento do pacote de onda, mas também uma incerteza em sua velocidade, causada pelo espalhamento do comprimento de onda.

As duas incertezas estão inter-relacionadas. O espalhamento no comprimento de onda (isto é, a incerteza da velocidade) depende do comprimento do pacote de onda (ou seja, a incerteza da posição). Se quisermos localizar a partícula com mais precisão – ou seja, se quisermos confinar seu pacote de onda a uma região menor, isso resultará em um aumento no espalhamento do comprimento de onda e, portanto, em um aumento na incerteza da velocidade da partícula.

A forma matemática precisa dessa relação entre as incertezas da posição e da velocidade de uma partícula é dada pelo princípio da incerteza de Heisenberg. Isso significa que, no mundo subatômico, nunca podemos conhecer ambas, a posição e a velocidade de uma partícula, com grande precisão. Quanto melhor nós conhecermos a posição, mais indefinido e "fosco" será o nosso conhecimento de sua velocidade, e vice-versa. Podemos decidir realizar uma medição precisa de qualquer uma das duas quantidades, mas então precisaremos permanecer completamente ignorantes a respeito da outra.

A relação entre as incertezas da posição e da velocidade de uma partícula não é a única forma do princípio da incerteza. Relações semelhantes se mantêm entre outras quantidades, por exemplo, entre o tempo em que dura um evento atômico e a energia que ele envolve. Assim, o princípio da incerteza consiste em todo um conjunto de "relações de incerteza".

É importante compreender que as limitações expressas por essas relações não são causadas pela imperfeição de nossas técnicas de medição, mas sim, são limitações de princípio inerentes à realidade atômica. Se decidimos medir a posição de uma partícula com precisão, a partícula simplesmente *não terá* uma velocidade bem definida, e vice-versa.

Portanto, o princípio da incerteza mede até que ponto o cientista influencia as propriedades dos objetos observados por meio da decisão de medir uma propriedade ou a outra. Na física atômica, o cientista não pode desempenhar o papel de um observador objetivo desprendido, mas se envolve no mundo que ele observa. O princípio de Heisenberg mede esse envolvimento.

No nível mais fundamental, o princípio da incerteza de Heisenberg é uma medida da unidade e da inter-relação do universo. Viemos a compreender na física moderna que o mundo material não é uma coleção de objetos separados, mas uma teia de relações entre as várias partes de uma totalidade unificada. Nossas noções clássicas, derivadas de nossa experiência comum, não são totalmente adequadas para descrever este mundo. Por exemplo, o conceito de uma partícula distinta é uma idealização que não tem importância fundamental. Quando descrevemos as propriedades de tal entidade em função de conceitos clássicos – como posição, energia e velocidade – sempre encontramos pares de conceitos que estão inter-relacionados e não podem ser definidos simultaneamente de maneira precisa. Quanto mais impomos o conceito único de "objeto" físico, mais o outro conceito torna-se incerto. A relação precisa entre os dois é dada pelo princípio da incerteza.

Como ninguém, Werner Heisenberg explorou os limites da imaginação humana, os limites até os quais nossos conceitos convencionais podem ser estendidos, e até que ponto nós nos tornamos envolvidos no mundo que observamos. Sua grandeza foi a de que ele não apenas reconheceu essas limitações e suas implicações filosóficas profundas, mas também foi capaz de delimitá-las com clareza e precisão matemáticas.

Notas

Este ensaio foi publicado pela primeira vez no *East West Journal*, março de 1976, pp. 36-7.

1. Citado em Schilpp (1949), p. 45.
2. Heisenberg (1958), p. 42.

ENSAIO 2

Heisenberg e Tagore

2017

Em 1972, conheci Werner Heisenberg, um dos gigantes da física moderna, cujo livro *Física e Filosofia* teve uma influência decisiva em meu pensamento. Apresentei um relato detalhado de minhas conversas com Heisenberg e das impressões pessoais que tive dele em meu livro *Sabedoria Incomum*.[1]

Naquela época, eu acabara de começar a trabalhar em *O Tao da Física*,[2] e então, estava naturalmente curioso para ouvir os pensamentos de Heisenberg sobre a filosofia oriental. Ele contou-me, para minha grande surpresa, não apenas que estava bem ciente dos paralelismos entre a física quântica e o pensamento oriental, mas também que seu próprio trabalho científico fora influenciado, pelo menos no nível subconsciente, pela filosofia hindu. Eis aqui como gravei essa parte da nossa conversa:

> Em 1929, Heisenberg passou algum tempo na Índia como convidado do célebre poeta indiano Rabindranath Tagore, com quem teve longas conversas sobre ciência e filosofia hindu. Essa introdução ao pensamento hindu proporcionou a Heisenberg grande conforto, disse-me. Ele começou a constatar que o reconhecimento da relatividade, da interconexidade e da impermanência como aspectos fundamentais da realidade física, que tinha sido tão difícil para ele e seus colegas físicos, era a própria base das tradições espirituais hinduístas. [Ou seja, relativa à religião e ao pensamento religioso hindu.] "Depois dessas conversas

com Tagore", disse-me ele, "algumas das ideias que me haviam, de início, parecido tão malucas, de repente passaram a fazer muito mais sentido. Isso foi uma grande ajuda para mim."[3]

Após a publicação do meu relato, tentei repetidamente, sem sucesso, descobrir uma confirmação independente do significativo encontro de Heisenberg com Tagore. Pesquisei várias biografias de Tagore e falei com acadêmicos estudiosos de Tagore, mas não consegui encontrar ninguém que soubesse desse encontro. Embora as conversas de Tagore com Albert Einstein em 1930 sejam bem documentadas, parecia não haver registro de seu encontro com Heisenberg vários meses antes. Por muitos anos, me senti um pouco desconfortável pensando que minhas lembranças de minha conversa com Heisenberg poderiam ser a única fonte desse encontro histórico. Só muito recentemente um amigo meu, o historiador da ciência brasileiro Gustavo Rocha, mostrou-me duas fontes em que se menciona o encontro Heisenberg-Tagore. Elas confirmaram minha lembrança com apenas pequenas diferenças.

Em sua biografia de Werner Heisenberg, o físico Helmut Rechenberg, que fora aluno de Heisenberg, faz um relato detalhado da turnê de palestras de Heisenberg em 1929 ao redor do mundo, que o levou da Alemanha aos Estados Unidos, ao Japão, à Índia e de volta à Alemanha.[4]

Em 4 de outubro de 1929, escreve Rechenberg, Heisenberg visitou a Universidade de Calcutá, onde foi recebido com grandes honras por todo o corpo docente, e na tarde daquele dia, ele visitou Rabindranath Tagore. No dia seguinte, Heisenberg escreveu aos seus pais: "*Nachmittags war ich bei dem indischen Dichter Rabindranath Tagore zu Gast*" ("À tarde, eu fui o convidado do poeta indiano Rabindranath Tagore").[5]

Em nosso encontro em Munique, 43 anos depois, Heisenberg usou palavras muito semelhantes. "*In Indien war ich bei Rabindranath Tagore zu Gast*", ele me disse, "*und wir sprachen lange über Wissenschaft und indische Philosophie*" ("Na Índia, eu fui o convidado de Rabindranath Tagore, e falamos durante longo tempo sobre a ciência e a filosofia hindu"). Naquela época, eu interpretei mal suas palavras "*war ich bei Rabindranath Tagore zu Gast*" no sentido de que ele era um hóspede da casa de Tagore, e "*wir sprachen lange*" no sentido de que eles tiveram várias conversas longas, em vez de apenas uma conversa durante uma longa tarde.

Outro relato do encontro Heisenberg-Tagore é apresentado no livro *Rabindranath Tagore: The Miriad-Minded Man*, de Krishna Dutta e Andrew Robinson.[6] "Heisenberg expressou interesse em ver RT", escrevem os autores, "e foi levado para [a *villa* de Tagore] pelo cientista D. M. Bose, sobrinho de J. C. Bose. 'Deixamos Heisenberg para que ele conversasse com o poeta. Eu não me lembro de qual foi o conteúdo dessa conversa, mas Heisenberg ficou muito impressionado pela personalidade iluminadora do poeta, que o lembrou de um profeta dos velhos tempos.' (Bose Institute, p. 15)".

Os autores então acrescentam: "No entanto, de acordo com a esposa de Heisenberg (que não era cientista), 'meu marido não ficou muito impressionado com seus pensamentos [de Tagore]. A mistura de filosofia oriental e ocidental em seus pensamentos realmente não o convenceu' (Elisabeth Heisenberg para os autores, 3 de outubro de 1990)". Na minha visão, Heisenberg pode não ter ficado diretamente impressionado com as observações de Tagore, mas acredito que, ao longo dos anos, ele absorveu as exposições de Tagore muito mais plenamente, e naquela tarde em sua vida, quando o conheci, ele percebeu a influência dele em seu pensamento.

Na verdade, quando enviei a Heisenberg uma cópia do meu primeiro artigo sobre física moderna e misticismo oriental, intitulado "The Dance of Shiva: The Hindu View of Matter in the Light of Modern Physics" ("A Dança de Shiva: A Visão Hinduísta da Matéria à Luz da Física Moderna" – Ensaio 4 neste livro), ele respondeu, "*Haben Sie den besten Dank für die Übersendung Ihrer Arbeit 'The Dance of Shiva'. Die Verwandtschaft der alten östlichen Lehren mit den philosophischen Konsequenzen der modernen Quantentheorie haben [sic] mich immer wieder fasziniert*" ("Muito obrigado por me enviar seu artigo 'The Dance of Shiva' ('A Dança de Shiva"). O parentesco entre os antigos ensinamentos orientais e as consequências filosóficas da teoria quântica moderna têm [*sic*] me fascinado vezes e mais vezes").[7]

O reconhecimento por Heisenberg dos paralelismos entre a teoria quântica e a filosofia hinduísta me ofereceu um tremendo apoio moral enquanto eu escrevia *O Tao da Física*, e estou muito satisfeito por finalmente ter encontrado a confirmação de seu encontro histórico com Rabindranath Tagore, que ele descreveu a mim tão enfaticamente durante nossa conversa.

Notas

Este ensaio foi originalmente postado em www.fritjofcapra.net/blog, 3 de julho de 2017.

1. Capra (1988).
2. Capra (1975).
3. Capra (1988), p. 43.
4. Rechenberg (2009), pp. 797ss.
5. *Ibid.*, p. 808.
6. Dutta e Robinson (1995), nota de rodapé, p. 283.
7. Heisenberg (1971).

ENSAIO 3

Para Onde Foram Todas as Flores?

Reflexões sobre o Espírito e o Legado dos Anos 1960

2002

Os ANOS 1960 FORAM o período de minha vida durante o qual experimentei a transformação pessoal mais intensa, profunda e radical. Para aqueles de nós que se identificam com os movimentos culturais e políticos da década de 1960, esse período representa não apenas uma década, mas também um estado de consciência, caracterizado pela expansão transpessoal, o questionamento da autoridade, um sentido de empoderamento e a experiência da beleza sensual e da comunidade.

Esse estado de consciência continuou na década de 1970. Na verdade, se poderia dizer que a década de 1960 só chegou ao fim em dezembro de 1980, com o tiro que matou John Lennon. O imenso sentido de perda que muitos de nós sentiram era, em grande medida, a respeito da perda de uma era. Durante alguns dias depois do disparo fatal, nós revivemos a magia da década de 1960. Fizemos isso com tristeza e com prantos, mas o mesmo sentimento de encantamento e comunidade estava, mais uma vez, vivo. Para onde quer que você fosse durante aqueles poucos dias – em cada bairro, em cada cidade, em cada país ao redor do mundo – você ouvia a música de John Lennon, e o intenso idealismo que nos transportou ao longo dos anos 1960 manifestou-se mais uma vez:

You may say I'm a dreamer,
but I'm not the only one.
I hope some day you'll join us
and the world will live as one.[1]

[Você pode dizer que eu sou um sonhador,
Mas eu não sou o único.
Espero que algum dia você se junte a nós
E o mundo viverá como um só.]

Neste ensaio, tentarei evocar o espírito desse extraordinário período, identificar suas características definidoras e fornecer uma resposta a algumas perguntas que são frequentemente feitas nos dias de hoje: "O que aconteceu com os movimentos culturais dos anos 1960? O que eles conquistaram, e qual foi o seu legado, se houve algum?".

Figura 3. O autor em 1978. Foto: Carolyn Wyndham.

Expansão da Consciência

A era da década de 1960 foi dominada por uma expansão da consciência em duas direções. Um dos movimentos, em reação ao crescente materialismo e secularismo da sociedade ocidental, adotou um novo tipo de espiritualidade aparentada às tradições místicas do Oriente. Isso envolveu uma expansão da consciência em direção a experiências envolvendo modos de percepção não comuns, que são tradicionalmente obtidos por meio de meditação, mas também podem ocorrer em vários outros contextos, e que os psicólogos da época começaram a chamar de "transpessoais". Substâncias psicodélicas desempenharam um papel significativo nesse movimento, assim como o fizeram a promoção da percepção sensorial expandida pelo movimento do potencial humano, expressa em sua exortação: "Saia de sua cabeça e entre em seus sentidos!".

A primeira expansão da consciência, então, foi um movimento para além do materialismo e rumo a uma nova espiritualidade, além da realidade comum por meio de experiências meditativas e psicodélicas, e além da racionalidade por meio de percepção sensorial expandida. O efeito combinado era uma contínua sensação de magia, assombro e maravilha, que, para muitos de nós, será para sempre associada com os anos 1960.

O Questionamento da Autoridade

O outro movimento foi uma expansão da consciência social, disparada por um questionamento radical da autoridade. Isso aconteceu independentemente em várias áreas. Embora o movimento norte-americano pelos direitos civis exigisse que os cidadãos negros fossem incluídos no processo político, o movimento pela liberdade de expressão em Berkeley e os movimentos estudantis em outras universidades por todos os Estados Unidos e a Europa exigia o mesmo para os estudantes.

Na Europa, esses movimentos culminaram na memorável revolta dos estudantes universitários franceses que ainda é conhecida simplesmente como "Maio de 68". Durante essa época, todas as atividades de pesquisa e de ensino foram completamente interrompidas na maioria das universidades francesas, quando os estudantes, conduzidos por Daniel Cohn-Bendit, estenderam sua crítica à sociedade como um todo e procuraram a solidariedade do movimento trabalhista francês para mudar toda a ordem social. Durante três semanas, as administrações de Paris e de outras metrópoles francesas, o transporte público e atividades comerciais de todos os tipos foram paralisadas por uma greve geral. Em Paris, as pessoas passavam a maior parte do seu tempo discutindo política nas ruas, enquanto os estudantes mantinham discussões estratégicas na Sorbonne e em outras universidades. Além disso, eles ocuparam o Odéon, o espaçoso teatro da Comédie-Française, e o transformaram em um "parlamento do povo" que funcionava ao longo de 24 horas, onde discutiam suas visões estimulantes, embora altamente idealistas, de uma futura ordem social.

O ano de 1968 foi o ano da chamada Primavera de Praga, durante a qual cidadãos tchecos, conduzidos por Alexander Dubček, questionavam a autoridade do regime soviético, o que alarmou o Partido Comunista Soviético a tal ponto que alguns meses mais tarde, ele esmagou os processos de democratização iniciados em Praga em sua brutal invasão da Tchecoslováquia.

Nos Estados Unidos, a oposição à Guerra do Vietnã tornou-se um ponto de reuniões políticas para o movimento estudantil e a contracultura. Ela disparou um enorme movimento antibelicista, que exerceu grande influência na cena política norte-americana e levou a muitos eventos memoráveis, inclusive a decisão, pelo presidente Johnson, de não procurar a reeleição, a turbulenta Convenção Democrática de 1968, em Chicago, o escândalo Watergate e a demissão do presidente Nixon.

Um Novo Sentido de Comunidade

Enquanto o movimento pelos direitos civis questionava a autoridade da sociedade branca e os movimento estudantis questionavam a autoridade de suas universidades com base em questões políticas, o movimento das mulheres começava a questionar a autoridade patriarcal, os psicólogos humanistas solaparam a autoridade de médicos e terapeutas, e a revolução sexual, desencadeada pela disponibilidade das pílulas de controle de natalidade, demoliram as atitudes puritanas com relação à sexualidade, as quais eram típicas da cultura norte-americana.

O questionamento radical da autoridade e a expansão da consciência social e transpessoal deram lugar a uma cultura totalmente nova – uma "contracultura" – que se definiu em oposição à cultura dominante "certinha" abraçando um diferente conjunto de valores. Os membros dessa cultura alternativa, que eram chamados de *hippies* pelos *outsiders*, mas que raramente usavam eles mesmos essa expressão, mantinham-se juntos graças a um vigoroso sentido de comunidade. Para nos distinguir dos escovinhas que usavam ternos de poliéster, os executivos de negócios daquela era, usávamos cabelos longos, roupas coloridas e individualizadas, flores, rosários e outras joias. Muitos de nós eram vegetarianos que muitas vezes faziam seu próprio pão, praticavam yoga ou alguma outra forma de meditação, e aprendiam a trabalhar com nossas próprias mãos em vários ofícios.

Nossa subcultura era imediatamente identificável e estreitamente ligada e coesa. Tinha seus próprios rituais, música, poesia e literatura; uma fascinação comum pela espiritualidade e pelo oculto; e a visão compartilhada de uma sociedade linda e pacífica. O *rock* e substâncias psicodélicas eram ligações poderosas que influenciavam vigorosamente a arte e o estilo de vida da cultura *hippie*. Além disso, a intimidade, a pacífica serenidade e a confiança que dominavam as comunidades *hippies* eram expressas em casual nudez comunal e sexualidade livremente compartilhada. Em nossos lares, frequentemente queimávamos incenso e mantínhamos pequenos altares com coleções ecléticas de estátuas de deuses e deusas hinduístas, Budas em meditação, caules de milefólios ou moedas para consultar o *I Ching* e vários objetos pessoais "sagrados".

Embora diferentes ramificações do movimento da década de 1960 surgissem independentemente e, muitas vezes, permanecessem como movimentos distintos, com poucas sobreposições por vários anos, elas finalmente acabavam por se tornar cientes umas das outras, expressavam solidariedade mútua e, durante a década de 1970, fundiram-se em grau maior ou menor em uma única subcultura. Por volta dessa época, substâncias psicodélicas, o *rock* e a moda *hippie* transcenderam as fronteiras nacionais e forjaram fortes laços entre a contracultura internacional. Tribos *hippie* multinacionais reuniram-se em vários centros de contracultura – Londres, Amsterdã, San Francisco, Greenwich Village –, bem como cidades mais remotas e exóticas, como Marrakesh e Katmandu. Esses frequentes intercâmbios que cruzavam culturas deram origem a uma percepção global alternativa muito antes do início da globalização econômica.

A Música dos Anos 1960

O *zeitgeist* (espírito do tempo) da década de 1960 encontrou expressão em muitas formas de arte que, com frequência, envolveram inovações radicais, absorveram várias facetas da contracultura e fortaleceram os relacionamentos múltiplos entre a comunidade alternativa internacional.

O *rock* foi o mais poderoso entre esses laços artísticos. Os Beatles quebraram a autoridade dos estúdios e compositores ao escrever sua própria música e suas próprias letras, criando novos gêneros musicais e montando sua própria empresa de produção. Ao fazer isso, incorporaram muitas facetas da expansão de consciência característica do período em suas canções e estilos de vida.

Bob Dylan expressou o espírito dos protestos políticos em poderosos poemas e músicas que se tornaram hinos dos anos 1960. Os Rolling Stones representavam a irreverência, a exuberância e a energia sexual da contracultura, enquanto a cena do *acid rock* de San Francisco deu expressão às suas experiências psicodélicas.

Ao mesmo tempo, o *free jazz* de John Coltrane, Ornette Coleman, Sun Ra, Archie Shepp e outros abalaram as formas convencionais de improvisação jazzística e deram expressão à espiritualidade, à poesia política radical, ao teatro de rua, e a outros elementos da contracultura. Assim como os músicos de *jazz*, os compositores clássicos, como Karlheinz Stockhausen na Alemanha e John Cage nos Estados Unidos, abalaram as formas musicais convencionais e incorporaram em suas músicas grande parte da espontaneidade e da percepção expandida dos anos 1960.

O fascínio dos *hippies* pelas filosofias religiosas, arte e cultura hinduístas reultou em uma grande popularidade da música indiana. A maioria das coleções de discos daquela época continha álbuns de Ravi Shankar, Ali Akbar Khan e outros mestres da música clássica indiana juntamente com LPs de *rock* e *folk*, *jazz* e *blues*.

A cultura do *rock* e das substâncias psicodélicas dos anos 1960 encontrou suas expressões visuais nos pôsters psicodélicos dos lendários *shows* de *rock* da época, especialmente em San Francisco, e em capas de álbuns cada vez mais sofisticadas, que se tornaram ícones duradouros da subcultura dos anos 1960.

Muitos concertos de *rock* também apresentavam *shows* de luzes – uma nova forma de arte psicodélica na qual imagens multicoloridas, pulsantes e em constante mudança eram projetadas em paredes e tetos. Junto com o *rock* em alto volume, essas imagens visuais criavam altamente efetivas simulações de experiências psicodélicas.

Novas Formas Literárias

As principais expressões da poesia dos anos 1960 estavam nas letras da canções de *rock* e *folk*. Além disso, a "poesia *beat*" de Allen Ginsberg, Lawrence Ferlinghetti, Gary Snyder, e outros, que se originou uma década antes e compartilhou muitas características com as formas de arte da década de 1960, permaneceu popular na contracultura.

Uma das principais novas formas literárias foi o realismo mágico da literatura latino-americana. Em seus contos curtos e seus romances, escritores como Jorge Luis Borges e Gabriel García Márquez misturaram descrições de cenas realistas com elementos fantásticos e oníricos, alegorias metafísicas e imagens míticas. Esse foi um gênero perfeito para expressar o fascínio da contracultura pelos estados alterados de consciência e por um sentido de magia universalmente penetrante.

Além do realismo mágico latino-americano, a ficção científica, especialmente a complexa série de romances *Duna*, de Frank Herbert, exerceu um grande fascínio sobre a juventude dos anos 1960,* assim como os escritos de fantasia de J. R. R. Tolkien e Kurt Vonnegut. Muitos de nós também se voltaram para obras literárias do passado, como os romances de Hermann Hesse, nos quais vimos reflexos de nossas próprias experiências.

Desfrutando de igual popularidade, se não maior, os escritos xamânicos semificcionais de Carlos Castañeda satisfizeram o desejo dos *hippies* por espiritualidade e realidades separadas mediadas por substâncias psicodélicas. Além disso, os encontros dramáticos entre Castañeda e o feiticeiro yaqui Don Juan

---

* Aos quais podemos acrescentar *Um Estranho Numa Terra Estranha*, de Robert Heinlein, *Viagem ao Oriente*, de Hermann Hesse, e *A Ilha*, de Aldous Huxley. (N. do R. T.)

simbolizaram de maneira poderosa os confrontos entre a abordagem racional das sociedades industriais modernas e a sabedoria das culturas tradicionais.

Cinema e Artes Cênicas

Na década de 1960, as artes cênicas experimentaram inovações radicais, que quebraram todas as tradições imagináveis de teatro e dança. Na verdade, em companhias como o Living Theatre, o Judson Dance Theatre e o San Francisco Mime Trupe, teatro e dança eram frequentemente fundidos e combinados com outras formas de arte. As *performances* envolviam atores e dançarinos treinados, bem como artistas visuais, músicos, poetas, cineastas e até mesmo membros do público.

Homens e mulheres desfrutavam com frequência de *status* igual. A nudez era frequente. As apresentações, muitas vezes com forte conteúdo político, ocorriam não apenas nos teatros, mas também em museus, igrejas, parques e ruas. Todos esses elementos combinavam-se para criar a expansão dramática da experiência e um vigoroso sentido de comunidade, que era típico da contracultura.

O cinema foi também um meio importante para expressar o *zeitgeist* da década de 1960. Como os artistas performáticos, os cineastas dos anos 1960, começando com os pioneiros do cinema da Nouvelle Vague francesa, romperam com as técnicas tradicionais de sua arte, introduzindo abordagens multimídia, muitas vezes abandonando totalmente a narrativa e usando seus filmes para dar uma voz poderosa à crítica social.

Com seus estilos inovadores, esses cineastas expressaram muitas características-chave da contracultura. Por exemplo, podemos encontrar a irreverência e o protesto político dos anos 1960 nos filmes de Godard – como em *O Demônio da Meia-Noite* (*Pierrot Le Fou*) *Week-end à Francesa* (*Week-End*) –, o questionamento do materialismo e de um sentido generalizado de alienação, que se infiltrava por toda parte, em Antonioni – como em *Blow Up – Depois Daquele Beijo* (*Blow Up*) –, o questionamento da ordem social e a transcendência da realidade comum em Fellini, a exposição da hipocrisia das classes sociais em Buñuel, a crítica social e as visões utópicas em Kubrick, a quebra dos estereótipos sexuais e de gênero em Warhol, e a descrição de estados alterados de consciência nas obras de cineastas experimentais como Kenneth Anger e John

Whitney. Além disso, os filmes desses diretores são caracterizados por um forte sentido de realismo mágico.

O Legado dos Anos 1960

Muitas das expressões culturais que foram radicais e subversivas nos anos 1960 foram aceitas por amplos segmentos da cultura *mainstream* durante as três décadas subsequentes. Exemplos disso seriam os cabelos longos e a moda dos anos 1960, a prática de formas orientais de meditação e espiritualidade, o uso recreativo da maconha, a intensificação da liberdade sexual, a rejeição de estereótipos sexuais e de gênero, e o uso de *rock* (e, mais recentemente, do *rap*) para expressar valores culturais alternativos. Todos esses valores foram nessa época expressões da contracultura, que foi ridicularizada, reprimida, suprimida e até perseguida pela sociedade *mainstream* dominante.

Além dessas expressões contemporâneas de valores e estéticas que foram compartilhados pela contracultura dos anos 1960, o legado mais importante e duradouro dessa era foi a criação e o subsequente florescimento de uma cultura alternativa global, cultura que compartilha um conjunto de valores essenciais. Embora muitos desses valores – por exemplo, ambientalismo, feminismo, direitos do homossexual, justiça global – foram moldados por movimentos culturais nas décadas de 1970, 1980 e 1990, seu núcleo essencial foi expresso, pela primeira vez, pela contracultura dos anos 1960. Além disso, muitos dos ativistas políticos progressistas seniores de hoje, escritores e líderes comunitários remontam as raízes de sua inspiração original de volta aos anos 1960.

Política Verde

Nos anos 1960, questionávamos a sociedade dominante e vivíamos de acordo com valores diferentes, mas não formulávamos nossa crítica de maneira coerente e sistemática. Tivemos críticas concretas sobre questões isoladas, como a Guerra do Vietnã, mas não desenvolvemos nenhum sistema alternativo abrangente de valores e ideias. Nossa crítica era baseada no sentimento intuitivo; nós vivemos e incorporamos nosso protesto, em vez de verbalizá-lo e sistematizá-lo.

A década de 1970 consolidou nossas visões. Conforme a magia dos anos 1960 gradualmente se desvanecia, a excitação inicial deu lugar a um período de concentração, digestão e integração. Dois novos movimentos – o movimento ecológico e o movimento feministaa – emergiram da década de 1960 e, juntos, forneceram o amplo arcabouço necessário para nossa crítica e nossas ideias alternativas.

O movimento estudantil europeu, em grande parte de orientação marxista, não foi capaz de transformar suas visões idealistas em realidade durante os anos 1960. Porém, manteve suas preocupações sociais vivas durante a década seguinte, enquanto muitos de seus membros passaram por profundas transformações pessoais. Influenciados pelos dois principais temas políticos dos anos 1970, feminismo e ecologia, esses membros da New Left (Nova Esquerda) ampliaram seus horizontes sem perder sua consciência social. No fim da década, muitos deles se tornaram líderes de partidos socialistas transformados. Na Alemanha, esses "jovens socialistas" formaram coalizões com ecologistas, feministas e ativistas pela paz, das quais emergiu o Partido Verde – um novo partido político cujos membros confiantemente declaravam: "Não estamos nem à esquerda nem à direita; estamos na frente".

Durante as décadas de 1980 e 1990, o movimento Verde tornou-se uma característica permanente do cenário político europeu, e os Verdes agora ocupam cadeiras em numerosos parlamentos nacionais e regionais em todo o mundo. Eles são a incorporação política dos valores centrais dos anos 1960.

O Fim da Guerra Fria

Durante as décadas de 1970 e 1980, o movimento antiguerra norte-americano expandiu-se para os movimentos antinucleares e pela paz, em solidariedade com os movimentos correspondentes na Europa, especialmente aqueles no Reino Unido e na Alemanha Ocidental. Isso, por sua vez, desencadeou um poderoso movimento pela paz na Alemanha Oriental, liderado pelas igrejas protestantes, que mantinham contatos regulares com o movimento pela paz da Alemanha Ocidental, e, em particular, com Petra Kelly, a carismática líder dos Verdes alemães.

Quando Mikhail Gorbachev chegou ao poder na União Soviética em 1985, ele estava bem ciente da força do movimento pacifista ocidental e aceitou nosso argumento de que uma guerra nuclear não poderia ser vencida e nunca deveria ser travada. Essa percepção desempenhou um papel importante no "novo pensamento" de Gorbachev e sua reestruturação (*perestroika*) do regime soviético, que levaria finalmente à queda do Muro de Berlim, à Revolução de Veludo na Tchecoslováquia e ao fim do Comunismo Soviético.

Todos os sistemas sociais e políticos são altamente não lineares e não se prestam a ser analisados em termos de cadeias lineares de causa e efeito. No entanto, estudos cuidadosos de nossa história recente mostram que o ingrediente-chave na criação do clima que levou ao fim da Guerra Fria não foi a estratégia linha-dura da administração Reagan, como diria a mitologia conservadora, mas o movimento internacional pela paz. Esse movimento, claramente, teve suas raízes políticas e culturais nos movimentos estudantis e na contracultura dos anos 1960.

A Revolução da Tecnologia da Informação

A última década do século XX trouxe um fenômeno global que pegou de surpresa a maioria dos observadores culturais. Um novo mundo emergiu, moldado por novas tecnologias, novas estruturas sociais, uma nova economia e uma nova cultura. *Globalização* tornou-se a expressão utilizada para resumir as mudanças extraordinárias e o *momentum* aparentemente irresistível que agora era sentido por milhões de pessoas.

Uma característica comum aos múltiplos aspectos da globalização é uma rede global de informação e comunicação baseada em novas tecnologias revolucionárias. A revolução da tecnologia da informação é o resultado de uma dinâmica complexa de interações tecnológicas e humanas, que produziu efeitos de sinergia em três das principais áreas da eletrônica – computadores, microeletrônica e telecomunicações. Todas as inovações de importância-chave que criaram o ambiente eletrônico radicalmente novo da década de 1990 ocorreram vinte anos antes, durante a década de 1970.

Pode ser surpreendente para muitos o fato de que, como tantos outros recentes movimentos culturais, a revolução da tecnologia da informação tem raízes importantes na contracultura da década de 1960. Essa revolução foi desencadeada por um desenvolvimento tecnológico dramático – uma mudança do armazenamento e processamento de dados de máquinas grandes e isoladas para o uso interativo de microcomputadores e o compartilhamento da potência computacional em redes eletrônicas. Essa mudança foi liderada por jovens entusiastas da tecnologia que adotaram muitos aspectos da contracultura, que ainda estava muito viva naquela época.

O primeiro microcomputador comercialmente bem-sucedido foi construído em 1976 por dois colegas que abandonaram a faculdade, Steve Wosniak e Steve Jobs, em sua agora lendária garagem no Vale do Silício. Esses jovens inovadores e outros como eles trouxeram as atitudes irreverentes, os estilos de vida descontraídos e o vigoroso sentido de comunidade que eles haviam adotado na contracultura para seus ambientes de trabalho. Ao fazer isso, criaram os estilos de trabalho relativamente informais, abertos, descentralizados e cooperativos que se tornaram característicos das novas tecnologias da informação.

Capitalismo Global

No entanto, os ideais dos jovens pioneiros da tecnologia da década de 1970 não se refletiram na nova economia global que, vinte anos depois, emergiu da revolução da tecnologia da informação. Pelo contrário, o que emergiu foi um novo materialismo, uma ganância corporativa excessiva e um aumento dramático de comportamento antiético entre nossos líderes políticos e corporativos. Essas atitudes prejudiciais e destrutivas são consequências diretas de uma nova forma de capitalismo global, em grande parte estruturada em torno de redes eletrônicas de fluxos financeiros e informacionais. O chamado mercado global é uma rede de máquinas programadas de acordo com o princípio fundamental de que o lucro deveria ter prioridade sobre os direitos humanos, a democracia, a proteção do meio ambiente, ou qualquer outro valor.

Uma vez que a nova economia é organizada de acordo com esse princípio capitalista quintessencial, não causa surpresa o fato de que ela tenha produzido uma multidão de consequências prejudiciais interconectadas que estão em uma aguçada e nítida contradição com os ideais do Movimento Verde global: o aumento da desigualdade social e a exclusão social, um colapso da democracia, a deterioração mais rápida e extensa do ambiente natural e um aumento da pobreza e da alienação. O novo capitalismo global ameaçou e destruiu comunidades locais em todo o mundo, e com a busca por uma biotecnologia mal concebida, invadiu a santidade da vida, tentando transformar a diversidade em monocultura, a ecologia em engenharia, e a própria vida em uma mercadoria.

Tornou-se cada vez mais claro o fato de que o capitalismo global na forma que ele adquiriu nos dias atuais é insustentável e precisa ser fundamentalmente redesenhado. Na verdade, estudiosos, líderes comunitários e ativistas de raiz popular em todo o mundo estão agora levantando suas vozes, exigindo que precisamos mudar o jogo e sugerindo maneiras concretas de fazê-lo.

A Sociedade Civil Global

Na virada deste século, uma impressionante coalizão global de organizações não governamentais (ONGs), muitas delas lideradas por homens e mulheres com profundas raízes pessoais nos anos 1960, formou-se em torno dos valores fundamentais da dignidade humana e da sustentabilidade ecológica. Em 1999, centenas dessas organizações de base interligaram-se eletronicamente durante vários meses para preparar ações de protesto conjunto para o encontro da Organização Mundial do Comércio (OMC) em Seattle. A Coalizão de Seattle, nome pelo qual ela é agora conhecida, foi extremamente bem-sucedida em descarrilar a reunião da OMC e em tornar seus pontos de vista conhecidos pelo mundo. Essas ações combinadas mudaram permanentemente o clima político em torno da questão da globalização econômica.

Desde aquela época, a Coalizão de Seattle, ou Movimento pela Justiça Global, não apenas organizou mais protestos, mas também realizou várias reuniões do World Social Forum (Fórum Social Mundial) em Porto Alegre, Brasil. Na segunda dessas reuniões, as ONGs propuseram um conjunto de políticas comerciais alternativas, incluindo propostas concretas e radicais de reestruturação das instituições financeiras globais, que mudariam profundamente a natureza da globalização.

O Movimento pela Justiça Global exemplifica um novo tipo de movimento político típico de nossa Era da Informação. Como resultado de seu uso habilidoso da internet, as ONGs da coalizão são capazes de se relacionar em rede umas com as outras, compartilhar informações e mobilizar seus associados com uma velocidade sem precedente. Em consequência disso, as novas ONGs globais surgiram como atores políticos efetivos que são independentes de instituições tradicionais, sejam elas nacionais ou internacionais. Elas constituem um novo tipo de sociedade civil global.

Essa nova forma de comunidade global alternativa, compartilhando valores fundamentais e fazendo uso extensivo de redes eletrônicas, além de contatos humanos frequentes, é um dos legados mais importantes dos anos 1960. Se tiver sucesso em remodelar a globalização econômica de modo a torná-la compatível com os valores da dignidade humana e da sustentabilidade ecológica, os sonhos da "revolução da década de 1960" terão sido realizados:

Imagine no possessions,
I wonder if you can,
no need for greed or hunger,
a brotherhood of man.
Imagine all the people
sharing all the world...
You may say I'm a dreamer,
but I'm not the only one.
I hope some day you'll join us
and the world will live as one.[2]

[*Imagine que não há posses,*
Eu me pergunto se você pode,
Sem necessidade de ganância ou fome,
uma irmandade do homem.
Imagine todas as pessoas
compartilhando o mundo todo...
Você pode dizer que eu sou um sonhador,
mas eu não sou o único.
Espero que um dia você se junte a nós
e o mundo viverá como um só.]

Notas

Este ensaio foi postado originalmente em www.fritjofcapra.net/blog, em 14 de dezembro de 2002.

1. Lennon e Ono (1971).
2. *Ibid.*

CAPÍTULO 2

Física Moderna e Misticismo Oriental

As Primeiras Descobertas dos Paralelismos

MINHA EXPLORAÇÃO DOS PARALELISMOS entre a física moderna e o misticismo oriental foi disparada por uma experiencia única que tive na Califórnia em 1969. Eu estava sentado em uma praia numa tarde de fim de verão, observando as ondas rolando e sentindo o ritmo de minha respiração, quando subitamente minha percepção tornou-se ciente de que todo o meu ambiente estava envolvido em uma gigantesca dança cósmica. Sendo físico, eu sabia que a areia, as rochas, a água e o ar ao meu redor eram feitos de moléculas e átomos vibrantes, e que estes consistiam em partículas que interagiam umas com as outras criando e destruindo outras partículas. Também sabia que a atmosfera da Terra era continuamente bombardeada por chuvas dos chamados raios cósmicos – partículas de alta energia que sofriam múltiplas colisões à medida que penetravam no ar.

Tudo isso era familiar para mim por causa da minha pesquisa em física de alta energia, mas, até aquele momento, eu só havia experimentado a percepção de algo semelhante por meio de gráficos, diagramas e teorias matemáticas. Enquanto estava sentado naquela praia em meditação, minhas experiências anteriores readquiriram vida. "Vi" cascatas de energia descendo do espaço exterior, nas quais as partículas eram criadas e destruídas em pulsos rítmicos. "Vi" os átomos dos elementos e os átomos do meu corpo participando nessa dança cósmica de energia. Senti seu ritmo e "ouvi" seu som, e naquele momento eu *sabia* que essa era a Dança de Shiva, o Senhor dos Dançarinos cultuado no hinduísmo.

Em 1970, voltei para a Europa para continuar minhas pesquisas no Imperial College em Londres. Pouco antes de deixar a Califórnia, fiz uma montagem fotográfica de um Shiva dançante, sobreposto por trilhas de partículas em colisão em uma câmara de bolhas, para comemorar minha "epifania na praia". Certo dia, levei essa fotomontagem ao Imperial College para mostrá-la a um colega indiano com quem eu dividia um escritório.

Sua reação foi surpreendente. Quando mostrei a ele a fotomontagem, sem qualquer comentário, ele ficou profundamente comovido. Lágrimas vieram aos seus olhos e ele começou espontaneamente a recitar versos sagrados em sânscrito dos quais ele se lembrava desde a infância. Ele me disse que havia crescido como hinduísta, mas esquecera tudo sobre sua herança espiritual quando sofrera uma "lavagem cerebral" por parte da ciência ocidental, como se expressou. Ele mesmo nunca teria pensado nos paralelismos entre a física das partículas e o hinduísmo, disse ele, mas ao ver minha fotomontagem, eles imediatamente se tornaram evidentes para ele.

Esse encontro comovente foi uma confirmação para mim de que eu havia descoberto algo importante, e decidi escrever um livro sobre isso. No entanto, não me senti totalmente pronto para embarcar em um projeto tão grandioso. Eu era um jovem físico que nunca havia publicado nada, exceto uma dissertação e alguns artigos técnicos. Nos dois anos e meio seguintes, empreendi um estudo sistemático de tradições espirituais orientais – hinduísmo, budismo e taoismo – e dos paralelismos que reconheci entre essas tradições e os conceitos e teorias básicas da física moderna. Em 1971, escrevi dois artigos resumindo minhas primeiras descobertas sobre esses paralelismos. Os dois primeiros ensaios neste capítulo baseiam-se nesses dois artigos. Na primavera de 1973, senti-me pronto para escrever *O Tao da Física*. Terminei meu manuscrito em dezembro de 1974. Em janeiro de 1975, voltei para a Califórnia e tenho vivido aqui desde então.

O Ensaio 4, "A Dança de Shiva: A Visão Hinduísta da Matéria à Luz da Física Moderna", se abre com a fotomontagem de Shiva Nataraja, o divino dançarino cósmico, sobreposta por rastros de partículas em primeiro plano. No ensaio, concentro-me em duas ideias-chave comuns ao hinduísmo, ao budismo e ao taoismo: a unidade fundamental do cosmos e de toda a vida, e a visão do universo como sendo intrinsecamente dinâmico, com o tempo e a mudança como características essenciais. Mostro como essas duas ideias também são elementos-chave da teoria quântica, da teoria da relatividade e da teoria quântica de campos.

No Ensaio 5, "*Bootstrap* e Budismo", concentro-me nos paralelismos entre o budismo e a "física *bootstrap*", o modelo teórico e a filosofia desenvolvidos por Geoffrey Chew, que se tornaria, depois de Heisenberg, meu segundo mentor importante em física pelos quatorze anos seguintes. A teoria *bootstrap* tem por base a ideia de que a natureza não pode ser reduzida a entidades fundamentais, como constituintes fundamentais da matéria, mas precisa ser compreendida por meio da autoconsistência, isto é, da exigência de que todos os componentes da teoria sejam consistentes uns com os outros e com eles próprios.

Como explico no ensaio, essa ideia constitui um afastamento radical do espírito tradicional da pesquisa básica em física. No modelo *bootstrap* das partículas subatômicas, cada partícula contém (ou melhor, envolve) todas as outras partículas, e nenhuma delas é fundamental. De maneira semelhante, a filosofia do Budismo Mahayana afirma que uma pessoa iluminada percebe o mundo como uma perfeita rede de relações mútuas, em que cada objeto individual contém em si mesmo todos os outros objetos.

A teoria *bootstrap* foi muito popular na década de 1970, mas durante as décadas de 1980 e 1990 foi eclipsada pelo sucesso do chamado *modelo-padrão*, que é muito diferente, pois postula a existência de campos fundamentais e suas partículas correspondentes. Hoje, a física *bootstrap* praticamente desapareceu de cena. No entanto, continuo a acreditar que a filosofia *bootstrap* é uma expressão legítima da inter-relação fundamental de todas as partículas subatômicas. No capítulo seguinte, vou oferecer uma reavaliação da teoria *bootstrap* de Chew à luz dos novos desenvolvimentos da física das partículas durante os quarenta anos que se seguiram à publicação de *O Tao da Física*.

O terceiro ensaio neste capítulo, o Ensaio 6, baseia-se em uma palestra de colóquio que eu proferi no CERN, o centro europeu de pesquisas em física das partículas, em abril de 1972. Fui convidado a dar essa palestra por meu amigo Joël Scherk, um jovem e brilhante físico que foi um dos principais teóricos desenvolvedores da teoria das cordas, antes de sua morte prematura aos 34 anos, e que também era um zen-budista praticante. A palestra foi uma das primeiras apresentações públicas de minhas descobertas. Ela representa minha concepção de *O Tao da Física* condensada em poucas palavras.

Falando para um grupo que incluía muitos dos principais físicos de partículas do mundo, fui naturalmente muito circunspecto. Ao explicar cuidadosamente o contexto epistemológico da minha comparação entre a física e a filosofia oriental, enfatizei que esses eram *insights* intuitivos, e não deduções lógicas. Reconheci que não era um especialista em filosofia oriental e evitei a palavra *misticismo*, a qual eu sabia que seria percebida como controvertida, e até mesmo ameaçadora.

Introduzi algumas características básicas das filosofias orientais, concentrando-me nas duas ideias-chave da unidade e da natureza dinâmica do universo. Então contrastei essas características com as visões dos atomistas gregos e com a visão de mundo mecanicista de Descartes, antes de comparar os conceitos da filosofia oriental com as ideias básicas da teoria quântica, da teoria da relatividade e da teoria quântica de campos. Concluí com uma discussão sobre a teoria *bootstrap* de Chew e seus paralelismos com a visão da natureza no Budismo Mahayana. (Devo mencionar que nessa palestra para um público de físicos, naturalmente usei termos técnicos sem explicá-los quando discuti conceitos de física moderna. As explicações não técnicas correspondentes podem ser encontradas nos Ensaios 4 e 5.)

As reações da maioria dos meus colegas físicos do CERN foi pouco além de um interesse educado, e ligeiramente divertido. No entanto, fico satisfeito em observar que as coisas mudaram dramaticamente desde essa ocasião. Nos anos que se seguiram à publicação de *O Tao da Física*, apareceram numerosos livros, nos quais físicos e outros cientistas apresentaram explorações semelhantes dos paralelismos entre a física e o misticismo oriental. Alguns desses físicos poderiam até mesmo estar na plateia de minha palestra no CERN. Outros escritores estenderam suas pesquisas além da física, encontrando semelhanças entre o pensamento oriental e certas ideias sobre o livre-arbítrio, a morte e o nascimento, e a natureza da vida, da mente e da consciência.

Figura 4. Estátua de Shiva Nataraja no CERN. Foto: Giovanni Chierico.

Na verdade, mais de três décadas depois de minha visita ao CERN, a administração do centro de pesquisas oficialmente reconheceu minha descoberta do paralelismo entre a dança cósmica de Shiva e a dança da matéria subatômica. Em 2004, uma estátua de Shiva de 2 metros de altura foi oferecida ao CERN pelo governo indiano para comemorar a longa associação do centro de pesquisas com a Índia. Ao escolher a imagem de Shiva Nataraja, o governo indiano reconheceu o profundo significado da metáfora da dança de Shiva para a dança cósmica das partículas subatômicas, que é observada e analisada pelos físicos do

Figura 5. Placa com citações extraídas de *O Tao da Física* no CERN. Foto: Giovanni Chierico.

CERN. Hoje, a estátua fica em um pátio, cercada por laboratórios de pesquisa, e próxima a ele o CERN instalou uma placa explicando o significado da metáfora da dança cósmica de Shiva com várias citações extraídas de *O Tao da Física*.

Concluo este capítulo com uma homenagem a Geoffrey Chew (Ensaio 7), escrito logo depois de sua morte, em abril de 2019. Seu pensamento influenciou profundamente minhas opiniões sobre ciência e moldou significativamente minha carreira como cientista e escritor. Chew foi um pensador sistêmico por excelência, e recentemente percebi que as discussões científicas regulares que mantive com ele ao longo de quase quinze anos também foram meu treinamento em pensamento sistêmico. Assim, entre meados da década de 1970 e o fim da década de 1980, o pensamento sistêmico tornou-se uma segunda natureza para mim, muito antes de eu estudar sua história e suas realizações e as discutir em meus livros.

ENSAIO 2

A Dança de Shiva

A Visão Hinduísta da Matéria à Luz da Física Moderna

1972

O FÍSICO MODERNO QUE estuda as filosofias orientais encontrará muitos paralelismos fascinantes entre os dois assuntos. Isso pode parecer, à primeira vista, de pouca importância. Paralelismos foram encontrados entre a física moderna e quase todas as escolas de filosofia, da teoria atomística de Demócrito ao materialismo dialético de Marx e Lenin. A razão para isso é simples. Tanto, o cientista quanto o filósofo procuram compreender o mundo, e como a estrutura do mundo é complexa demais para ser apreendida completamente pelo cérebro humano, eles são forçados a criar imagens que, em um grau maior ou menor, se encaixem na realidade. As imagens do filósofo são mitos, imagens poéticas, símbolos e recursos semelhantes; as do cientista são geralmente chamadas de modelos. Uma vez que ambos trabalham com o mesmo cérebro, eles com frequência inventarão imagens semelhantes. Semelhanças ocasionais de padrões de pensamento pertencentes a diferentes disciplinas não são, portanto, demasiadamente surpreendentes.

No entanto, se tais semelhanças ocorrem com frequência e de modo consistente, somos levados a crer que o espírito geral das duas disciplinas é o mesmo. Esse parece ser o caso da física moderna e da filosofia oriental. É fascinante perceber como as ideias básicas das teorias físicas modernas são repetidamente refletidas em imagens mitológicas orientais de grande poder e beleza. Quanto mais se estuda o pensamento filosófico e religioso oriental, mais se percebe o quanto a maneira oriental de ver o mundo está de acordo com as visões da ciência moderna.

Neste artigo, queremos nos concentrar na imagem do deus hindu Shiva e comparar sua dança cósmica com a descrição da matéria e suas interações na teoria quântica de campos. A dança de Shiva expressa duas ideias que são básicas para a filosofia oriental: a ideia da unidade do cosmos, e a ideia de que o cosmos é vivo. Devemos mostrar como essas duas ideias surgem na mecânica quântica e na teoria da relatividade e como elas encontram sua expressão mais nítida na teoria quântica de campos.[1]

Ao comparar uma teoria física moderna com uma imagem mitológica que tem vários milhares de anos, não devemos, é claro, forçar os paralelismos até muito longe. Por serem de natureza mitológica e poética, as imagens de religiões orientais não se prestam à análise lógica como os modelos científicos o fazem. Normalmente, elas também são expressas em termos que não têm contrapartidas exatas em idiomas ocidentais. Além disso, ainda não há uma teoria científica completa da matéria e suas interações. O modelo particular em estudo é parcialmente inconsistente com outros modelos, assim como a imagem do deus hindu pode contradizer parcialmente outros mitos do hinduísmo. Portanto, não é muito útil pressionar com muita força à procura de semelhanças. O que deve ser obtido é um sentimento intuitivo da harmonia básica entre o espírito da sabedoria oriental e a ciência ocidental, em vez de declarações precisas. Esse é o propósito do presente artigo.

Filosofia Oriental

Nos parágrafos acima, usamos a expressão *filosofia oriental* para nos referirmos às filosofias religiosas do hinduísmo, do budismo e do taoismo.[2] Embora estes abranjam um grande número de teologias sutilmente entrelaçadas, de disciplinas espirituais e de sistemas filosóficos, há algumas características básicas comuns a todos eles. A seguir, devemos nos concentrar em duas dessas características, que são significativas para nossa comparação com a física moderna.

O primeiro aspecto é uma ideia que está na base da filosofia oriental: a unidade do cosmos e de toda a vida. De acordo com a visão oriental, todas as coisas e fenômenos que percebemos com nossos sentidos estão inter-relacionados, sendo apenas formas diferentes da mesma realidade divina. Essa realidade tem nomes diferentes em diferentes religiões. É chamada de Brahman no hinduísmo, de Dharmakaya no budismo, de Tao no taoismo, e assim por diante. Seja qual for o nome que lhe é atribuído, ele representa o conceito universal básico que permeia todas as coisas:

> Aquele que, habitando em todas as coisas, é, no entanto, diferente de todas as coisas, sendo que todas as coisas não o conhecem, e todas as coisas são o seu corpo, e é ele que controla todas as coisas a partir de dentro – Ele é sua Alma, o Controlador Interior, o Imortal.[3]

Nossa consciência atenta normal não está ciente dessa unidade, mas vê o mundo como composto de coisas individuais separadas e nós mesmos como egos isolados neste mundo. Esse estado é chamado de *avidya* (ignorância) na filosofia budista. É visto como o estado de uma mente perturbada que deve ser superado:

> Quando a mente é perturbada, a multiplicidade das coisas é produzida; mas quando a mente se acalma, a multiplicidade das coisas desaparece.[4]

Portanto, nosso maior objetivo é tornar-nos conscientes da unidade e da mútua inter-relação de todas as coisas, transcender a noção de um eu individual isolado e nos identificarmos com a realidade divina. Para o hinduísta ou budista, essa realização, que é conhecida como iluminação, é muito mais do que um mero ato intelectual. É uma experiência religiosa que envolve uma mudança total no estado de consciência. Portanto, a filosofia oriental nunca pode ser separada da religião.

No hinduísmo, as várias formas do divino são simbolizadas por numerosos deuses. Por intermédio de sua adoração, o hinduísta se aproxima do Brahman supremo, sabendo, se ele ou ela é inteligente e instruído, que todos esses deuses são, em última análise, idênticos. Eles são criações da mente – imagens mediante as quais a realidade é abordada. Na ciência, suas contrapartidas são os modelos científicos cujo propósito é exatamente o mesmo: transmitir algo sobre a realidade que não pode ser declarado explicitamente.

Na visão oriental, a divisão da natureza em objetos separados é artificial e vem de nossa mente de medição e categorização. Tais discriminações artificiais de objetos, que na realidade são fluidas e em constante mudança, sem identidade própria, são chamadas de *maya*, "ilusão" no hinduísmo. As filosofias orientais não fazem distinção entre coisas vivas e mortas, nem entre espírito e matéria: "O Dharmakaya pode se manifestar sob várias formas corporais apenas porque é a verdadeira essência delas. Desde o princípio, matéria e mente não constituem uma dualidade".[5]

Todas as coisas são formas da mesma realidade universal, que é simultaneamente espiritual e material. Todo o cosmos é uma unidade e todo o cosmos é vivo.

Essa visão dinâmica do universo que contém o tempo e a mudança como características essenciais é a segunda ideia básica significativa para a comparação com a física. Mostraremos mais adiante como a ideia da unidade do universo e a ideia de seu caráter intrinsecamente dinâmico surgem na física do século XX.

No entanto, antes de nos dirigir para a física moderna vamos refletir brevemente sobre o contraste entre as visões que acabamos de descrever e aquelas comumente defendidas no Ocidente. A maioria dos indivíduos ocidentais encontra-se no estado de *avidya*, estando cientes de si mesmos como egos isolados que existem dentro de seus corpos e estão separados do mundo "lá fora". Este mundo é visto como uma multidão de objetos diferentes reunidos em uma máquina enorme. Essa maneira de pensar é consequência do dualismo entre o espírito e a matéria, entre a mente e o corpo, o que é característico do pensamento ocidental. Foi formulado em sua mais aguçada forma por Descartes, que baseou sua visão da natureza na divisão fundamental entre *res cogitans* e *res extensa*. A primeira categoria, o eu, é completamente separada da última, o mundo. Tudo o que eles têm em comum é sua relação com Deus, que está separado do eu e do mundo.

Filosofia Grega

Uma vez que o pensamento ocidental tem por base a filosofia grega, é interessante examinar como o dualismo espírito-matéria surgiu na filosofia dos gregos.

Ele não existia no primeiro período da filosofia grega, no século VI a.C. Os filósofos da escola milesiana viam o mundo de maneira muito parecida com a dos hinduístas. Tales ensinava que "todas as coisas estão cheias de deuses" e Anaximandro fala sobre uma substância divina infinita e eterna que abraça tudo – uma descrição perfeita do Brahman hinduísta.

A divisão nessa unidade de todas as coisas começa na escola eleática, que supõe haver um princípio divino acima de deuses e seres humanos. Esse princípio é, de início, identificado com a unidade do universo, mas depois é concebido como um Deus pessoal e inteligente que está acima do mundo e o dirige. Eis aqui a origem do dualismo espírito-matéria.

Parmênides de Elea chama o princípio básico de "ser" e afirma que ele é único e invariável. O mundo externo é aparentemente um ser, mas na realidade é um devir, isto é, um vir a ser. Portanto, as percepções dos sentidos são enganadoras; o único ser verdadeiro deve ser encontrado no pensamento. Heráclito está em nítido contraste com Parmênides. Ele diz que existe apenas um devir eterno na natureza. Tudo o que é estático é baseado no engano. Sua declaração fundamental é: "Tudo flui", e seu princípio universal é o fogo, um símbolo para o fluxo contínuo e a mudança de todas as coisas.

No século V a.C., os filósofos gregos tentaram superar o nítido contraste entre as visões de Parmênides e de Heráclito. Para conciliar o ser imutável de um com o devir do outro, eles supuseram que o ser é dado por certas substâncias invariáveis cuja mistura e separação dá origem às mudanças no mundo. Isso levou a vários modelos atomistas, que culminaram na filosofia de Demócrito. A diferença essencial entre as substâncias primárias dos atomistas e a substância primária da escola milesiana ou de Heráclito está no fato de que as primeiras não contêm nenhuma força viva, mas são puramente passivas e intrinsecamente mortas. Uma força externa que move os elementos materiais, que é de origem espiritual e, portanto, fundamentalmente diferente deles, é acrescentada como uma suposição separada. Dessa maneira, o dualismo entre espírito e matéria é claramente estabelecido. A matéria é morta e a mente é algo fundamentalmente diferente.

O Pensamento Ocidental

Alan Watts repetidamente apontou para as perigosas consequências do dualismo descrito acima, que se tornou uma característica essencial da maneira ocidental de pensar.[6] Ele nos leva a acreditar que a mente precisa controlar o corpo e, portanto, causa um conflito aparente entre a vontade consciente e os instintos involuntários. Em vez de encontrar nossa identidade em nosso organismo completo, nós ocidentais só a encontramos em nossa mente. Portanto, o que chamamos de autoconsciência nada mais é que a sensação do conflito entre mente e corpo, o que nos leva a uma frustração metafísica contínua.

Outra consequência dessa visão é a atitude hostil da civilização ocidental para com a natureza. Em vez de viver em harmonia com a natureza, queremos conquistá-la e, assim, destruir o meio ambiente do qual toda a nossa vida depende. Só muito recentemente as pessoas tomaram conhecimento dessa perigosa negligência do equilíbrio ecológico.

Assim, a divisão cartesiana entre espírito e matéria levou a civilização ocidental à frustração metafísica e a uma atitude perigosa em relação ao meio ambiente. Por outro lado, no entanto, ela tem sido extremamente útil para a ciência natural. A visão da matéria como morta e completamente separada da vida humana levou aos modelos mecanicistas da física clássica, que são a base da ciência e da tecnologia ocidentais. Os indianos e chineses, que sempre tiveram uma visão orgânica do universo, desenvolveram filosofias de grande sabedoria e beleza, mas até recentemente eram cientistas comparativamente precários. O fascinante desenvolvimento da física moderna está no fato de que a mesma ciência que se originou da divisão entre espírito e matéria superou esse dualismo e agora nos leva de volta às visões primordiais das filosofias grega e oriental.

Tentaremos mostrar a seguir que as visões da física moderna estão de acordo com as duas ideias básicas da filosofia oriental descritas acima: a ideia de que o universo é uma unidade orgânica cujas partes são interdependentes e inseparáveis, e a ideia de que o cosmos é vivo. Essas duas ideias também surgem na mecânica quântica e na teoria da relatividade e encontram sua expressão moderna mais clara na teoria quântica de campos.

Mecânica Quântica

Para começar, a interpretação de Copenhague da mecânica quântica tornou claro que uma separação nítida entre o eu e o mundo não é possível.[7] A análise de um experimento atômico mostra que a descrição do objeto em estudo (um átomo, uma partícula etc.) deve levar em consideração sua interação com o aparelhamento experimental e, portanto, de fato, com o restante do mundo. Para obter uma descrição precisa do experimento, teríamos, portanto, de conhecer a estrutura microscópica de todo o mundo. Porém, mesmo que tivéssemos tal conhecimento, não poderíamos descrever fenômenos atômicos com total precisão, pois sempre somos forçados a declarar as medidas com base na física clássica. Embora saibamos que os conceitos da física clássica não se encaixam com precisão na natureza, não podemos prescindir deles, uma vez que constituem uma parte essencial da linguagem na qual a ciência natural se baseia. Portanto, nossa descrição sempre refletirá nosso conhecimento incompleto do mundo. Não podemos descrever o mundo sem essa referência a nós mesmos. Como Werner Heisenberg se expressou: "A ciência natural não descreve e explica simplesmente a natureza; ela é parte da interação entre a natureza e nós mesmos".

A ideia de que a matéria é "viva" surge na física moderna como consequência do caráter onda-partícula da matéria, que é um dos principais conceitos da mecânica quântica. Esse conceito nos diz que a matéria tem dois aspectos, um aspecto partícula (ou particulado) e um aspecto onda (ou ondulatório). Os dois são, é óbvio, mutuamente excludentes, mas também são complementares. Dependendo das circunstâncias, a matéria às vezes aparecerá como partículas, e às vezes como ondas. O aspecto onda introduz na natureza uma "flocosidade" ("*fuzziness*"), ou imprecisão essencial. Uma vez que não se pode dizer que uma onda está neste ou naquele ponto, mas está espalhada pelo espaço, a partícula correspondente só pode ser localizada de maneira aproximada. Isso é expresso matematicamente pelo princípio da incerteza de Heisenberg:

$$\Delta x \, \Delta p \geq h/2\pi$$

Em que Δx é a incerteza na posição de um objeto e Δp é a incerteza de seu *momentum*. O produto das duas incertezas nunca pode ser menor do que a constante $h/2\pi$. Isso significa que nunca podemos, nem mesmo em princípio, conhecer a posição e o *momentum* de uma partícula com grande precisão. Uma relação semelhante também vale para outras grandezas "complementares", por exemplo, o tempo e a energia.

O princípio da incerteza implica o fato de que uma partícula nunca pode estar completamente em repouso. Pois se ela estivesse localizada exatamente em algum ponto do espaço, isso implicaria uma grande incerteza no conhecimento do *momentum* e, portanto, da energia cinética. A energia cinética mínima não é zero, como na física clássica, mas tem algum valor que dá origem a uma flutuação da partícula na região da incerteza correspondente de posição. Então, de acordo com a mecânica quântica, a matéria nunca é completamente quiescente, mas se encontra sempre em um estado de movimento. O quanto isso está em conformidade com o espírito da filosofia oriental é demonstrado muito bem com uma citação de um texto taoista:

> A imobilidade na imobilidade não é a verdadeira imobilidade. Só quando há imobilidade no movimento pode aparecer o ritmo espiritual que permeia o céu e a terra.[8]

Se agora olharmos para os átomos, o princípio da incerteza nos diz que os elétrons que são mantidos dentro de um volume muito pequeno por forças eletrostáticas precisam começar a "sacudir" com extrema rapidez. Na verdade, o confinamento em um volume de cerca de 10^{-8} cm resulta em velocidades enormes, de cerca de 1.000 km/s. Se nos aprofundarmos dentro do átomo e olharmos para o núcleo, reonhecemos que a situação é ainda mais extremada. Lá, prótons e nêutrons são confinados a 10^{-13} cm pelas forças nucleares fortes. Consequentemente, eles correm com velocidades fantásticas de 100.000 km/s. Longe de estar morta e ser passiva, a matéria atômica e nuclear está "cozinhando e fervendo" com extraordinária veemência.

As velocidades alcançadas pela matéria nuclear aproximam-se da velocidade da luz e, portanto, qualquer teoria das partículas subnucleares deve levar em consideração a teoria da relatividade. Isso nos leva à segunda parte importante da física moderna: a teoria da relatividade.

Teoria da Relatividade

A teoria da relatividade especial de Einstein produziu uma mudança drástica em nossos conceitos de espaço e tempo. Ela mostrou-nos que o espaço não é tridimensional e que o tempo não é uma entidade separada, estando ambos intimamente conectados e formando um *medium* quadridimensional denominado espaço-tempo. Portanto, descrever a matéria nuclear com uma teoria relativística significa o seguinte: sempre que pensamos sobre a matéria nuclear, temos de pensar sobre ela nos termos de uma realidade quadridimensional que envolve espaço e tempo.

Os hinduístas e os budistas certamente não sabiam nada sobre a teoria da relatividade, mas, de algum modo, sentiram intuitivamente o caráter espaçotemporal da realidade, pois a maioria de seus conceitos, imagens e mitos contém o tempo e a mudança como elementos essenciais. Exemplos de tais conceitos são a doutrina hinduísta de *maya* mencionada antes, o conceito de "interpenetração" no Budismo Mahayana,[9] ou o *I Ching*, a base do pensamento chinês, que é chamado, caracteristicamente, de *Livro das Mutações*. Essa intuição voltada para o tempo é talvez uma das principais razões pelas quais as visões indiana e chinesa da matéria parecem corresponder mais de perto às visões científicas modernas do que às dos gregos, que eram essencialmente estáticas e em grande parte determinadas por considerações geométricas.

Vejamos agora como a teoria da relatividade influenciou nossa imagem da matéria. Uma das consequências imediatas dos conceitos relativísticos espaçotemporais é a equivalência de massa e energia. Essa equivalência nos diz que a energia não está apenas conectada com o movimento, mas também está contida no mero ser da matéria. Essa é uma primeira indicação de como o contraste entre o ser de Parmênides e o vir a ser de Heráclito estão superados em uma teoria relativística da matéria. A energia pode ter ambos os aspectos: pode ser uma energia do ser e pode ser a energia do movimento e da mudança.

O fato de que a energia está contida na massa de um corpo material sugere que até mesmo a matéria em repouso está sempre ligada a alguma atividade. Mas se não é o movimento, que atividade é essa? A resposta a essa pergunta é dada pela teoria quântica de campos, uma das tentativas mais bem-sucedidas de combinar a mecânica quântica com a teoria da relatividade em uma teoria relativística da matéria subatômica. Nessa teoria, a atividade da matéria em repouso aparece sob uma nova luz. Ao mesmo tempo, o dualismo entre matéria e força, entre ser e vir a ser, é completamente superado e a unidade do universo é expressa de maneira clara e bela.

A Teoria de Campo

A fim de reconhecer como isso acontece, temos de estudar o conceito central da teoria de campo, o conceito de campo quântico. O conceito de campo foi desenvolvido, pela primeira vez, na física clássica, em uma tentativa de superar o dualismo entre corpos e forças. As forças na mecânica clássica são forças que atuam a distância, rigidamente conectadas aos corpos sobre os quais atuam. Essa visão mudou graças aos trabalhos de Michael Faraday e James Clerk Maxwell, os quais mostraram que os campos elétricos e magnéticos, a partir dos quais as forças correspondentes podem ser facilmente calculadas, têm sua própria realidade, bem como uma dinâmica intrínseca expressa nas equações de campo de Maxwell. Esses campos foram inicialmente concebidos como perturbações de uma substância, o "éter", que se espalhava por todo o espaço, mas quando Einstein formulou sua teoria da relatividade, ele percebeu que tal éter não existe e que os campos eletromagnéticos são entidades físicas por si mesmos, que podem se propagar através do espaço vazio. A luz, por exemplo, é um campo eletromagnético que viaja pelo espaço na forma de ondas.

O passo seguinte no desenvolvimento do conceito de campo veio por meio da mecânica quântica, com a compreensão de que as ondas eletromagnéticas, em particular as ondas de luz, podem aparecer como partículas, assim como partículas materiais podem aparecer como ondas. As partículas correspondentes às ondas de luz, os chamados fótons, não têm massa e viajam – por definição – com a velocidade da luz. Eles são assim partículas essencialmente relativísticas e o formalismo da mecânica quântica, por si só, não é adequado para descrevê-los.

Na atual teoria quântica de campos, a teoria da relatividade é combinada com a mecânica quântica para descrever os fótons em função de campos quânticos, ou seja, como campos que podem assumir a forma de *quanta*, ou partículas. A criação e destruição de partículas, que agora é bem confirmada por experimentos, é a nova característica da teoria quântica de campos, e o conceito de campo é estendido para descrever todas as partículas, diferentes partículas sendo representadas por diferentes campos.

Considerando que o conceito de campo clássico não resolve o dualismo entre matéria e forças, mas apenas o reexpressa em termos de matéria e campos, esse dualismo é superado na teoria quântica de campos. Os campos quânticos são considerados como entidades fundamentais que dão origem às forças e à matéria e, portanto, estabelecem a unidade desses dois conceitos que pareciam tão irreconciliáveis para os atomistas gregos.

A natureza dual dos campos quânticos – forças ou *quanta* – torna possível para a teoria de campos imaginar a interação entre as partículas como troca de outras partículas. Em tais processos de troca, a energia não é conservada, e, por isso, eles deveriam ser proibidos. No entanto, se ocorrerem durante um intervalo de tempo muito curto, o princípio da incerteza dará origem a uma incerteza na energia que é suficiente para cobrir a violação da lei de conservação da energia. Dessa maneira, a criação e subsequente destruição das partículas trocadas é possível durante esse curtíssimo intervalo de tempo. Essas partículas são chamadas partículas virtuais. Elas não são "reais" porque não podem existir durante um tempo maior do que o princípio da incerteza o permita. A ocorrência de todas as interações entre partículas pode ser concebida por meio dessa troca de partículas virtuais. Quanto mais intensa for a força de interação, maior será a probabilidade de ocorrência de tais trocas, isto é, com maior frequência as partículas virtuais serão trocadas.

O papel das partículas virtuais não se limita a essas interações. Por exemplo, um núcleon (próton ou nêutron) pode muito bem emitir uma partícula virtual e reabsorvê-la logo depois. A probabilidade para uma tal "autointeração" é novamente muito alta, uma vez que o núcleon é uma partícula de interação forte, e os processos de emissão e absorção ocorrem, portanto, com muita frequência. Quando um segundo núcleon chega perto o suficiente do primeiro, algumas das partículas virtuais podem ser trocadas; isso constitui a interação nuclear.

Desse modo, de acordo com a teoria quântica de campos, cada partícula associada à interação forte deve ser considerada como um centro de atividade contínua rodeado por uma nuvem de partículas virtuais. Assim, o caráter dinâmico da matéria aparece como movimento na teoria quântica não relativística e como criação e destruição de partículas na teoria relativística.

A energia envolvida na autointeração é equivalente a uma certa quantidade de massa, que contribui para a massa da partícula autointeragente. Portanto, a massa não é uma propriedade intrínseca da matéria, mas surge de sua interação. Ainda estamos muito longe de compreender detalhadamente essa relação entre massa e interação, mas fica cada vez mais claro que, em seu próprio ser, a matéria e sua interação não podem ser separadas. O que chamamos de partícula isolada é, na realidade, o produto de sua interação com sua vizinhança. Portanto, é impossível separar qualquer parte do universo do restante. Essa, no entanto, é exatamente a visão que é tão básica para a filosofia oriental, e que é enfatizada repetidamente em suas escrituras:

> Não há diversidade na Terra.
> Só obtém morte após morte
> Aquele que aí percebe diversidade aparente.
> Como uma unidade só Ele deve ser levado
> Em consideração – este Ser indemonstrável
> e duradouro.[10]

A esse respeito, é interessante observar que em sânscrito há duas palavras usadas para "objeto", *samskara* e *vastu*, as quais significam, em primeiro lugar, "um evento" ou "um acontecimento" e, em segundo lugar, "uma coisa existente".[11] Isso mostra como os hindus perceberam intuitivamente que o ser e a atividade da matéria não podem ser separados.Voltando à teoria de campos, podemos ver que a principal ideia que emerge é a de que a criação e a destruição da matéria é uma característica essencial da natureza. É a base de todas as interações de partículas e, portanto, de todas as leis naturais e, em última análise, de toda a vida. Mais do que isso, é parte essencial da existência da matéria. A matéria, longe de ser inerte e morta, está pulsando o tempo todo, criando e destruindo partículas a uma taxa estonteante. Está realmente viva.

Shiva

Quando alguém imagina essa contínua criação e destruição que se manifesta por todo o universo, a ideia de uma gigantesca dança cósmica surge naturalmente na sua mente. Na verdade, os físicos costumam usar expressões como "dança da energia", e Shiva é efetivamente o deus da transformação. A mais bela imagem desse mundo em transformação é excepcionalmente representada no hinduísmo pelo deus Shiva, o dançarino cósmico. De acordo com a crença hinduísta, toda a vida é parte de um grande processo rítmico de criação e destruição, de morte e renascimento, e a dança de Shiva simboliza esse ritmo eterno de vida-morte. Shiva é a manifestação da energia rítmica primordial que mantém o cosmos vivo. Essa imagem é frequentemente expressa na literatura indiana em linhas como como estas:

> Nosso Senhor é o Dançarino que, como o calor latente na lenha, difunde Seu poder na mente e na matéria e os faz dançar por sua vez.[12]

Figura 6. Estátua de Shiva sobreposta por trilhas de partículas.

Vimos anteriormente que a física moderna revela o ritmo de criação-destruição do universo sob uma nova luz. De acordo com a teoria quântica de campos, esse ritmo não se expressa apenas na mudança das estações e na morte e no renascimento de todas as criaturas (no qual os hinduístas acreditam), mas também é a base da existência da matéria e de todas as leis da natureza. Artistas indianos expressaram a eterna dança cósmica em magníficas esculturas de Shivas dançantes. Para o físico moderno, uma expressão igualmente bela da dança de Shiva é encontrada nas fotografias da câmara de bolhas de partículas em interação que dão testemunho da criação e destruição contínua de matéria no universo. A ciência moderna e a mitologia antiga expressam aqui a mesma intuição básica de vida.

Notas

Este ensaio foi publicado originalmente em *Main Currents in Modern Thought*, 29 (1), setembro/outubro de 1972, pp. 14-20.

1. Para uma apresentação dos conceitos da física moderna evitando qualquer formalismo matemático, o que seguimos neste ensaio, ver Ford (1965).
2. Para uma introdução à filosofia oriental, ver Ross (1966).
3. *Brihad-Aranyaka Upanishad* em Hume (1934).
4. Acvaghosa (1900).
5. *Ibid.*
6. Watts (1969).
7. Veja Heisenberg (1958).
8. *Ts'ai-ken t'an*, citado em Ross (1966), p.144.
9. Veja Suzuki (1968a).
10. *Brihad-Aranyaka Upanishad* em Hume (1934).
11. Suzuki (1968a).
12. Coomaraswami (1957).

ENSAIO 5

Bootstrap e Budismo

1974

EM UM ARTIGO RECENTE, apontamos alguns interessantes paralelismos existentes entre a física moderna e a filosofia oriental.[1] Acreditamos que esses paralelismos não são superficiais, mas vêm de um acordo profundo entre a maneira oriental de ver o mundo e os conceitos da ciência moderna. Para dar mais suporte a essa visão, estudamos, neste ensaio, o chamado modelo *bootstrap* de partículas associadas à interação forte e comparamos sua filosofia geral e suas características mais detalhadas com os conceitos do Budismo Mahayana. O leitor não deve esperar que essa comparação resulte em enunciados precisos que possam ser submetidos a uma análise lógica, mas devem, em vez disso, obter um sentimento intuitivo da harmonia básica entre o espírito da sabedoria oriental e a ciência ocidental.

Fundamentalistas e *bootstrappers*

O criador e principal defensor do modelo *bootstrap* é Geoffrey Chew, e acompanharemos de perto sua apresentação ao longo deste artigo.[2] De acordo com Chew, existem atualmente duas escolas de físicos de alta energia com pontos de vista fortemente opostos sobre os constituintes da matéria. Em sua maioria, os físicos são "fundamentalistas", que tentam reduzir a natureza a fundamentos e procurar os "elementos constituintes" da matéria. Em oposição a eles estão os *bootstrappers* que procuram compreender a natureza por meio da autoconsistência, acreditando que toda a física segue unicamente (ou seja, sem conter quaisquer parâmetros arbitrários) da exigência de que seus componentes sejam consistentes uns com os outros e com eles próprios. Uma vez que um componente fundamental é, por definição, aquele que pode ser designado arbitrariamente, um modelo *bootstrap* não deve conter nenhum componente fundamental.

Levado ao seu extremo, o modelo *bootstrap* vai além da ciência. Para citar Chew: "Em um sentido amplo, a ideia *bootstrap*, embora fascinante e útil, não é científica . [...] A ciência, como a conhecemos, requer uma linguagem baseada em algum arcabouço inquestionável. Semanticamente, portanto, uma tentativa de explicar tudo dificilmente pode ser chamada de científica".[3]

O problema é o seguinte. Uma vez que todos os fenômenos estão, em última análise, interconectados, para explicar qualquer um deles temos de compreender todos os outros, o que, obviamente, é impossível. O que torna a ciência tão bem-sucedida é a descoberta de que as aproximações são possíveis. Se alguém estiver satisfeito com uma compreensão aproximada, pode-se explicar muitos fenômenos em termos de alguns e assim, compreender diferentes aspectos da natureza de maneira aproximada, sem precisar compreender tudo de uma vez. Esse é o método científico. Todas as teorias e modelos científicos são aproximações da verdadeira natureza das coisas, mas o erro envolvido na aproximação é com frequência pequeno o bastante para tornar tal abordagem significativa. Normalmente, as aproximações inerentes a uma teoria científica se refletem em seus parâmetros arbitrários ou "constantes fundamentais". Uma teoria *bootstrap* não deve conter nenhum desses parâmetros, mas conterá, no entanto, como veremos mais adiante, alguma arbitrariedade que reflete sua natureza aproximada.

A tese principal deste artigo pode agora ser resumida da seguinte maneira: há um profundo acordo entre a ideia *bootstrap* e a filosofia oriental. A visão fundamentalista, por outro lado, cresceu a partir da maneira geral de pensar ocidental, que, por sua vez, baseia-se na filosofia grega. A razão pela qual o modelo *bootstrap* só é aceito com muita relutância pelos físicos está no fato de que a maneira ocidental de pensar está profundamente enraizada neles. Portanto, o contraste entre fundamentalistas e *bootstrappers* reflete o contraste entre as maneiras ocidental e oriental de ver o mundo.

A Visão Ocidental

A redução da natureza a elementos fundamentais é basicamente uma atitude grega que surgiu na filosofia grega juntamente com o dualismo entre espírito e matéria.[4] Os atomistas retrataram a matéria como sendo feita de vários elementos fundamentais, ou átomos, que são puramente passivos e intrinsecamente mortos. Eles pensavam que os átomos se moviam por ação de alguma força externa que se presumia ser de origem espiritual e muitas vezes era identificada com Deus. Isso marcou a divisão entre o espírito e matéria, entre Deus e o mundo.

Dessa maneira, as noções de "elementos constituintes básicos" e de Deus impondo suas "leis fundamentais" surgiram no mundo. Nos séculos subsequentes, essa imagem tornou-se uma parte essencial do modo de pensar ocidental. Foi estabelecida em sua forma mais nítida por Descartes, que baseou sua filosofia na divisão fundamental entre o eu, o mundo e Deus. A física clássica foi construída de acordo com esse modelo e provou ser extremamente bem-sucedida. Quando a descoberta da mecânica quântica, no início deste século, mostrou que a divisão cartesiana não pode ser feita quando lidamos com a matéria atômica, os cientistas, portanto, tiveram grandes dificuldades conceituais para aceitar esse fato. Heisenberg escreve sobre essa questão: "A partição cartesiana penetrou profundamente na mente humana durante os três séculos que se seguiram a Descartes, e vai demorar muito para ser substituída por uma atitude realmente diferente em relação ao problema da realidade".[5]

A mesma situação é encontrada agora pela ideia de *bootstrap*. Ela é aceita com grande relutância porque o pensamento fundamentalista está intimamente conectado com o *background* cultural e filosófico da maioria dos físicos.

A Visão Oriental

A filosofia oriental, como veremos mais adiante, é muito mais semelhante à ideia de *bootstrap*.[6] A visão oriental do mundo é orgânica. Todas as coisas e fenômenos que percebemos com nossos sentidos estão inter-relacionados e são manifestações da mesma realidade suprema. Essa realidade, chamada *Dharmakaya* (o "corpo do ser", ou do Dharma) no budismo, é simultaneamente espiritual e material e, portanto, não há diferença entre mente e matéria.

De acordo com a filosofia oriental, nossa tendência para dividir o mundo percebido em coisas individuais e separadas e nos ver como egos isolados neste mundo é uma ilusão que provém da estreiteza de nossa consciência atenta. É chamada de *avidya* ("ignorância") na filosofia budista:

> Quando a unicidade da totalidade das coisas não é reconhecida, então surge a ignorância, bem como a particularização.[7]

O mais alto objetivo para o hinduísta ou o budista é tornar-se consciente da unidade e da mútua inter-relação de todas as coisas, transcender a noção de um ser individual isolado e identificar-se com a realidade suprema. A aquisição desse conhecimento, que é conhecido como "iluminação", não é um mero ato intelectual, mas se torna uma experiência religiosa envolvendo toda a pessoa. Portanto, as filosofias orientais sempre são, ao mesmo tempo, religiões.

A ideia da unidade e da inter-relação mútua de todas as coisas e eventos encontra sua expressão mais clara e sua elaboração de maior alcance no budismo, em particular na escola Mahayana, uma das duas escolas principais do budismo. Portanto, o Budismo Mahayana é o que mais se aproxima da filosofia *bootstrap*, uma vez que a consistência da natureza, tão enfatizada pelos *bootstrappers*, e a unidade e inter-relação de todos os fenômenos sobre as quais os budistas insistem, são apenas maneiras diferentes de expressar a mesma ideia.

A noção de elementos constituintes, por outro lado, raramente é encontrada na Ásia e seria, em geral, considerada um produto de *avidya*. No *Discurso sobre o Despertar da Fé no Mahayana* [traduzido para o inglês como *Discourse on the Awakening of Faith in the Mahayana*] um dos primeiros tratados do Mahayana, do qual já extraímos uma citação antes, encontramos esta passagem significativa:

> Quando dividimos alguma matéria grosseira (ou composta), podemos reduzi-la a átomos. Porém, como o átomo também estará sujeito a divisão posterior, todas as formas de existência material, sejam grosseiras ou sutis, nada mais são que a sombra da particularização produzida pela mente subjetiva, e não podemos atribuir a elas qualquer grau de realidade (absoluta ou independente).[8]

A importante diferença entre o *bootstrap* científico e a abordagem budista é que os budistas não estão interessados no conhecimento aproximado, que eles chamam de "conhecimento relativo". Eles estão interessados no conhecimento supremo, que corresponde ao *bootstrap* completo mencionado antes. Nesse tipo de mundo, em que tudo está interconectado, as propriedades de qualquer fenômeno decorrem das propriedades de *todos* os outros. Portanto, explicar algo significa mostrar como ele está conectado com todo o restante do mundo. Isso é obviamente impossível, e os budistas insistem, portanto, no fato que nenhum fenômeno isolado pode ser explicado:

> Portanto, todas as coisas em sua natureza fundamental não são nomeáveis ou explicáveis. Elas não podem ser adequadamente expressas em qualquer forma de linguagem (6).

Por essa razão, os budistas não estão interessados em explicar as coisas, mas sim em obter uma experiência direta da unidade de todas as coisas e eventos.

Voltando ao *bootstrap*, notamos que o caráter único (*uniqueness*) do modelo é uma suposição adicional. Acredita-se que toda a física decorra exclusivamente dos requisitos de autoconsistência. Então, um *bootstrap* completo, que contém todos os fenômenos e todos os conceitos também é, necessariamente, único. Se isso é igualmente verdadeiro para o *bootstrap* científico aproximado, é algo que está longe de ser óbvio. Assim, a suposição do caráter único para o *bootstrap* científico reflete o otimismo dos *bootstrappers*. Vejamos agora como esse modelo é construído.

O *Bootstrap* de Hádron

A aproximação à qual os *bootstrappers* se limitam consiste em negligenciar todas as interações, menos as interações fortes. Uma vez que essas forças de interação são cerca de cem vezes mais fortes do que as eletromagnéticas e muitas ordens de grandeza mais fortes do que as interações gravitacionais e fracas, essa aproximação parece razoável. Esse modelo é chamado de *bootstrap de hádron* (ou hádrion), sendo que hádron é o nome geralmente dado a uma das partículas envolvidas na interação forte (próton, nêutron, méson etc.).

A linguagem apropriada para um modelo *bootstrap* de hádron é a chamada teoria da matriz S, sendo que a matriz S é a coleção de todas as amplitudes de reação de partículas expressas como funções dos *momenta* e dos *spins* das partículas em colisão antes e depois da colisão. Nessa teoria, várias restrições básicas são impostas à matriz S, a maioria das quais corresponde aos nossos conceitos de observação e de espaço-tempo macroscópico. Essas restrições constituem o que Chew chama de "arcabouço inquestionável" na passagem citada anteriormente. Outras restrições podem refletir a arbitrariedade do modelo decorrente das aproximações feitas e podem ter de ser explicadas em um modelo futuro, mais preciso.

Uma das restrições do último tipo é a exigência de que todos os hádrons sejam objetos compostos, nenhum deles sendo mais elementar do que outro. Tendo em vista o grande número de "partículas elementares" conhecidas atualmente, esse requisito é esteticamente atraente, mas não é necessário.[9] Espera-se que ele surja como resultado do *bootstrap* de hádron completo.

A imagem *bootstrap* dos hádrons é, então, a seguinte. Todos os hádrons são estruturas compostas cujos componentes são novamente hádrons. As forças de ligação que mantêm coesas essas estruturas são as mesmas forças por meio das quais os hádrons interagem mutuamente. O ponto crucial, que torna possível o cálculo dessas forças, é o fato de que uma força entre partículas pode ser figurada como a troca de outras partículas. Essa imagem é muito grosseira, pois nós não conhecemos as propriedades do espaço-tempo microscópico, mas podemos atribuir um significado matemático preciso ao formalismo da matriz S.

No *bootstrap de hádron*, as partículas trocadas são novamente hádrons. Cada hádron desempenha, portanto, três papéis: é uma estrutura composta, pode ser um constituinte de outro hádron, e pode ser trocado entre os constituintes e, portanto, podem constituir parte da força que mantém a estrutura coesa. Cada partícula, portanto, ajuda a gerar outras partículas, que, por sua vez, a geram. Todo o conjunto de hádrons gera a si mesmo dessa maneira, ou "ergue a si mesmo pelos cordões de sua bota (*bootstraps*)", que é a origem do nome do modelo.

A ideia, então, é a de que esse mecanismo dinâmico extremamente complexo é autodeterminante, isto é, há somente uma maneira pela qual ele pode ser realizado. Isso significa que existe apenas um conjunto possível de hádrons encontrados na natureza. Assim, as propriedades da matéria hadrônica seguem exclusivamente da autoconsistência do *bootstrap* de hádron e não precisam ser introduzidas como quantidades fundamentais.

Os físicos talvez nunca venham a ser capazes de realizar esse programa ambicioso, mas Chew prevê uma série de modelos parcialmente bem-sucedidos de âmbito menor. Cada um deles seria destinado a cobrir apenas parte da física hadrônica e conteria, portanto, alguns parâmetros arbitrários que representam suas limitações, mas o parâmetro de um modelo *bootstrap* pode ser explicado por outro. Desse modo, partes cada vez mais amplas da física hadrônica podem gradualmente vir a ser cobertas com precisão cada vez maior por uma combinação de modelos cujo número efetivo de parâmetros "arbitrários" continua diminuindo.

Mahayana

Já dissemos que o Budismo Mahayana, cujo tema central é a unidade e a inter-relação de todos os fenômenos, chega muito perto da filosofia *bootstrap* geral. No entanto, o que é mais impressionante é o fato de que seus conceitos concordam em um grau surpreendente com os do modelo *bootstrap* científico.

A doutrina Mahayana é considerada o clímax do pensamento budista desenvolvido na Índia, na China e no Japão.[10] Baseia-se no *Sutra Avatamsaka*, que se diz ter sido pregado pelo Buda duas semanas depois de sua iluminação. O núcleo do *Avatamsaka* é uma descrição vívida de como o mundo é visto nesse estado de iluminação, quando "os contornos sólidos da individualidade se dissolvem e a sensação de finitude não mais nos oprime".[11]

De acordo com o *Sutra Avatamsaka*, uma pessoa iluminada percebe o mundo como uma rede perfeita de relações mútuas, em que cada objeto individual, além de estar imerso no *Dharmakaya* universal, contém em si todos os outros objetos individuais como tais. Isso é conhecido como a teoria da "interpenetração" e é ilustrado no *Avatamsaka* pela seguinte parábola:

> Dizem que no céu de Indra existe uma rede de pérolas, arranjadas de tal maneira que, se você olhar para uma, verá todas as outras refletidas nela. Da mesma maneira, cada objeto no mundo não é apenas ele mesmo, mas envolve todos os outros objetos e, na verdade, *é* todos eles. Em cada partícula de poeira, estão presentes Budas infindáveis.[12]

A semelhança dessa imagem com o *bootstrap* de hádron é realmente impressionante. A parábola da rede de pérolas de Indra pode ser justamente chamada de primeiro modelo *bootstrap*, criado pela mente humana inquisitiva cerca de 2.500 anos antes do início da física das partículas.[13]

Os budistas Mahayana insistem no fato de que a teoria da interpenetração não é compreensível intelectualmente, mas deve ser vivenciada por uma mente iluminada que transcende o dualismo da lógica. Na física moderna, não precisamos ser iluminados, mas somos forçados pela natureza a aceitar conceitos que não são mais inteligíveis. No presente caso do *bootstrap de hádron*, esse conceito é o fato de que uma força pode ser representada por uma partícula. Por esse motivo, pode-se dizer que um único hádron contém todos os outros hádrons e, ao mesmo tempo, faz parte de cada um deles. Esta é exatamente a visão da escola Mahayana:

> Quando um é colocado contra todos os outros, aquele é visto como penetrando todos eles e, ao mesmo tempo, abrangendo-os todos em si mesmo.[14]

É realmente incrível que a mente humana tenha chegado a essa imagem de duas maneiras tão diferentes.

A semelhança entre a teoria Mahayana da interpenetração e o modelo *bootstrap* é enfatizado ainda mais observando-se que as palavras sânscritas usadas para os objetos individuais interpenetrantes são *samskara* ou *vastu*, ambas significando, em primeiro lugar, "um evento" ou "um acontecimento" e, em segundo, "uma coisa existente".[15] Isso mostra claramente que os budistas Mahayana concebem todos os objetos de uma maneira dinâmica, em completo acordo com a visão *bootstrap* dos hádrons como estruturas *dinâmicas* compostas.

Ampliação do *Bootstrap*

Em conclusão, queremos especular sobre algumas possibilidades muito instigantes sobre o futuro da ideia *bootstrap*. Se o modelo *bootstrap* for bem-sucedido para a física dos hádrons, os físicos tentarão estendê-la para as outras interações. Isso significa que terão de encontrar um arcabouço mais geral, e alguns dos conceitos que agora são aceitos *a priori* terão de ser derivados. Estes poderiam incluir nossos conceitos de espaço-tempo macroscópico e, como Eugene Wigner argumentou, até mesmo de consciência humana.[16]

Isso abre novas e excitantes possibilidades para uma interação direta entre física e filosofia oriental. O conceito de consciência humana desempenha um papel central na filosofia oriental e, especialmente no budismo, há mais de um milênio, e as conclusões a que os budistas chegaram muitas vezes diferem radicalmente das ideias sustentadas no Ocidente. Se realmente queremos incluir a consciência humana em nosso domínio de pesquisa, um estudo de ideias orientais poderia de maneira concebível nos fornecer novos pontos de vista que muitos físicos consideram extremamente necessários na física atual.

Agradecimento

Gostaria de agradecer ao professor G. F. Chew pela sua leitura crítica do manuscrito e por sua interessante correspondência.

Notas

Este ensaio foi publicado originalmente no *American Journal of Physics*, *42* (1), janeiro de 1974, pp. 15-9.

1. Capra (1972).
2. Veja Chew (1968) e Chew (1970).
3. Chew (1968).
4. Ver Capra (1972).
5. Heisenberg (1958).

6. O que chamamos de "filosofia oriental" é, na realidade, um grande número de teologias, disciplinas espirituais e sistemas filosóficos sutilmente entrelaçados. Eles contradizem parcialmente uns aos outros, mas a *Weltanschauung* (visão de mundo) delineada neste artigo os descreve ou aproxima-os acentuadamente mais do que o faz aqueles do Ocidente. Para uma introdução à filosofia oriental, ver Ross (1968).
7. Acvaghosa (1900).
8. *Ibid.*
9. Embora partículas elementares (não compostas) sejam possíveis em um esquema *bootstrap*, elas não seriam fundamentais no sentido de elementos constituintes com propriedades arbitrárias.
10. Ver Suzuki (1968b).
11. Suzuki (1968a).
12. Eliot (1959), p. 109
13. O fato de que a teoria Mahayana da interpenetração envolve objetos macroscópicos, enquanto o modelo *bootstrap* diz respeito a partículas subatômicas não afeta a semelhança da intuição. O que os budistas Mahayana chamavam de "objetos individuais" são apenas as menores unidades que eles poderiam perceber com seus sentidos. Na verdade, a expressão "partícula de poeira" é usada com muita frequência, como um termo técnico para essas unidades.
14. Suzuki (1968a).
15. *Ibid.*
16. Wigner (1964).

ENSAIO 6

Física das Partículas e Filosofia Oriental

1972

Introdução

Quando os físicos dão palestras ou escrevem sobre seus trabalhos, normalmente tentam provar ou desaprovar certas coisas, e o fazem anotando equações ou apresentando resultados experimentais. Em um ligeiro desvio desse processo-padrão, vou agora discutir percepções intuitivas que tive em uma surpreendente e, para mim, fascinante relação entre física de partículas e filosofia oriental.

Por "filosofia oriental" eu me refiro, principalmente, às filosofias religiosas do hinduísmo, budismo, taoismo e assim por diante. Estou longe de ser um especialista nessas filosofias, visto que entrei em contato com elas apenas há cerca de três anos. Mas quanto mais me familiarizo com o pensamento oriental, mais percebo como a maneira oriental de ver o mundo está de acordo com as modernas visões científicas.

Antes de me estender sobre esse assunto com mais detalhes, gostaria de esclarecer uma questão que de imediato me vem à mente. Como podemos fazer uma comparação entre uma ciência exata, com um formalismo matemático altamente sofisticado, e uma filosofia que se baseia principalmente na meditação e insiste no fato de que suas percepções não podem ser comunicadas em palavras?

Para responder a essa pergunta, vamos ver como o conhecimento é obtido nas duas disciplinas. Na física, fazemos experimentos e, em seguida, procuramos uma teoria para explicá-los. Fazemos isso correlacionando os fatos experimentais com símbolos matemáticos, e elaborando um esquema matemático que interconecta esses símbolos de uma maneira consistente. Como físicos, podemos ficar satisfeitos quando descobrimos tal esquema e sabemos como usá-lo para prever experimentos. Mas eventualmente teremos de falar sobre nossos resultados também para os não físicos e, portanto, expressá-los em linguagem simples. Isso significa que precisaremos formular um modelo em linguagem comum que interprete nosso esquema matemático. Até mesmo para nós, a formulação de tal modelo será um critério de compreensão que alcançamos.

É importante perceber que embora a estrutura matemática seja rigorosa e consistente, o modelo verbal interpretativo, por causa da imprecisão inerente à linguagem cotidiana, nunca será rigoroso. Outra dificuldade surge na física moderna. Nos níveis atômico e subatômico, nossa linguagem comum não é apenas imprecisa, mas também inadequada e inconsistente. Os físicos aprenderam a conviver com essa inconsistência e estão acostumados a aplicar de modo alternativo diferentes conceitos clássicos que levariam a contradições se fossem aplicados de maneira simultânea.

Agora, vejamos como o conhecimento é obtido nas filosofias orientais. Todas as escolas de pensamento oriental insistem no fato de que o conhecimento precisa ser adquirido por meio de uma aguçada e profunda percepção meditativa direta. Essa percepção, dizem eles, está fora do arcabouço da análise e do pensamento intelectuais. É obtida observando em vez de pensando. Portanto, pareceria que essa etapa corresponde mais à parte experimental do que à parte teórica da física. O conhecimento obtido por meio dessa percepção meditativa é então transmitido por meio de mitos, símbolos, imagens poéticas, e assim por diante. Essas várias formas de comunicação correspondem aos modelos verbais na ciência, e é nessa etapa que faremos a comparação.

As filosofias orientais enfatizam repetidamente o fato de que qualquer comunicação verbal de conhecimento é inadequada, pois o verdadeiro conhecimento transcende a lógica e o senso comum, e que, portanto, não pode ser adequadamente expresso em linguagem comum. O ponto de vista extremo é adotado por uma certa escola zen que não usa nenhuma declaração para transmitir seus ensinamentos, mas, em vez disso, usa enigmas e paradoxos sem sentido cuidadosamente elaborados, chamados *koans*, destinados a projetar a mente do aluno para fora de seus caminhos familiares de raciocínio lógico a fim de torná-la pronta para a percepção meditativa.

Creio que aqui está uma das raízes da relação com a física moderna. A mecânica quântica nos ensinou que nossos conceitos comuns não podem ser aplicados aos átomos. A realidade atômica e subatômica transcende a lógica clássica, e não podemos falar sobre isso na linguagem comum. No entanto, precisamos fazê-lo, e os quebra-cabeças e paradoxos resultantes, que surgem logo no início da mecânica quântica, desempenham praticamente o mesmo papel que os *koans* no ensinamento zen, com a diferença de que na física a natureza é a professora.

Filosofia Oriental

Tendo esclarecido e colocado em perspectiva a comparação que pretendo fazer, preciso agora me voltar para uma breve revisão do que chamo de "filosofia oriental", uma expressão que resume um grande número de teologias, disciplinas espirituais e sistemas filosóficos sutilmente entrelaçados, e cuja riqueza e complexidade não podem ser representadas adequadamente em uma apresentação curta como esta.[1] Vou, portanto, me concentrar em algumas características que, conforme penso, são básicas e comuns à maioria desses sistemas, os quais irei então relacionar à física das partículas. Na verdade, quero falar principalmente sobre dois conceitos básicos da filosofia oriental.

UNIDADE DO UNIVERSO

O primeiro aspecto sobre o qual quero falar é uma ideia que está na base da filosofia oriental. É a ideia da unidade do cosmos e da unidade de toda a vida. A visão oriental do mundo é orgânica. Todas as coisas e fenômenos que percebemos com nossos sentidos estão inter-relacionados e são manifestações da mesma realidade última. Essa realidade tem nomes diferentes em religiões diferentes. É chamado de Brahman no hinduísmo, *Dharmakaya* no budismo, Tao no taoismo, e assim por diante. Seja qual for o nome, ele representa a realidade universal básica que é, simultaneamente, espiritual e material. Portanto, não há nenhuma diferença essencial entre mente e matéria nas religiões orientais.

De acordo com a filosofia oriental, nossa tendência para dividir o mundo percebido em coisas individuais e separadas e para ver a nós mesmos como egos isolados neste mundo é uma ilusão que vem da estreiteza de nossa consciência atenta. É chamada de *avidya* ("ignorância") na filosofia budista e é reconhecida como o estado de uma mente perturbada, que deve ser superado. Em uma escritura budista encontramos estas palavras:

> Quando a mente é perturbada, a multiplicidade de coisas é produzida; mas quando a mente se acalma, a multiplicidade de coisas desaparece.[2]

O objetivo mais elevado para o hinduísta ou o budista é, portanto, tornar-se consciente da unidade e da inter-relação mútua de todas as coisas, transcender a noção de um eu individual isolado e identificar-se com a realidade última. A aquisição desse conhecimento, que é conhecido como "iluminação", não é um mero ato intelectual, mas se torna uma experiência religiosa envolvendo a pessoa como um todo. Portanto, as filosofias orientais sempre são, ao mesmo tempo, religiões.

VISÃO DINÂMICA DO UNIVERSO

Desse modo, na visão oriental, a divisão da natureza em objetos separados é artificial e vem de nossa mente mensuradora e categorizadora. Esses objetos, que são chamados de *maya* no hinduísmo, têm um caráter fluido e constantemente mutável. As filosofias orientais não fazem distinção entre matéria viva e morta. Todo o cosmos é uma unidade e todo o cosmos está vivo. Essa visão dinâmica do universo, que contém o tempo e a mudança como características essenciais, é a segunda ideia básica significativa para a comparação com a física. Devo mostrar-lhes nesta palestra como a ideia da unidade do universo e de seu caráter intrinsecamente dinâmico surge na física do século XX.

Pensamento Ocidental

Antes de entrar na física moderna, deixe-me lembrá-lo brevemente do contraste entre o pensamento oriental e o ocidental. Os primeiros filósofos gregos viam o mundo do mesmo modo que os hinduístas, mas então eles produziram o dualismo entre o espírito e a matéria. Os atomistas imaginaram que a matéria era constituída de "elementos constituintes básicos", chamados átomos, que são puramente passivos e também intrinsecamente mortos. Pensaram que eles se moviam em virtude de alguma força externa, que consideravam como sendo de origem espiritual e que, muitas vezes, identificavam com Deus. Isso marcou a divisão entre espírito e matéria, entre Deus e o mundo.

Nos séculos subsequentes, essa imagem se tornou parte essencial da maneira de pensar ocidental, e foi expressa em sua forma mais nítida por Descartes. A visão da matéria como estando morta e completamente separada de nós mesmos foi extremamente bem-sucedida, pois levou aos modelos mecanicistas da física clássica, que são a base da ciência e da tecnologia ocidentais. Os indianos e chineses, que sempre tiveram uma visão orgânica do universo, desenvolveram filosofias de grande sabedoria e beleza, mas, até recentemente, eram cientistas comparativamente precários.

O desenvolvimento fascinante da física moderna está no fato de que a mesma ciência que se originou da divisão entre espírito e matéria superou esse dualismo, e agora nos leva de volta às visões dos primeiros filósofos gregos e das filosofias orientais. Deixe-me mostrar como isso acontece.

Física Moderna

Quando falo sobre "física moderna", estou me referindo principalmente à mecânica quântica e à teoria da relatividade. Tentarei mostrar como ambas as teorias nos forçam a ver o mundo de uma maneira que é muito semelhante às visões orientais que acabei de descrever. Essas semelhanças se tornam ainda mais evidentes quando voltamos os olhos para os modelos que tentam combinar a mecânica quântica e a teoria da relatividade em uma teoria relativística do mundo subnuclear.

MECÂNICA QUÂNTICA

Para começar, a interpretação de Copenhague da mecânica quântica tornou claro que a divisão cartesiana entre o eu e o mundo, tão profundamente arraigada no pensamento ocidental, não pode ser reconhecida quando estamos lidando com a matéria atômica. Sem entrar em mais detalhes, deixe-me citar Heisenberg sobre este ponto:

> A partição cartesiana penetrou profundamente na mente humana durante os três séculos depois de Descartes, e irá demorar muito para ser substituída por uma atitude realmente diferente em relação ao problema da realidade.[3]

O próximo ponto também está relacionado com o nome de Heisenberg. É o princípio da incerteza ou, em uma expressão que o caracterizaria de maneira mais geral, o caráter onda-partícula da matéria, que fornece uma característica essencial de nossa imagem da matéria atômica e nuclear. O princípio da incerteza implica o fato de que uma partícula nunca pode estar completamente em repouso. Isso porque, se ela fosse localizada nitidamente em algum ponto do espaço, isso implicaria uma grande incerteza em seu *momentum* e, portanto, em sua energia cinética. Como consequência, a partícula começaria a se mover. De acordo com a mecânica quântica, a matéria nunca está completamente quiescente, mas sempre em um estado de movimento. O quanto esse fato está em conformidade com a filosofia oriental é claramente mostrado na seguinte citação de um texto taoista:

> A imobilidade na imobilidade não é a verdadeira imobilidade. Só quando há imobilidade no movimento pode aparecer o ritmo espiritual que permeia o céu e a terra.[4]

Essa é uma expressão muito poética da mesma imagem que obtemos do princípio da incerteza.

Se olharmos agora para os átomos, o princípio da incerteza nos diz que os elétrons que são mantidos dentro de um volume muito pequeno por forças eletrostáticas precisam começar a "se sacudir" dentro desse volume com extrema rapidez. Na verdade, o confinamento em um volume de cerca de 10^{-8} cm de diâmetro resulta em velocidades enormes, de cerca de 1.000 km/s. Se nos aprofundarmos dentro do átomo e olharmos para o núcleo, veremos que a situação será ainda mais extrema. Lá, prótons e nêutrons são confinados a um espaço de 10^{-13} cm de extensão pelas forças nucleares fortes. Consequentemente, eles correm dentro desse volume com velocidades fantásticas de 100.000 km/s. Longe de estar morta e ser passiva, a matéria atômica e nuclear está "cozinhando e fervendo" com extraordinária veemência. Quanto mais perto nós olharmos para a matéria, mais viva ela parecerá.

As velocidades alcançadas pela matéria nuclear aproximam-se da velocidade da luz e, portanto, qualquer teoria das partículas subnucleares adequada precisa levar em consideração a teoria da relatividade. Isso nos leva agora à segunda parte importante da física moderna: a teoria da relatividade.

TEORIA DA RELATIVIDADE

Como todos sabem, a teoria da relatividade trouxe uma mudança drástica em nossos conceitos de espaço e de tempo. Ela nos mostrou que o espaço não é tridimensional e que o tempo não é uma entidade separada. Ambos estão intimamente conectados e formando um *medium* quadridimensional denominado espaço-tempo. Descrever a matéria nuclear com uma teoria relativística significa, portanto, que, sempre que pensarmos sobre a matéria nuclear, precisamos fazê-lo nos termos de uma realidade quadridimensional envolvendo espaço e tempo.

Os filósofos indianos e chineses certamente não sabiam nada sobre a teoria da relatividade, mas, de algum modo, perceberam o "caráter espaçotemporal" da realidade de maneira intuitiva, uma vez que a maioria de seus conceitos, imagens e mitos contém o tempo e a mudança como um elemento essencial. Exemplos de tais conceitos são a doutrina hinduísta de *maya* mencionada antes, o conceito de "interpenetração" no Budismo Mahayana, sobre o qual falarei mais à frente, ou o *I Ching*, a base do pensamento chinês,[5] cujo título, caracteristicamente, significa o "Livro das Mutações".

Acredito que essa intuição voltada para o tempo é uma das principais razões pelas quais as visões indianas e chinesas da matéria parecem corresponder mais de perto às modernas visões científicas do que as dos gregos, que eram essencialmente estáticas e, em grande medida, determinadas por considerações geométricas. A filosofia natural grega era extremamente "não relativista", se assim posso me expressar, e creio que sua vigorosa influência sobre o pensamento ocidental é uma das razões pelas quais temos grandes dificuldades conceituais com modelos relativísticos. As filosofias orientais, por outro lado, são filosofias "espaçotemporais" e, portanto, não deve causar supresa o fato de que expressam suas ideias em modelos que manifestam paralelismos com os encontrados na física das partículas relativística. Acredito enfaticamente que isso se tornará cada vez mais evidente à medida que progredirmos na formulação de modelos relativísticos. Vou lhes mostrar agora alguns desses paralelismos.

Na física de partículas, temos atualmente dois modelos relativísticos, a teoria quântica de campos e a teoria da matriz S, e vou agora falar sobre elas.

TEORIA DE CAMPO

O conceito central da teoria de campo é o conceito de um campo quântico. Como vocês sabem, o conceito de campo foi abstraído do conceito de força na física clássica, mas obteve uma posição independente quando se compreendeu que os campos são entidades físicas por si mesmas, que podem se propagar através do espaço vazio.

Por fim, na teoria quântica de campos, os campos adquirem a propriedade, nova e muito especial, de serem capazes de assumir a forma de partículas materiais. Os campos quânticos são considerados como entidades fundamentais que dão origem às forças e à matéria, e, por isso, estabelecem a unidade desses dois conceitos que pareciam irreconciliáveis para os atomistas gregos.

O aspecto dual dos campos quânticos – forças ou *quanta* – torna possível para a teoria de campos figurar todas as interações entre a matéria como a troca – isto é, como a criação e subsequente destruição – de partículas virtuais. O caráter virtual das partículas trocadas leva então ao conceito de partícula autointeragente, o qual implica que todas as partículas devem ser consideradas como centros de atividade contínua circundados por uma nuvem de partículas virtuais, que esses centros emitem e absorvem. O caráter dinâmico da matéria aparece, assim, como movimento na teoria quântica não relativística, e como a criação e destruição de partículas na teoria relativística.

O fato de que a energia envolvida na autointeração contribui para a massa da partícula autointeragente mostra que a massa não é uma propriedade intrínseca da matéria, mas surge de sua interação. Embora ainda estejamos longe de compreender em detalhes essa relação entre massa e interação, a teoria de campo deixou claro que o ser da matéria e sua interação não podem ser separados. O que chamamos de partícula isolada é, na realidade, o produto de sua interação com seu entorno. Por isso, é impossível separar qualquer parte do universo do restante. Esta, no entanto, é exatamente a visão que é tão básica para todas as filosofias orientais.

Com relação a isso, é interessante observar que em sânscrito há duas palavras usadas para "objeto", *samskara* e *vastu*, as quais significam, em primeiro lugar, "um evento" ou "um acontecimento" e, em segundo lugar, "uma coisa existente"[6] Isso mostra como os hinduístas perceberam intuitivamente que o ser e a atividade da matéria não podem ser separados.

Voltando à teoria de campo, podemos ver que a ideia principal que dela emerge é o fato de a criação e a destruição da matéria serem características essenciais da natureza. É a base de todas as interações de partículas e, portanto, de todas as leis naturais; e, em última análise, de toda a vida. Mais do que isso, é parte essencial da existência da matéria. A matéria não é passiva e morta, mas está realmente muito viva, pulsando o tempo todo, criando e destruindo partículas.

Quando imaginamos essa contínua criação e destruição que se manifesta em todos os lugares do universo, a ideia de uma gigantesca dança cósmica nos vem à mente de um modo natural. Na verdade, os físicos costumam usar expressões como "dança da energia". A mais bela imagem dessa dança, no entanto, nos é oferecida pelo hinduísmo.[7] Um dos principais deuses hindus é Shiva, o dançarino cósmico. De acordo com a crença hinduísta, toda vida é parte de um grande processo rítmico de criação e destruição, de morte e renascimento, e a dança de Shiva simboliza esse ritmo eterno.

Artistas indianos expressaram isso em magníficas esculturas de Shivas dançantes. Mas o físico moderno pode encontrar uma expressão igualmente bela da dança de Shiva nas fotos de partículas em interação tornadas visíveis nas câmaras de bolhas, as quais nos dão testemunho da contínua criação e destruição da matéria no universo. A ciência moderna e a mitologia antiga expressam aqui a mesma intuição básica da vida.

TEORIA DA MATRIZ S

Agora estou chegando à teoria da matriz S, o segundo importante modelo relativístico da física das partículas. O que chamamos de "teoria da matriz S" realmente não é, ou ainda não é, uma teoria, mas, em vez disso, consiste em uma coleção de modelos formulados na linguagem da matriz S. Quero me concentrar aqui no mais ambicioso deles, o modelo *bootstrap*, porque esse modelo mostra os paralelismos mais notáveis com a filosofia oriental.[8]

BOOTSTRAP

A base do modelo *bootstrap* consiste no fato de que a natureza não pode ser reduzida a entidades fundamentais, como constituintes fundamentais da matéria, mas deve ser compreendida inteiramente por meio da autoconsistência.[9] Toda a física precisa seguir exclusivamente – isto é, sem incluir quaisquer parâmetros arbitrários – a exigência de que seus componentes sejam consistentes uns com os outros e com eles mesmos. Uma vez que um componente fundamental é, por definição, arbitrariamente designável, um modelo *bootstrap* não deve conter nenhum componente fundamental.

Podemos reconhecer de imediato que essa ideia aproxima-se muitíssimo do espírito do pensamento oriental. Vimos antes que o hinduísmo considera todas as formas do universo como *maya*, fluidas e sempre mutáveis. Portanto, não há nele espaço para qualquer quantidade fundamental fixa. A noção de constituintes fundamentais da matéria, a qual vem do conceito grego de "blocos de construção básicos", é completamente estranha ao pensamento oriental. Em um texto budista, encontramos a seguinte passagem:

> Quando dividimos alguma matéria grosseira (ou composta), podemos reduzi-la a átomos. Porém, como o átomo também estará sujeito a divisão posterior, todas as formas de existência material, sejam elas grosseiras ou sutis, nada mais são que a sombra da particularização produzida pela mente subjetiva, e não podemos atribuir a elas qualquer grau de realidade (absoluta ou independente).[10]

Podemos também dizer que o princípio da autoconsistência, que forma a base do modelo *bootstrap*, e a unidade e inter-relação de todos os fenômenos, que são tão vigorosamente enfatizadas na filosofia oriental, são apenas diferentes maneiras de expressar a mesma ideia. No Oriente, essa ideia encontrou sua expressão mais clara no budismo, em particular, na chamada escola Mahayana. Podemos, portanto, esperar que essa escola do budismo seja aquela que mais se aproxima da filosofia *bootstrap*, e veremos que ela apresenta de fato os mais notáveis paralelismos com o modelo *bootstrap* de partículas.

Antes de falar sobre esses paralelismos, vou resumir a relação do modelo *bootstrap* com a filosofia oriental, colocando-o no contexto daquilo que Chew chamou de contraste entre "fundamentalistas" e "bootstrappers" na física de alta energia.[11]

Quero argumentar que a tentativa de reduzir a natureza a blocos de construção básicos fundamentais cresceu a partir da filosofia natural grega e corresponde à maneira geral de pensar ocidental, enquanto a ideia *bootstrap* corresponde à visão oriental da natureza. A razão pela qual o modelo *bootstrap* só é aceito com grande relutância está no fato de que o pensamento fundamentalista se conecta intimamente com o *background* cultural e filosófico da maioria dos físicos. Portanto, o contraste entre fundamentalistas e *bootstrappers* reflete o contraste entre as maneiras ocidental e a oriental de ver o mundo.

Embora os modelos fundamentalistas tenham sido historicamente expressos no arcabouço da teoria de campo, e o modelo *bootstrap* foi formulado no arcabouço da matriz S, não estenderei meu argumento para examinar o contraste entre essas duas abordagens. É verdade que a teoria de campo, com seus campos quânticos como entidades fundamentais, parece um modelo fundamentalista, mas também houve tentativas para construir "*bootstraps* de teoria de campo", um conceito que foi sugerido por Salam em 1962,[12] e é perfeitamente possível que a ideia de *bootstrap* também possa ser expressa na linguagem da teoria de campo. Por isso, eu gostaria de ver os dois arcabouços como complementares, sendo um deles mais apropriado para a descrição da matéria hadrônica, o outro melhor para a descrição de interações eletromagnéticas e fracas. Em ambos os arcabouços aparecem paralelismos com os modelos da filosofia oriental, e eu gostaria de pensar que uma futura teoria da matéria conterá ambas as abordagens e será baseada no conceito de *bootstrap*.

Vou agora revisar brevemente o modelo *bootstrap* e, em seguida, apontar seus paralelismos com o Budismo Mahayana. Em primeiro lugar, temos de reconhecer que encontraremos dificuldades se quisermos levar a ideia de *bootstrap* ao seu extremo. Deixe-me citar Chew quanto a esse ponto. Eu já havia chamado a atenção sobre esse aspecto quando falei sobre caráter não científico da ideia de *bootstrap*:

> Em um sentido amplo, a ideia de *bootstrap*, embora fascinante e útil, não é científica. [...] A ciência, como a conhecemos, requer uma linguagem baseada em algum arcabouço inquestionável. Semanticamente, portanto, uma tentativa de explicar tudo dificilmente pode ser chamada de científica.[13]

O problema é o seguinte: uma vez que todos os fenômenos estão, em última análise, interconectados, para explicar qualquer um deles precisamos compreender todos os outros, o que, obviamente, é impossível. O que torna a ciência tão bem-sucedida é a descoberta de que as aproximações são possíveis. Se alguém estiver satisfeito com uma "compreensão" aproximada, pode-se explicar muitos fenômenos em função de alguns e, assim, compreender diferentes aspectos da natureza de uma maneira aproximada, sem precisar compreender tudo de uma só vez. Esse é o método científico. Todas as teorias e modelos científicos são aproximações da verdadeira natureza das coisas, mas o erro envolvido na aproximação é, com frequência, pequeno o suficiente para tornar significativa essa abordagem.

A importante diferença entre o *bootstrap* científico e a abordagem budista está no fato de que os budistas não estão interessados no conhecimento aproximado, que eles chamam de "conhecimento relativo". Eles estão preocupados com o "conhecimento supremo", que corresponde ao *bootstrap* completo. Em tal mundo, onde tudo está interconectado, as propriedades de qualquer fenômeno seguem-se das propriedades de *todos* os outros. Explicar alguma coisa significa, portanto, mostrar como ela está conectada com todo o restante do mundo. Isso, obviamente, é impossível, e os budistas insistem, então, no fato de que nenhum fenômeno pode ser explicado. Por essa razão, eles não estão interessados em explicar as coisas, mas, em vez disso, o que lhes interessa é obter uma experiência direta da unidade de todas as coisas.

Agora vamos examinar como o modelo *bootstrap* científico é construído. Como eu disse antes, ele tem de ser aproximado, e sua principal aproximação consiste em sua limitação aos hádrons, ou seja, em negligenciar todas as interações, exceto as interações fortes. Nesse "*bootstrap* de hádron", várias restrições básicas são impostas sobre a matriz S, a maioria das quais correspondente aos nossos conceitos de observação e de espaço-tempo macroscópico. Essas restrições, que são essencialmente a invariância de Poincaré, analiticidade e unitariedade, constituem o que Chew chama de "arcabouço não questionado" na passagem citada antes. Outras restrições podem refletir a arbitrariedade do modelo por causa das aproximações feitas, e podem precisar ser explicadas em um modelo futuro, mais preciso.

Uma das restrições do último tipo é a exigência de que todos os polos da matriz S sejam polos Regge, o que equivale a exigir que todos hádrons sejam objetos compostos, nenhum deles sendo mais elementar do que outro. Tendo em vista o grande número de "partículas elementares" conhecidas atualmente, essa exigência é esteticamente atraente, mas não é necessária. Espera-se que ela emerja como um resultado do *bootstrap* de hádron completo.

A imagem *bootstrap* de hádrons, então, é a seguinte: todos os hádrons são estruturas compostas cujos componentes também são hádrons. As forças de ligação que mantêm juntas essas estruturas são as mesmas forças por meio das quais os hádrons interagem mutuamente. O ponto crucial, que torna possível o cálculo dessas forças, é o fato de que uma força entre as partículas pode ser figurada como a troca de outras partículas. Essa imagem é muito grosseira, pois usa um método não relativístico para uma situação em que a relatividade tem uma importância crucial. Mas é o melhor que podemos fazer para ilustrar o conceito de um estado ligado no canal cruzado.

No *bootstrap* de hádron, as partículas trocadas são novamente hádrons. Portanto, cada hádron desempenha três papéis: é uma estrutura composta; pode ser um constituinte de outro hádron; e pode ser trocado entre os constituintes, e, portanto, constitui parte da força que mantém a estrutura coesa. Desse modo, cada partícula ajuda a gerar outras partículas que, por sua vez, a geram.

A ideia, então, é a de que esse mecanismo dinâmico extremamente complexo é autodeterminante, isto é, a de que há somente uma maneira pela qual isso pode ser realizado. Isso significa que há somente um conjunto possível de hádrons, que é aquele encontrado na natureza. Assim, as propriedades da matéria hadrônica seguem-se exclusivamente da autoconsistência do *bootstrap* de hádron, e não precisam ser introduzidas como quantidades fundamentais.

Tendo descrito o modelo *bootstrap* de partículas, mostrarei agora como suas características apresentam paralelismo com as imagens usadas na escola do Budismo Mahayana. A doutrina Mahayana é considerada o clímax do pensamento budista que se desenvolveu na Índia, na China e no Japão.[14] É baseado no *Sutra Avatamsaka*, cujo tema central é a unidade e a inter-relação de todas as coisas e eventos, conforme sejam realizados em um estado de iluminação. Esse sutra nos oferece uma vívida descrição de como o mundo é visto em tal estado. De acordo com a escritura, uma pessoa iluminada percebe o mundo como uma rede perfeita de relações mútuas, em que cada objeto individual contém em si mesmo todos os outros objetos individuais. Isso é conhecido na literatura budista como a teoria da "interpenetração" e é ilustrado no *Avatamsaka* pela seguinte parábola:

> Dizem que no céu de Indra existe uma rede de pérolas, arranjadas de tal maneira que, se você olhar para uma, você verá todas as outras refletidas nela. Da mesma maneira, cada objeto no mundo não é apenas ele mesmo, mas envolve todos os outros objetos e, na verdade, *é* todos eles. Em cada partícula de poeira, estão presentes Budas inumeráveis.[15]

A semelhança dessa imagem com o *bootstrap de hádron* é realmente impressionante. A parábola da rede de pérolas de Indra, sobre a qual já comentamos, pode ser chamada com justiça de primeiro modelo *bootstrap*, criado pela mente humana inquisitiva cerca de 2.500 anos antes do início da física das partículas.

Os budistas Mahayana insistem no fato de que a teoria da interpenetração não é compreensível intelectualmente, mas deve ser vivenciada por uma mente iluminada que transcende o dualismo da lógica. Na física moderna, como assinalei no início desta palestra, não precisamos ser iluminados, mas somos forçados pela natureza a aceitar conceitos que não são mais inteligíveis. No presente caso do *bootstrap de hádron*, tal conceito é o fato de que uma força pode ser representada por uma partícula. Enfatizei anteriormente que essa é uma propriedade especificamente relativística do modelo, baseado na propriedade de cruzamento da matriz S. Acredito que nossa principal dificuldade em visualizar a figura de um *bootstrap* de partículas consiste em imaginar uma partícula contendo outras partículas de uma maneira relativística, isto é, não estaticamente, mas dinamicamente, de uma maneira "espaçotemporal". Uma vez que não estamos familiarizados com essa maneira quadridimensional de pensar, é extremamente difícil para nós imaginar como uma única partícula pode conter todas as outras partículas e, ao mesmo tempo, ser parte de cada uma delas. Essa, no entanto, é exatamente a visão da escola Mahayana, e aqui permitam-me citar novamente um trecho de um livro budista:

> Quando um é colocado contra todos os outros, ele é visto como penetrando todos eles e, ao mesmo tempo, abrangendo-os todos em si mesmo.[16]

Se você acredita na iluminação budista, ou se pensa que os budistas tinham uma percepção intuitiva da realidade espaçotemporal relativística, como sugeri, você deve admitir que é realmente incrível o fato de que a mente humana tenha chegado a essa imagem de duas maneiras tão diferentes.

Em conclusão, eu gostaria de especular sobre uma possibilidade muito instigante sobre o futuro da ideia de *bootstrap*. Se o modelo *bootstrap* se comprovar bem-sucedido para a física dos hádrons, os físicos tentarão estendê-lo para as outras interações. Então, eles terão de encontrar um arcabouço mais geral, e alguns dos conceitos que agora são aceitos *a priori* precisarão ser derivados. Estes poderiam incluir nossos conceitos de espaço-tempo macroscópico e, como Wigner argumentou, até mesmo de consciência humana.[17]

Isso abre possibilidades novas e instigantes para uma interação direta entre física e filosofia oriental. O conceito de consciência humana tem desempenhado um papel central na filosofia oriental, e, em especial, no budismo, ao longo de todos os séculos, e as conclusões a que os budistas chegaram diferem, muitas vezes radicalmente, das ideias sustentadas no Ocidente. Se realmente queremos incluir a consciência humana em nosso domínio de pesquisa, pode-se conceber que um estudo das ideias orientais poderia nos fornecer o novo ponto de vista que muitos físicos consideram muitíssimo necessário na física atualmente.

Notas

Este ensaio foi adaptado de uma palestra apresentada em um colóquio no CERN, em 25 de abril de 1972.

1. Para uma introdução à filosofia oriental, ver Ross (1968).
2. Acvaghosa (1900).
3. Heisenberg (1958), p. 42
4. Citado em Ross (1968), p. 144
5. Veja Fung (1962).
6. Suzuki (1968a).
7. Veja Capra (1971a).
8. Veja Capra (1971b).
9. Veja Chew (1968).
10. Acvaghosa (1900).
11. Chew (1970).
12. Salam (1962); veja também Broido e Taylor (1966).
13. Chew (1968).
14. Veja Suzuki (1968b).
15. Eliot (1959), p. 109
16. Suzuki (1968a).
17. Wigner (1964).

ENSAIO 7

In Memoriam de Geoffrey Chew, 1924-2019

2019

GEOFFREY CHEW, QUE FALECEU em abril de 2019, aos 94 anos de idade, foi um dos pensadores mais profundos e radicais da física do século XX. Sua teoria *bootstrap*, tecnicamente conhecida como teoria da matriz S, baseia-se na ideia de que a natureza não pode ser reduzida a entidades fundamentais, como constituintes fundamentais da matéria, mas precisa ser inteiramente compreendida por meio da autoconsistência. De acordo com Chew, toda a física precisa resultar exclusivamente da exigência de que seus componentes sejam consistentes uns com os outros e com eles mesmos.[1]

Essa ideia constitui um afastamento radical do espírito tradicional da pesquisa básica em física, que sempre se concentrou em descobrir os constituintes fundamentais da matéria. Ao mesmo tempo, pode ser vista como o ponto culminante da visão segundo a qual as partículas são concebidas como interconexões em uma teia inseparável de relações, que surgiu na teoria quântica e adquiriu uma natureza intrinsecamente dinâmica na teoria da relatividade.

A filosofia *bootstrap* não apenas abandona a ideia de constituintes fundamentais da matéria, mas também não aceita quaisquer entidades fundamentais – nenhuma lei ou equação fundamental, nem mesmo uma estrutura fundamental do espaço e do tempo. O universo é reconhecido como uma rede dinâmica de eventos inter-relacionados. Nenhuma das propriedades de qualquer parte dessa rede é fundamental; cada uma delas segue a partir das propriedades das outras partes, e a consistência total de todas as suas inter-relações mútuas determina a estrutura de toda a rede.

Durante as décadas de 1980 e 1990, a teoria *bootstrap* foi eclipsada pelo sucesso do chamado *modelo-padrão*, que é muito diferente, pois postula a existência de campos fundamentais e suas partículas correspondentes. Hoje, a física *bootstrap* praticamente desapareceu de cena.

No entanto, o modelo-padrão não inclui a gravidade e, portanto, malogra em integrar todas as partículas e forças conhecidas em um único arcabouço matemático. O candidato atualmente mais popular para tal arcabouço é a teoria das cordas, que concebe todas as partículas como diferentes vibrações de "cordas" matemáticas em um espaço abstrato de nove dimensões. A elegância matemática da teoria das cordas é convincente, mas a teoria tem sérias deficiências. Se essas dificuldades persistirem, e se uma teoria da gravidade quântica continuar a permanecer evasiva, a ideia de *bootstrap* pode muito bem ser revivida algum dia, em alguma formulação matemática ou outra.

Geoffrey Chew foi a principal razão de minha mudança para Berkeley na década de 1970. Minha estreita associação com ele durante quatorze anos (1975-1988) foi uma fonte de inspiração contínua para mim e moldou de maneira decisiva toda a minha visão da ciência. Estudei pela primeira vez os escritos de Chew sobre a física *bootstrap* no início da década de 1970 em Londres, enquanto trabalhava no Imperial College e também me preparava para escrever *O Tao da Física*. Fiquei imediatamente impressionado com os paralelismos entre a filosofia *bootstrap* e o Budismo Mahayana, que resumi em um artigo intitulado "Bootstrap and Buddhism" [*Bootstrap* e Budismo]. Enviei a Chew uma cópia do artigo e pedi sua opinião. Sua resposta foi muito favorável e extremamente emocionante para mim. "Sua maneira de descrever a ideia [*bootstrap*]", ele escreveu: "deve torná-la mais palatável para muitos, e para alguns, talvez, tão esteticamente atraente a ponto de ser irresistível."

Quando escrevi *O Tao da Física*, tornei a estreita correspondência entre a física *bootstrap* de Chew e a filosofia budista o seu ponto alto e culminante. Terminei o livro em Londres, em dezembro de 1974, e, em janeiro de 1975, mudei-me para Berkeley e me juntei ao grupo da teoria de Chew, no Lawrence Berkeley Laboratory (LBL). Entre os físicos desse grupo estavam Henry Stapp,

Jerry Finkelstein, Stanley Mandelstam e vários alunos de pós-graduação. Durante os dez anos seguintes, participei das reuniões regulares do grupo todas as semanas em que estive em Berkeley. Além disso, Geoff (como era conhecido por seus amigos e colegas) enviava cartas manuscritas semanais para o grupo, nas quais ele comentava a evolução de seu pensamento a respeito da teoria *bootstrap*. Essas interações semanais com Geoff Chew me proporcionavam uma compreensão única de seu processo de pensamento e estabeleceram uma estreita relação entre nós.

Ao mesmo tempo, comecei uma transição gradual de físico para escritor e, consequentemente, passava um bom tempo longe do LBL. Fui o único membro do grupo de teoria de Chew que não trabalhou com física em tempo integral. No entanto, isso também teve um efeito positivo. Por causa das interrupções que me impediam de acompanhar o grupo, eu pude, muitas vezes, seguir a evolução de nossa teoria com olhos renovados. Geoff costumava me dizer que gostava muito de me ver fazendo perguntas de sondagem e contribuindo com percepções significativas por causa de minha posição especial no grupo.

Figura 7. Geoffrey Chew discutindo a teoria da matriz S com o autor no Lawrence Berkeley Laboratory, 1984. Foto: Jacqueline Capra.

Olhando para trás, para aquela época da minha vida, vim a perceber que minhas discussões científicas habituais com Chew ao longo de quase quinze anos também foram meu treinamento no pensamento sistêmico. A teoria *bootstrap* é uma teoria de redes de partículas subatômicas, redes nas quais as propriedades de cada partícula derivam de suas relações com as outras. Isso é pensamento sistêmico por excelência. Assim, de meados da década de 1970 até o fim da de 1980, o pensamento sistêmico tornou-se uma segunda natureza para mim, muito antes de eu estudar sua história e suas realizações e discuti-las em meus livros. Geoff Chew foi uma tremenda inspiração para mim, uma figura paterna intelectual cujo pensamento influenciou profundamente minhas visões sobre a ciência e modelou de maneira significativa minha carreira como cientista e escritor. Minhas lembranças de nossas discussões ao longo de tantos anos estarão comigo para sempre.

Notas

Este ensaio foi postado originalmente em www.fritjofcapra.net/blog, em 8 de maio de 2019.

1. Ver Capra (1985); ver também Capra (1988), pp. 50-70

CAPÍTULO 3

Implicações da "Nova Física"

O Tao da Física foi publicado em 1975 e foi tremendamente bem-sucedido.[1] Como consequência desse sucesso, recebi muitos convites para proferir palestras para públicos profissionais e leigos na Europa, nas Américas do Norte e do Sul, e na Ásia. Durante essas palestras e seminários, descobri que a mudança de conceitos em física quântica de uma visão mecanicista para uma visão holística fazia parte de uma mudança de paradigmas muito mais ampla em muitos outros campos e na sociedade como um todo. Então expandi meu foco da física para esses outros campos – biologia, medicina, psicologia, economia, e assim por diante.

No começo, acreditei (erroneamente, como eu logo descobriria) que a "nova física" poderia ser um modelo para as outras ciências e para a sociedade em geral, assim como a velha física newtoniana fora, por muitos séculos, o modelo para outras ciências e para a organização social. O Ensaio 8, reproduzido neste capítulo, que é baseado em vários artigos datados de 1978 a 1980, expressa essa visão. Argumento que agora que os físicos foram muito além do modelo newtoniano, será necessário que as outras ciências tomem conhecimento desse desenvolvimento e expandam suas filosofias subjacentes em conformidade com o novo modelo.

O que eu não percebi quando escrevi esses artigos foi que nossas principais questões sociais – saúde, educação, justiça social, proteção do meio ambiente, poder político, e assim por diante – têm, todas elas, tudo a ver com sistemas vivos, com seres humanos individuais, com sistemas sociais e com ecossistemas. A física não pode dizer muito sobre esses sistemas vivos. Essa compreensão veio a mim apenas alguns meses depois em uma série de conversas que tive com Gregory Bateson (veja minha homenagem a Bateson no Capítulo 4). Bateson apontou-me que o pensamento sistêmico era uma abordagem mais apropriada. Isso me colocaria em um caminho que me levou a explorar a visão sistêmica da vida pelos trinta anos seguintes.

Mesmo que posteriormente eu tenha modificado minhas visões sobre a física como um modelo para outras ciências, incluí o Ensaio 8 nesta coleção. O erro conceitual que cometi então e que reconheci enquanto escrevia *O Ponto de Mutação*, merece ser documentado, uma vez que ainda é perpetuado por muitos cientistas hoje.[2] Além disso, minha crítica da visão de mundo mecanicista em várias ciências, como é apresentada no ensaio, permanece plenamente legítima.

Começo o ensaio resumindo a visão de mundo mecanicista de Newton e suas influências em outras ciências (biologia, medicina, psicologia e economia). Então, resumi a visão de mundo implícita na física moderna e concluí discutindo suas implicações para a medicina, a psicologia e as ciências sociais.

Com relação à medicina, sugiro que um arcabouço inspirado pela visão chinesa tradicional do corpo e da saúde seria consistente com as mais avançadas teorias da realidade física. (No entanto, falhei em acrescentar que a realidade física mais significativa para a saúde é a dos sistemas vivos auto-organizadores.) De maneira semelhante, assinalo que os psicólogos e os psicoterapeutas recentemente procuraram inspirações no Oriente, onde mapas da consciência foram desenvolvidos, em especial no budismo, durante milhares de anos.

No fim do ensaio, sugiro que a física nem sempre pode ser apropriada como um modelo; e, olhando para o ensaio agora, noto que o título é seguido por um ponto de interrogação. Acredito que, inconscientemente, eu estava me preparando para a mudança da física para as ciências da vida, que começaram para mim enquanto escrevia *O Ponto de Mutação*.

O Ensaio 9 resume os desenvolvimentos na física teórica das partículas desde a publicação de *O Tao da Física* em 1975. Publiquei diferentes versões desse ensaio ao longo dos anos, em prefácios a várias edições do livro em resposta a perguntas frequentes de meus leitores. Atualizei o ensaio pela última vez em 2014, dois anos depois da célebre descoberta do bóson de Higgs.

Explico desde o início que o grande desafio da unificação da física é unificar a teoria quântica e a teoria da relatividade em uma teoria completa da matéria subatômica. Os físicos ainda não foram capazes de formular uma tal teoria completa, mas, no ensaio, reviso várias teorias parciais que descrevem muito bem algumas das forças fundamentais da natureza e os fenômenos associados a elas. Essas teorias incluem a eletrodinâmica quântica (QED), desenvolvida na década de 1940; a teoria de Weinberg-Salam das interações "eletrofracas", desenvolvida na década de 1960; a cromodinâmica quântica (QCD), desenvolvida na década de 1970, na qual campos quânticos são associados a *quarks* e glúons. Juntas, essas duas últimas teorias são conhecidas como modelo-padrão da física das partículas. Ele foi confirmado por inúmeros testes experimentais ao longo de mais de três décadas. Eu também reviso a modificação do modelo--padrão conhecida como mecanismo de Higgs, e a subsequente descoberta do célebre bóson de Higgs.

Por fim, reviso a teoria das cordas, que tenta integrar a gravidade com as outras forças fundamentais. A teoria das cordas é de uma elegância matemática convincente, retratando todas as partículas subatômicas como diferentes estados de "cordas" matemáticas vibrantes. No entanto, a teoria tem sérias deficiências conceituais e não foi comprovada experimentalmente. Concluo o ensaio revisitando a teoria *bootstrap* de Chew, que foi eclipsada pelo sucesso do modelo-padrão, mas poderia muito bem ser ressuscitada algum dia em alguma formulação matemática.

Notas

1. Capra (1975).
2. Capra (1982).

ENSAIO 8

A Nova Física como Modelo para uma Nova Medicina, Psicologia e Economia?

1978-1980

Introdução

A física do século XX exerceu uma profunda influência no pensamento filosófico em geral porque revelou uma limitação surpreendente das ideias clássicas e levou a uma revisão profunda de muitos de nossos conceitos básicos sobre a realidade. Na física atômica e subatômica, conceitos como matéria, objeto, espaço, tempo e causa e efeito são totalmente diferentes das ideias clássicas correspondentes, e com sua transformação radical, toda a nossa visão de mundo começou a mudar.

As mudanças em nossa visão de mundo produzidas pela física moderna foram extensamente discutidas por físicos e filósofos ao longo das últimas décadas, mas muito raramente chegou-se a noticiar que todas elas parecem ir na mesma direção.[1] A física moderna está nos mostrando que a visão de mundo clássica, mecanicista e reducionista precisa ser substituída por uma visão holística, orgânica e dinâmica, uma visão semelhante àquela sustentada por místicos de todas as eras e tradições.[2]

As mudanças dramáticas que ocorreram e estão ocorrendo na filosofia da física afetarão necessariamente as outras ciências – tanto as ciências naturais como as ciências humanas e sociais – porque todas essas ciências se modelaram na física. Para ser mais preciso, elas tomaram a física clássica, newtoniana, como seu modelo, e agora que os físicos foram muito além do modelo newtoniano, será necessário que as outras ciências fiquem cientes desse desenvolvimento e expandam suas filosofias subjacentes. Neste ensaio, eu gostaria de discutir a importância dessa nova percepção para a medicina, a psicologia e a economia.

A Visão de Mundo Cartesiana Mecanicista

A visão de mundo da física clássica, que também poderia ser chamada de visão de mundo ocidental tradicional, tem suas raízes na filosofia dos atomistas gregos, para os quais a matéria era constituída de vários elementos constituintes básicos, os átomos, que são puramente passivos e intrinsecamente mortos. Eles acreditavam que esses átomos eram movidos por forças externas, que com frequência se supunha terem origem espiritual, e eram, portanto, fundamentalmente diferentes da matéria.

Essa imagem tornou-se parte essencial do modo de pensar ocidental. Deu origem ao dualismo entre espírito e matéria, entre mente e corpo, que é característico do pensamento ocidental. Esse dualismo foi expresso em sua forma mais nítida por Descartes, que baseou sua visão da natureza em uma divisão fundamental em dois domínios separados e independentes: o da mente (*res cogitans*) e o da matéria (*res extensa*). A divisão cartesiana permitiu aos cientistas tratarem a matéria como morta e completamente separada deles mesmos, e a conceberem o mundo material como uma infinidade de objetos diferentes reunidos em uma imensa máquina. Essa visão mecanicista foi sustentada por Newton, que construiu sua mecânica com base nela, e com ela estabeleceu os alicerces da física clássica.

A visão mecanicista da natureza está estreitamente relacionada a um determinismo rigoroso. A gigantesca máquina cósmica era considerada como uma realidade completamente causal e determinada; tudo o que aconteceu teve uma causa definida e deu origem a um efeito definido. A base filosófica desse determinismo estrito era a divisão fundamental entre o eu e o mundo introduzida por Descartes. Como consequência dessa divisão, acreditava-se que o mundo poderia ser descrito objetivamente, isto é, sem nunca mencionar o observador humano, e tal descrição objetiva da natureza tornou-se o ideal de toda ciência.

A Influência do Modelo Newtoniano sobre Outras Ciências

Da segunda metade do século XVII até o fim do século XIX, o modelo newtoniano mecanicista do universo dominou todo o pensamento científico. As ciências naturais, bem como as ciências humanas e sociais, foram, todas elas, modeladas de acordo com a física newtoniana, e muitas delas ainda se apegam a esse modelo, até mesmo agora que os físicos já foram muito além dele.

Antes de discutir o impacto da física newtoniana sobre outros campos, quero chamar a atenção para um ponto importante. A nova concepção do universo que emergiu da física moderna não significa que a física newtoniana está errada ou que nossas teorias atuais estão certas. Chegamos a perceber na ciência moderna que todas as nossas teorias são aproximações da verdadeira natureza das coisas. Cada teoria é verdadeira para uma certa faixa de fenômenos. Além dessa faixa, ela não proporciona mais uma descrição satisfatória da natureza, e novas teorias precisam ser descobertas para substituí-la – ou melhor, estendê-la ao melhorar a aproximação.

A questão, então, será esta: "Quão boa aproximação é o modelo newtoniano como base para as outras ciências?". Na própria física, ele teve de ser abandonado no nível do muito pequeno (na física atômica e na subatômica) e também no nível do muito grande (na astrofísica e na cosmologia). Em outros campos, as limitações podem ser de um tipo diferente. Deve-se observar que aquilo de que estamos falando não é propriamente a aplicação da física newtoniana a outros fenômenos, mas sim, a aplicação da visão de mundo mecanicista e reducionista na qual a física newtoniana se baseia. Será necessário que cada ciência descubra onde as limitações dessa visão de mundo se encontram em determinado contexto.

Biologia e Medicina

Na biologia, a visão cartesiana levou à ideia de que um organismo vivo poderia ser considerado como uma máquina construída a partir de partes separadas. Tal biologia mecanicista foi exposta pela primeira vez pelo próprio Descartes e dominou as ciências da vida até os dias atuais. A analogia da máquina sugere que os organismos vivos podem ser compreendidos ao serem desmontados em peças componentes e ao tentar colocá-las juntas novamente a partir do conhecimento de suas partes. Na verdade, essa abordagem ainda constitui a espinha dorsal da maior parte do pensamento biológico contemporâneo. Um livro didático atual contém a seguinte passagem significativa: "Um dos testes de ácido para compreender um objeto é a capacidade de recompô-lo a partir de suas partes componentes. Em última análise, os biólogos moleculares tentarão submeter sua compreensão da estrutura e da função celular a esse tipo de teste ao tentar sintetizar uma célula".[3]

O modelo mecanicista da biologia exerceu uma vigorosa influência na medicina e levou à formulação do que é conhecido como o modelo biomédico. A medicina ocidental passou a considerar o corpo humano como uma máquina que pode ser analisada em função de suas partes. A doença é considerada como uma entidade externa que invade o corpo e ataca uma parte em particular. O papel do médico é intervir fisicamente (por meio de cirurgia) ou quimicamente (por meio de drogas) e tratar a parte afetada, com diferentes partes sendo tratadas por diferentes especialistas.

Associar uma doença específica a uma parte definida do corpo é, naturalmente, muito útil em muitos casos. Mas a medicina ocidental superestimou essa abordagem reducionista e desenvolveu suas disciplinas especializadas até o ponto em que os médicos não são mais capazes de reconhecer a doença como um distúrbio de todo o organismo, nem de tratá-lo como tal. A doença é reduzida a mecanismos biológicos que são estudados do ponto de vista da biologia celular e molecular, deixando completamente de fora os aspectos psicológicos e sociais da doença. Embora o conhecimento dos aspectos fisiológicos seja, naturalmente, útil, a abordagem reducionista responde apenas por parte da história e, portanto, não causa surpresa o fato de que não tenha sido muito bem-sucedida.

De acordo com Lewis Thomas, "ficamos aproximadamente com a mesma lista das doenças principais comuns que o país confrontou em 1950 e, embora tenhamos acumulado um extraordinário corpo de informações sobre algumas delas no tempo que se estendeu entre ambas as épocas, esse corpo ainda não é suficiente para permitir a prevenção ou a completa cura de qualquer uma delas".[4]

Psicologia

A psicologia clássica, como a física clássica, baseia-se na divisão cartesiana entre a *res cogitans* e a *res extensa*. Com base nessa divisão, duas abordagens foram desenvolvidas para estudar a mente. O behaviorismo escolheu estudar os efeitos da mente sobre a matéria, estudando o comportamento e aplicando a metodologia da física clássica para realizar essa tarefa. Fenômenos psicológicos foram reduzidos a componentes psíquicos e passaram a ser relacionados a estímulos fisiológicos, os quais foram considerados como suas causas. Como na biologia clássica, os organismos vivos eram vistos como máquinas que reagem a estímulos externos, e esse mecanismo de estímulo-resposta foi modelado em conformidade com a física newtoniana.

No manual didático padrão dos behavioristas, *Science and Human Behavior*, de B. F. Skinner, somos informados, desde o início, que mente, consciência, ideias e assim por diante são entidades inexistentes, "inventadas para fornecer explicações espúrias".[5] Em outras palavras, a única explicação séria seria aquela baseada na visão mecanicista do organismo humano. Os behavioristas, que ainda constituem a corrente principal da psicologia acadêmica, defendem sua estreita perspectiva alegando que é a única abordagem científica da psicologia, identificando assim, claramente, o arcabouço reducionista e mecanicista com a ciência.

Freud começou do outro lado da divisão cartesiana. Em vez de apenas estudar o comportamento, ele escolheu estudar a própria *res cogitans* por meio da introspecção. Embora não lidasse com a matéria, ele queria desenvolver uma psicologia científica, e para isso, estabeleceu uma relação conceitual entre psicanálise e física clássica.

Como os físicos, Freud procurou elementos constituintes básicos. Ele se concentrou nos instintos básicos e postulou o ego, o id e o superego como estruturas psicológicas básicas, localizadas e estendidas no espaço psicológico. Essas estruturas são consideradas como algum tipo de objetos internos que estão em conflito. Os mecanismos e maquinarias da mente são todos impulsionados por forças modeladas de acordo com a mecânica newtoniana.

Como na física clássica, o modelo mecanicista está intimamente relacionado ao determinismo estrito. A psiquiatria assume que aquilo que está dentro de uma pessoa foi fixado no nascimento, e reduz a patologia a causas únicas autodefinidas. Além disso, ela assume que o psicanalista é um observador objetivo, que não influencia os fenômenos observados e não é influenciado por eles. A divisão cartesiana também se reflete na separação estrita entre mente e corpo. A psicanálise negligencia o corpo assim como a medicina negligencia a mente.

Economia

Da psicologia, passarei agora para as ciências sociais e, em particular, para a economia. A economia atual, como a maior parte das ciências sociais, é fragmentária e reducionista. Não consegue reconhecer que a economia é apenas um aspecto de todo um tecido ecológico e social. O erro básico das ciências sociais é dividir esse tecido em fragmentos, considerados independentes e com os quais se lida em departamentos acadêmicos separados – psicologia, economia, ciência política, e assim por diante.

Os economistas negligenciam a interdependência social e ecológica, tratando todas as mercadorias de maneira igual, sem levar em consideração as muitas maneiras pelas quais elas se relacionam com o restante do mundo, e reduzindo todos os valores ao da produção do lucro privado. A economia convencional é, portanto, inerentemente antiecológica. Ele usa seus conceitos – eficiência, produtividade, lucro – sem os seus contextos sociais e ecológicos mais amplos. A eficiência corporativa é medida em função de lucros corporativos, mas esses lucros estão sendo obtidos, cada vez mais, com custos públicos.

O arcabouço atual da economia desconsidera nossa dependência do mundo natural. Essa atitude não está apenas em nítido contraste com a das culturas tradicionais, mas também é inconsistente com as visões da física moderna. As teorias básicas da física moderna nos forçam a ver o mundo natural como uma totalidade orgânica na qual todas as partes são interdependentes, um sistema dinâmico que é autoequilibrante e autoajustável, ao contrário de nossa economia e tecnologia atuais, que não reconhecem nenhum princípio autolimitante.

A fé no crescimento econômico e tecnológico indiferenciado tornou-se de importância central em nossa cultura. Nosso sistema econômico baseia-se na expansão contínua, mas a expansão ilimitada em uma Terra finita nunca pode levar a um estado de equilíbrio dinâmico. No sistema sutil da natureza, nossa tecnologia atua como um corpo estranho, e agora há numerosos sinais de rejeição. Com urgência, precisamos de uma nova base filosófica para a economia e a tecnologia, uma nova visão do mundo subjacente. Essa visão do mundo é fornecida pela física moderna, a ciência na qual nossa tecnologia é baseada.

A Visão de Mundo da Física Moderna

Em contraste com a visão do mundo mecanicista cartesiana, a visão da física moderna pode ser caracterizada por palavras como *orgânica*, *holística* ou *ecológica*. O universo não é mais visto como uma máquina constituída por uma multidão de objetos, mas sim como uma totalidade harmoniosa e unificada, que é fundamentalmente inseparável. No entanto, esse todo inseparável não é uniforme, mas é estruturado de modo a formar padrões.

Exemplos de tais padrões seriam – de grandes dimensões a dimensões menores – galáxias, sistemas solares, estrelas, planetas; então, em nosso planeta, oceanos, continentes, ilhas, montanhas, árvores, flores, pássaros, insetos; e, finalmente, para baixo até padrões muito pequenos, cristais, flocos de neve, moléculas, átomos, partículas.

Todos esses são padrões dentro de uma totalidade unificada, e é importante perceber que nenhum deles pode ser separado do todo sem ser destruído. Isso é perfeitamente óbvio quando pensamos em organismos vivos, por exemplo, em um pássaro separado de seu ambiente natural, inclusive do ar ao seu redor. O que a física moderna nos mostrou é que isso também é verdadeiro para a chamada matéria inorgânica. Todos os padrões materiais – átomos, núcleos, partículas, bem como as estruturas mais complexas compostas por eles – só podem existir por meio de interconexões mútuas e de suas conexões com o todo.

No entanto, o que podemos fazer é separar conceitualmente alguns padrões do restante, e lidar com eles como se fossem entidades isoladas e independentes. Isso é o que fizemos com sucesso no passado, e muitas vezes esse método ainda funciona. Assim, com frequência, podemos pensar em vários objetos em uma sala como sendo separados e em nós mesmos como indivíduos separados. Mas a física moderna nos tem mostrado, de maneira muito vívida, que cometemos um erro sempre que pensamos dessa maneira. A questão crucial é: "Quão grande é esse erro?".

Quando estudamos a física dos fenômenos comuns em nosso ambiente cotidiano, o erro é insignificante, negligenciavelmente pequeno, e, portanto, somos muito bem-sucedidos em lidar com o mundo como se ele consistisse em objetos separados nesse nível. Nesse mesmo nível macroscópico, podemos ser muito menos bem-sucedidos quando lidamos com pessoas dessa maneira, por exemplo, na psicoterapia. E mesmo na física, temos de desistir da maneira reducionista e mecanicista de pensar, quando nos dirigimos para dimensões muito pequenas, para o mundo dos átomos e das partículas subatômicas.

Além disso, a física atômica mostrou que a teia cósmica de relações inclui o observador humano e sua consciência de uma maneira essencial. Na teoria quântica, os "objetos" observados só podem ser compreendidos em função da interação entre vários processos de observação e de medição, e o fim dessa cadeia de processos está sempre na consciência do observador humano.

A característica crucial da teoria quântica é o fato de que o observador humano não é necessário apenas para observar as propriedades de um fenômeno atômico, mas até mesmo para produzir essas propriedades. Minha decisão consciente a respeito de como observar, digamos, um elétron, determinará as propriedades do elétron até certo ponto. Em outras palavras, o elétron não tem propriedades objetivas independentes da minha mente. Na física atômica, a nítida divisão cartesiana entre mente e matéria, entre eu e mundo, não é mais verdadeira. Nós nunca mais podemos falar sobre a natureza sem ao mesmo tempo falar sobre nós mesmos.

Outra importante percepção desbravadora da física moderna foi o reconhecimento de que a probabilidade é uma característica fundamental da realidade atômica e subatômica, que governa todos os processos e até mesmo a existência da matéria. Partículas subatômicas não existem com certeza em lugares definidos, mas mostram "tendências para existir". Nunca podemos prever com certeza um evento individual; podemos apenas prever as probabilidades.

É importante compreender que essa formulação estatística das leis da física atômica e subatômica não reflete nossa ignorância da situação física, como ocorre no caso do uso de probabilidades por seguradoras ou jogadores. Na física atômica, passamos a reconhecer a probabilidade como uma característica fundamental da realidade atômica que governa todos os fenômenos.

Esse papel fundamental da probabilidade implica uma nova noção de causalidade. Eventos atômicos individuais não têm uma causa bem definida. Por exemplo, uma partícula subatômica pode se desintegrar espontaneamente sem qualquer evento único que cause a desintegração. Só podemos prever a probabilidade de o evento acontecer. Isso não significa que os eventos atômicos ocorram de modo completamente arbitrário; eles são governados por leis estatísticas. Portanto, a estreita noção clássica de causalidade é substituída pelo conceito mais amplo de causalidade estatística, na qual as probabilidades de eventos atômicos são determinadas pela dinâmica de todo o sistema.

Assim, a lição básica da física moderna é o fato de que a separação do mundo em objetos separados é uma idealização. Com frequência, é muito útil, mas nunca compreenderemos plenamente qualquer padrão se olharmos para ele como uma entidade isolada de fenômeno. Precisamos estudar o universo como um todo. Uma vez que o compreendamos como um todo, podemos nos concentrar em suas partes e tratá-las como objetos separados de uma maneira aproximada. Mas se começarmos pelas partes e pensarmos que elas são os elementos constituintes com os quais o universo é feito, nunca compreenderemos o todo.

Outro aspecto importante da visão de mundo da física moderna é o reconhecimento de que os padrões que estamos estudando são intrinsecamente dinâmicos. No nível subatômico, espaço e tempo não podem mais ser separados, mas são intimamente, e inseparavelmente, conectados, formando um *continuum* quadridimensional chamado espaço-tempo. Quando visualizamos partículas nesse *continuum* espaçotemporal, podemos não mais vê-los como objetos tridimensionais estáticos, como pequenas bolas de bilhar ou pequenos grãos de areia, mas devemos imaginá-los (se pudermos!) como entidades quadridimensionais. Suas formas precisam ser entendidas dinamicamente, como formas no espaço e no tempo. Partículas subatômicas são padrões dinâmicos, padrões de energia ou padrões de atividade.

Os padrões de energia do mundo subatômico formam as estruturas atômica e moleculares estáveis que, novamente, não são estáticas, mas encontram-se em um estado de equilíbrio dinâmico: elétrons rodopiando em torno dos núcleos no âmago dos átomos, átomos vibrando no interior das estruturas moleculares de acordo com sua energia térmica e em harmonia com as vibrações térmicas de seu ambiente. As moléculas, por sua vez, constroem a matéria e lhes dão seu aspecto sólido macroscópico, fazendo-nos assim acreditar que ela é feita de alguma substância material.

No nível macroscópico, a noção de substância é uma aproximação útil, mas no nível atômico, isso não faz mais sentido. Os átomos consistem em partículas, e essas partículas não são feitas de nenhum estofo material. Quando os observamos, nunca vemos qualquer substância; o que observamos são padrões dinâmicos transformando-se continuamente uns nos outros – uma dança contínua de energia.

Em resumo, podemos dizer que as duas teorias básicas da física moderna transcenderam os principais conceitos da visão de mundo newtoniana; entre elas estão os conceitos de elementos constituintes da matéria consistindo em alguma substância material, e de uma descrição objetiva da natureza, independentemente do observador humano. A teoria quântica mostrou que as partículas não são grãos de matéria isolados, mas padrões de probabilidade, interconexões em uma teia cósmica inseparável que inclui a consciência humana. A teoria da relatividade, por assim dizer, fez a teia cósmica ganhar vida ao revelar seu caráter intrinsecamente dinâmico, mostrando que sua atividade é a própria essência de seu ser.

Implicações para a Ciência e a Sociedade

Em vista disso, quais são as implicações da "nova física" para a ciência e para a sociedade? Uma das principais lições que os físicos precisaram aprender no século XX foi o fato de que todos os conceitos e teorias que usamos para descrever a natureza são limitados. Sempre que expandimos o domínio de nossa experiência, temos de modificar, ou até mesmo de abandonar, alguns desses conceitos.

A experiência de questionar a própria base de nosso arcabouço conceitual e de ser forçado a aceitar modificações intensas e profundas em nossas ideias mais estimadas é dramática e muitas vezes dolorosa para os físicos. Isso ocorreu, em especial, durante as primeiras três décadas do século XX, mas foi recompensado por percepções profundas da natureza da matéria e da mente humana. Acredito que essa experiência possa ser muito útil para outros cientistas, muitos dos quais atingiram agora os limites da visão de mundo cartesiana clássica em seus campos. Para transcender os modelos clássicos, eles precisarão ir além da abordagem mecanicista e reducionista, como temos feito na física, e desenvolver visões holísticas e ecológicas.

MEDICINA

Os médicos precisarão ampliar sua perspectiva, mudando o foco da doença para a saúde, reconhecendo o organismo humano como um sistema dinâmico que mostra aspectos físicos e psicológicos inter-relacionados, e estudando as relações que ocorrem entre a condição geral do sistema e seu ambiente físico, emocional e social.

Para desenvolver essa nova abordagem da saúde e da cura, os médicos não precisam abrir um terreno completamente novo, mas podem aprender com os modelos existentes em outras sociedades. A visão de mundo da física moderna está estreitamente relacionada com a das culturas orientais, com a das tradições da Índia, da China e do Japão.[6] Estas, no entanto, são tradições nas quais – especialmente na China – o conhecimento do corpo humano e da medicina sempre foi parte integrante da filosofia natural e das disciplinas espirituais. Portanto, oestudo da medicina tradicional chinesa poderia ser extremamente útil.

A ideia chinesa de corpo sempre foi predominantemente funcional. O corpo é considerado como um sistema indivisível de partes inter-relacionadas, e a medicina chinesa não se preocupa muito com órgãos individuais, mas, isto sim, com suas interações mútuas.[7] É evidente que essa visão do corpo aproxima-se muito mais da visão da realidade do físico moderno do que da visão ocidental convencional da medicina.

PSICOLOGIA

De maneira semelhante, psicólogos e psicoterapeutas precisarão expandir o arcabouço da psicologia clássica para obter uma compreensão mais profunda da psique humana. Como médicos, terão de lidar com todo o organismo, nele reconhecendo um sistema dinâmico que envolve padrões físicos e psicológicos interdependentes, um sistema que é parte integrante de sistemas interagentes maiores, de dimensões físicas, sociais, culturais e cósmicas.

Jung foi, talvez, o primeiro a expandir a psicologia para esses novos domínios com conceitos que se aproximam muito mais daqueles da física moderna do que os de Freud. Na verdade, muitas das diferenças entre Freud e Jung são paralelas às que ocorrem entre a física clássica e a moderna.

Por exemplo, a noção de Jung do inconsciente coletivo fornece um elo de ligação entre o indivíduo e todo o cosmos, que não pode ser estudado dentro de um arcabouço mecanicista. Jung estava bem ciente do fato de que nós teremos até mesmo de ir além da abordagem racional para avançar dentro desses novos domínios. O inconsciente coletivo e seus padrões, os arquétipos, desafiam uma definição precisa.

Mais recentemente, psicólogos humanistas, psicólogos transpessoais e outras escolas continuaram a ir além dos vários aspectos mecanicistas do behaviorismo e do modelo freudiano, e desenvolveram abordagens holísticas e dinâmicas para compreender a psique humana. Essas abordagens estão forçando psicólogos e psicoterapeutas a deixar para trás muitos conceitos convencionais ocidentais. Ao mesmo tempo, as novas abordagens envolvem conceitos e atitudes que também estão presentes na física moderna. Por exemplo, as novas abordagens da psicoterapia enfatizam a interação mútua entre terapeuta e paciente, assim como os físicos quânticos enfatizam a relação entre o observador e os fenômenos observados. Nessa visão, a terapia deve fluir do encontro pessoal entre terapeuta e paciente, que envolve todo o ser de ambos, e deve resultar em um processo de transformação mútua.

Assim como os físicos estão descobrindo que muitos de nossos conceitos são consistentes com os do misticismo oriental, psicólogos e psicoterapeutas recentemente passaram a voltar os olhos para o Oriente em busca de novas percepções e técnicas. Mapas da consciência foram desenvolvidos no Oriente durante milhares de anos, e algumas das tradições orientais, especialmente no budismo, podem ser consideradas psicoterapias muito mais do que religiões ou filosofias.

CIÊNCIAS SOCIAIS

Enquanto médicos, psicólogos e psicoterapeutas terão de reconhecer o organismo humano como parte integrante de sistemas interagentes de dimensões maiores – físicos, sociais e culturais –, as ciências sociais, em conformidade com essas transformações, também terão de lidar com esses sistemas maiores. Para fazer isso, elas terão de transcender as atuais fronteiras disciplinares e expandir seus conceitos básicos a partir de suas conotações estreitas e reducionistas em direção a um amplo contexto social e ecológico. Essa será a única esperança para modelar e gerenciar nossas atuais instituições econômicas e sociais, que se desenvolveram a ponto de se tornarem uma grande ameaça ao nosso bem-estar.

Em muitos desses campos, os cientistas serão capazes de modelar seus novos conceitos de acordo com os da física moderna. Para outros, a física pode não ser apropriada como modelo, mas ainda será útil. Os cientistas não precisarão ser relutantes em adotar um arcabouço holístico, como eles são atualmente, por medo de não ser científicos. A física moderna terá mostrado a eles que tal arcabouço não apenas é científico, mas também consistente com as mais avançadas teorias científicas da realidade física.

Notas

Este ensaio baseia-se em três artigos: "The New Physics as a Model for a New Medicine" [A Nova Física como Modelo para uma Nova Medicina], *Journal of*

Social and Biological Structures, 1 (1), janeiro de 1978, pp. 71-7, "The New Physics: Implications for Psychology", palestra apresentada no encontro anual da *American Psychological Association* em Nova York, novembro de 1979, e publicado em *The American Theosophist, 68* (5), maio de 1980, pp. 114-20, e "The New Physics: A Basis for Social Change?", *The American Theosophist, 68* (10), novembro de 1980, pp. 313-21.

1. Ver, por exemplo, Capek (1961).
2. Ver Capra (1975).
3. Handler (1970), p. 55.
4. Thomas (1977).
5. Skinner (1953).
6. Ver Capra (1975).
7. Ver Porkert (1976).

ENSAIO 9

A Unificação da Física

2014

AS DUAS TEORIAS BÁSICAS da física do século XX – a teoria quântica e a teoria da relatividade – transcenderam os principais aspectos da visão de mundo cartesiana e da física newtoniana. A teoria quântica mostrou que as partículas subatômicas não são grãos de matéria isolados; em vez disso, são padrões de probabilidades, interconexões em uma teia cósmica inseparável, que inclui o observador humano e sua consciência. A teoria da relatividade revelou o caráter intrinsecamente dinâmico dessa teia cósmica ao mostrar que sua atividade é a própria essência de seu ser.

Pesquisas atuais em física visam unificar a teoria quântica e a teoria da relatividade em uma teoria completa da matéria subatômica. Essa teoria precisaria estabelecer uma descrição completa das quatro forças fundamentais que operam no nível subatômico: o eletromagnetismo (que liga os elétrons de um átomo ao seu núcleo e controla todos os processos químicos); a gravidade; a força nuclear forte (que mantém coesos os núcleos atômicos juntando fortemente prótons e nêutrons); e a força nuclear fraca (que é responsável pelo decaimento radioativo conhecido como decaimento beta). Os físicos ainda não conseguiram formular tal teoria completa, mas agora temos várias teorias parciais que descrevem muito bem algumas das quatro forças fundamentais e os fenômenos associados a elas.

A primeira teoria quântica-relativística bem-sucedida foi desenvolvida na década de 1940 e é conhecida como eletrodinâmica quântica ou QED. Envolveu a integração dos princípios da mecânica quântica com a teoria relativística de Einstein do eletromagnetismo (a teoria da relatividade especial). Isso levou ao novo conceito de campo quântico, uma entidade fundamental que pode existir sob uma forma contínua, como um campo, e sob uma forma descontínua, como partículas, diferentes tipos de partículas sendo associadas a diferentes campos. Por exemplo, o fóton é a versão particulada do campo eletromagnético. Por causa do papel central desempenhado pelos campos quânticos, a QED é conhecida como uma teoria de campo quântico. Foi desenvolvida independentemente por Sin-Itiro Tomonaga no Japão e por Richard Feynman e Julian Schwinger nos Estados Unidos.

Depois que a QED foi completada, os físicos concentraram seus esforços em estender o formalismo da teoria quântica de campos às forças nucleares forte e fraca, o que demoraria outro quarto de século para ser completado. A QED deve seu sucesso ao fato de as interações eletromagnéticas serem relativamente fracas e assim, tornarem possível, em grande medida, manter a distinção clássica entre as partículas e as forças que atuam entre elas. Logo se observou que isso também era verdadeiro para as interações fracas, mas a formulação de uma teoria de campo correspondente era tudo menos fácil.

O avanço crucial ocorreu na década de 1960 com a descoberta de que certa simetria matemática, conhecida como simetria de calibre, é compartilhada pelas interações eletromagnéticas e fracas. Simetrias matemáticas são usadas amplamente na física moderna como princípios fundamentais que fornecem estrutura e coerência com as leis da natureza. Para um matemático, a simetria de um objeto é uma transformação que deixa o objeto exatamente como ele mesmo. Por exemplo, podemos girar um quadrado em torno de seu centro por meio de um ou mais ângulos retos, e sempre acabaremos com um quadrado idêntico. No caso de simetrias de calibre, a transformação atua nos campos quânticos sem afetar o valor de qualquer quantidade física mensurável.

A descoberta de uma simetria de calibre comum, associada às interações eletromagnética e fraca, levou ao desenvolvimento de um novo tipo de teorias quânticas de campo, chamadas de teorias de gauge, que possibilitaram unificar as duas interações. Na teoria do campo unificado resultante – conhecida como teoria Weinberg-Salam, em homenagem aos seus dois arquitetos principais,

Steven Weinberg e Abdus Salam – as duas interações permanecem distintas, mas tornam-se matematicamente entrelaçadas e são referidas coletivamente como interações eletrofracas.

A extensão da abordagem da teoria de gauge às interações fortes permaneceu altamente problemática por muitos anos, uma vez que as forças entre os chamados hádrons (prótons, nêutrons e outras partículas de interação forte) são tão intensas que a distinção entre partículas e forças torna-se "borrada". No entanto, durante a década de 1960, uma solução inesperada para o problema surgiu com a descoberta de que os hádrons, afinal, não eram elementares. Os físicos Murray Gell-Mann e Georg Zweig descobriram de modo independente que os hádrons são feitos de unidades elementares menores, chamadas *quarks*. O próton e o nêutron, cada um deles, contém três *quarks*, enquanto outros hádrons, chamados mésons, são compostos de dois (um *quark* e um *antiquark*, para ser mais preciso). *Quarks*, no entanto, não são partículas no sentido convencional. Nenhum jamais foi observado em isolamento, e ainda as interações fortes entre os hádrons exibem impressionantes regularidades que podem ser explicadas pelo modelo *quark*. Ao longo dos anos, os físicos passaram a aceitar esse fato estranho e a pensar nos *quarks* como sendo permanentemente confinados aos hádrons, unidos pelos chamados glúons, os portadores da força nuclear forte.

A descoberta da estrutura dos *quarks* foi um passo essencial para estender a abordagem da teoria de calibre aos hádrons, pois agora as interações fortes poderiam ser descritas no âmbito das interações entre *quarks* e glúons, que são muito mais simples do que aquelas entre os hádrons. O resultado foi um teoria de campo chamada cromodinâmica quântica (QCD), em que os campos são associados a *quarks* e glúons, e "cromo" se refere a três tipos de glúons, rotulados arbitrariamente como "vermelho", "verde" e "azul".

O desenvolvimento da QCD na década de 1970 completou a representação de três das quatro forças fundamentais dentro do único arcabouço teórico da teoria de calibre. Como a teoria quântica de campos de Weinberg-Salam, a QCD é moldada em conformidade com a eletrodinâmica quântica. Em todas as três teorias, as forças são transmitidas pelos chamados campos de calibre: o campo eletromagnético (transportado pelo fóton) em QED, dois campos de calibre (transportados por partículas rotuladas W e Z) na teoria de Weinberg-Salam, e três campos de calibre (transportados por glúons "coloridos") em QCD. Tanto a teoria de Weinberg-Salam de interações eletrofracas como a QCD, a teoria das interações fortes, foram confirmadas por rigorosos testes experimentais ao longo de mais de três décadas. Juntas, essas teorias são conhecidas hoje como o modelo-padrão da física das partículas. A mais espetacular confirmação veio com a descoberta das partículas de calibre W e Z, exatamente como fora previsto pelo modelo-padrão, no início da década de 1980 por uma equipe de experimentadores no CERN, o centro europeu de física das partículas, sob a liderança de Carlo Rubbia.

Nas formulações iniciais do modelo-padrão, as duas partículas de calibre W e Z precisavam ser desprovidas de massa, pois uma simetria de calibre exata requer que os campos de calibre correspondam a partículas sem massa. Isso é correto para o fóton, o campo de calibre original, mas não para as W e Z, que são partículas muito massivas. Na verdade, na formulação original do modelo-padrão, nenhuma das partículas tinha massa. Essa foi uma falha óbvia, e os físicos imediatamente começaram a procurar por modificações do modelo que conteria as partículas massivas observadas na natureza.

O desafio consistia em modificar o modelo-padrão de modo que a simetria de calibre fosse mantida nas equações básicas do modelo, mas seria quebrada em suas soluções (os vários campos e suas partículas associadas) de modo que as partículas pudessem adquirir suas massas observadas. Em 1964, três equipes de físicos propuseram independentemente tal mecanismo de "quebra espontânea de simetria", que ficou conhecida como mecanismo de Higgs, em homenagem a um dos autores, o físico britânico Peter Higgs, que apresentou a formulação mais completa da matemática subjacente.

O mecanismo de Higgs exigia um campo adicional, conhecido como campo de Higgs, que permeia o espaço e interage com todas as partículas, de tal maneira que suas simetrias de calibre são quebradas espontaneamente, e eles adquirem suas massas. Isso explicava não apenas como as partículas adquirem massa; também previa a razão de massa entre as massas das W e Z, bem como seus acoplamentos com todas as partículas no modelo-padrão. Essas previsões foram posteriormente confirmadas por medições precisas em grandes aceleradores de partículas, o que aumentou drasticamente a confiança dos físicos no mecanismo de Higgs.

No entanto, a partícula correspondente ao campo de Higgs, o chamado bóson de Higgs, evitou a detecção por meio século, até que entrou em operação o Grande Colisor de Hádrons, um gigantesco acelerador de partículas no centro de pesquisas europeu, o CERN, que tem uma circunferência de 27 km e possibilita a análise de trilhões de colisões de partículas com energias extremamente altas. Em março de 2012, depois de cinco décadas de pesquisas, os cientistas relataram que a caça ao indescritível bóson de Higgs poderia finalmente ser recompensada, e em julho de 2012, eles anunciaram que uma partícula semelhante à de Higgs ("*Higgslike*") fora descoberta.

Se essa partícula realmente tiver todas as propriedades necessárias do bóson de Higgs, isso representaria uma conclusão triunfante do modelo-padrão. (Desde essa ocasião, o Grande Colisor de Hádrons continuou a produzir descobertas que confirmam a compreensão anterior do campo e da partícula de Higgs. Esses resultados aumentaram a confiança dos físicos em que o bóson de Higgs fora de fato descoberto.)

A representação de todas as três forças como expressões de um único princípio unificador – o princípio de calibre – deve ser classificada como uma das maiores realizações em física das partículas. No entanto, uma grande teoria unificada, na qual todas as partículas subatômicas e as forças entre elas são reconhecidas como diferentes manifestações de apenas um tipo de partícula e um campo de calibre, ainda permanece um sonho esquivo. Muitos físicos acreditam que esse sonho não será realizado até que a gravidade, a quarta força fundamental, for integrada com as outras três forças em uma grande unificação.

Integrar a força da gravidade com as outras três forças fundamentais é uma tarefa que requer a unificação da teoria quântica com a teoria geral da relatividade de Einstein. Apesar de mais de meio século de esforços extenuantes, essa unificação – conhecida como gravidade quântica – não foi alcançada. A tentativa mais popular e a abordagem mais impressionante, que ainda está em evolução, é a teoria das cordas, na qual todas as partículas subatômicas são representadas como diferentes estados de vibração de "cordas" matemáticas em um espaço abstrato de nove dimensões.

Retratando todas as partículas, incluindo as partículas de calibre, como diferentes vibrações do mesmo objeto fundamental, a teoria das cordas apresenta uma imagem unificada de partículas e forças, e naturalmente incluindo grávitons como cordas vibrantes fechadas, ela unifica a teoria quântica e a relatividade geral. A elegância matemática da teoria, como foi desenvolvida até agora, é totalmente atraente. Na verdade, uma das melhores introduções não técnicas à teoria das cordas, um livro pelo físico Brian Greene, é intitulado *The Elegant Universe*.[1]

Porém, apesar de sua elegância conceitual, a teoria das cordas apresenta sérias deficiências. Para começar, há várias versões com diferentes números de dimensões espaciais, e o processo de redução dessas dimensões às quatro dimensões de nosso espaço-tempo real não é inequívoco. Ainda mais serio é o problema de que a teoria não foi verificada experimentalmente. Há muitas diferentes teorias das cordas, mas nenhuma delas foi capaz de explicar exclusivamente os valores dos parâmetros básicos do modelo-padrão.

O grande potencial da teoria das cordas, bem como seus graves problemas, são analisados em detalhes fascinantes pelo físico Lee Smolin em seu livro provocador intitulado *The Trouble With Physics*.[2] Smolin argumenta que a principal fraqueza da teoria das cordas, como a de uma teoria da gravidade quântica, reside no fato de que ela é formulada em termos de cordas vibrantes que se movem contra um fundo fixo de geometrias do espaço que não evoluem no tempo. Isso é inconsistente com a relatividade geral, a qual mostra que a geometria do espaço e do tempo não é fixa, mas muda conforme a matéria se move. Portanto, qualquer teoria consistente com a relatividade geral deve ser formulada de tal maneira que a estrutura do espaço-tempo emerge dela, em vez de ser considerada como a arena na qual os fenômenos físicos acontecem. De acordo com Smolin, o fato de essa teoria das cordas não ser formulada de uma maneira "independente do fundo" (*background independent*) é sua deficiência mais séria.

Além disso, Smolin argumenta que um dos principais obstáculos no caminho que levaria à unificação da teoria quântica com a relatividade geral pode ser o fato de que ambas são formuladas no âmbito de um *continuum* espaçotemporal, mas problemas ainda não resolvidos na interpretação da teoria quântica (associados aos processos de observação e de medição) apontam para a possibilidade de que pode haver um nível de realidade mais profundo que exiba algum tipo de estrutura quântica fundamental, de onde o *continuum* espaçotemporal emergiria como resultado de uma teoria unificada da gravidade quântica. Na visão de Smolin, a unificação completa da física não será possível até que os problemas fundamentais da teoria quântica sejam resolvidos.

Gostaria de encerrar este ensaio com uma nota pessoal. Nos dois últimos capítulos do meu livro *O Tao da Física*, discuti uma teoria conhecida como teoria *bootstrap*, que foi muito popular na década de 1970 e na qual trabalhei durante os dez anos que passei no Lawrence Berkeley Laboratory. Essa teoria, proposta por Geoffrey Chew, baseia-se na ideia de que a natureza não pode ser reduzida a entidades fundamentais, como constituintes fundamentais da matéria, mas deve ser compreendida inteiramente por meio da autoconsistência. Toda a física precisa decorrer exclusivamente da exigência de que seus componentes sejam consistentes uns com os outros e com eles mesmos.

Essa ideia constitui um afastamento radical do espírito tradicional de pesquisa básica em física, que sempre se concentrou em encontrar os constituintes fundamentais da matéria. Ao mesmo tempo, pode ser considerado como o ponto culminante da concepção de partículas como interconexões em uma teia cósmica inseparável, que surgiu na teoria quântica e adquiriu uma natureza intrinsecamente dinâmica na teoria da relatividade.

A filosofia *bootstrap* não apenas abandona a ideia de constituintes fundamentais da matéria como também não aceita quaisquer entidades fundamentais – nenhuma lei ou equação, e nem mesmo uma estrutura fundamental do espaço-tempo. O universo é reconhecido como uma rede dinâmica de eventos inter-relacionados. Nenhuma das propriedades de qualquer parte dessa rede é fundamental; todas elas seguem das propriedades das outras partes e a consistência geral de suas inter-relações determina a estrutura de toda a rede.

Durante as décadas de 1980 e 1990, a teoria *bootstrap* foi eclipsada pelo sucesso do modelo-padrão, que é muito diferente, pois postula a existência de campos fundamentais e suas partículas correspondentes. E hoje, a física *bootstrap* praticamente desapareceu de cena. No entanto, se uma teoria da gravidade quântica continuar a ser indescritível, e se a suposição *a priori* da estrutura do espaço-tempo for amplamente reconhecida como a falha essencial da teoria das cordas, a ideia do *bootstrap* pode muito bem ser revivida algum dia, em alguma formulação matemática.

Notas

Este ensaio foi publicado originalmente em www.fritjofcapra.net/blog, postado em 14 de maio de 2014.

1. Green (1999).
2. Smolin (2006).

CAPÍTULO 4

A Nova Visão de Realidade

Uma Síntese Inicial

EM MEU SEGUNDO LIVRO, *O Ponto de Mutação*, conectei as mudanças conceituais na ciência às mudanças mais amplas de visão de mundo e valores na sociedade. A princípio, pensei que a física poderia ser um modelo para a mudança de paradigma em outros campos, mas enquanto trabalhava no meu manuscrito, percebi que precisava ir além da física e procurar um arcabouço conceitual mais amplo. Como mencionei no Capítulo 3, essa constatação veio a mim em uma série de conversas com Gregory Bateson. O primeiro ensaio deste capítulo é uma homenagem a Bateson, que considero um dos pensadores mais influentes do século XX. O ensaio é baseado em uma palestra que dei na exibição de estreia de um documentário da filha de Bateson, Nora, "An Ecology of Mind: A Daughter's Portrait of Gregory Bateson" [Uma Ecologia da Mente: O Retrato de Gregory por uma de suas Filhas] (Em meu livro *Sabedoria Incomum*, publicado em 1988, apresentei um relato detalhado de minhas discussões com Bateson durante os anos 1978-1980).[1]

Bateson me fez perceber que nossos principais problemas sociais – saúde, educação, justiça social, proteção do meio ambiente, poder político e assim por diante – todos têm a ver com sistemas vivos, com seres humanos individuais, com sistemas sociais e com ecossistemas. A física não pode dizer muito sobre esses sistemas vivos, e Bateson me mostrou que o pensamento sistêmico, e a cibernética em particular, eram abordagens mais apropriadas.

Com essa constatação, meus interesses de pesquisa mudaram da física para as ciências da vida, e passei as três décadas seguintes desenvolvendo um arcabouço conceitual que me permitiria integrar as dimensões biológicas, cognitivas, sociais e ecológicas da vida, usando *insights* da teoria de sistemas vivos, teoria da complexidade e ecologia. *O Ponto de Mutação*, publicado em 1982, foi minha primeira tentativa de síntese desse arcabouço conceitual.[2] Já nessa formulação inicial, chamei minha síntese de "a visão sistêmica da vida".

Este livro representa não apenas a primeira tentativa de formulação de minha síntese, mas também minha primeira tentativa de aplicar o pensamento sistêmico para abordar nossa crise global multifacetada, que identifiquei como sendo em grande parte uma "crise de percepção". No último capítulo de *O Ponto de Mutação*, intitulado "A Passagem para a Idade Solar", previ que o movimento ecológico, o movimento feminista, o movimento pela paz e outros movimentos populares logo formariam alianças e se fundiriam em novos partidos políticos. Na verdade, enquanto eu escrevia essas palavras, o primeiro Partido Verde já estava se formando na Alemanha. Em março de 1983, os *Verdes*, como se autodenominavam, ingressaram no parlamento nacional alemão. Um mês depois, fui à Alemanha para entrevistar seus líderes, seguindo uma sugestão de minha colega Charlene Spretnak e, em 1984, Spretnak e eu publicamos *Green Politics* [Políticas Verdes], que introduziu o movimento Verde nos Estados Unidos e foi fundamental na formação do Partido Verde Norte-Americano.[3]

O Ensaio 11 representa o primeiro resumo conciso de minha síntese no momento da publicação de *O Ponto de Mutação*. Como em ensaios anteriores, começo com uma revisão da visão de mundo mecanicista, bem como do sistema de valores desequilibrado e de seu impacto na medicina e na economia. Contraponho essa visão de mundo com o novo paradigma que surgiu na física durante o início do século XX, mas então afirmo explicitamente que temos de ir além da física para estender a visão de mundo holística e ecológica aos organismos vivos e sistemas sociais.

Resumi as principais características da visão sistêmica da vida, conforme as vi em 1982. Naquela época, ainda não havia estudado a história do pensamento sistêmico, mas sabia que ainda não havia uma teoria coerente; por isso, decidi usar a expressão *visão sistêmica da vida*. Identifiquei o princípio da auto-organização como a característica-chave da vida, usando a expressão no sentido em que foi usado por Ilya Prigogine. Vários anos depois, eu refinaria essa expressão esboçando uma síntese das teorias de Prigogine e Humberto Maturana (ver Ensaio 12).

Meu resumo no Ensaio 11 inclui o novo conceito de mente como um fenômeno sistêmico, proposto por Gregory Bateson. No entanto, eu ainda não estava familiarizado com a teoria da cognição de Maturana e Varela, que se tornaria central para as formulações subsequentes de minha síntese.

Concluo o ensaio com algumas reflexões sobre as implicações sociais e políticas da emergente visão sistêmica da vida e a mudança de valores correspondente. No final do ensaio, prevejo o surgimento do Movimento Verde, que já havia começado a se formar na Alemanha, mas que eu ainda desconhecia na época. Lendo agora essa conclusão, noto que ela estava cheia de otimismo. A ameaça existencial da crise climática ainda não estava evidente naquele momento.

No Ensaio 12, com base em uma palestra que proferi em uma reunião de físicos e filósofos na Universidade do Estado do Colorado em 1986, discuto o papel da física no surgimento da visão sistêmica da vida. Proponho generalizar o conceito de paradigma científico de Thomas Kuhn de modo a incorporar nele o de um paradigma social e, em seguida, discuto a mudança de paradigma dentro do contexto da emergente visão sistêmica da vida. Argumento que no novo paradigma, a física não pode mais ser o modelo e a fonte de metáforas para as outras ciências. Embora a mudança de paradigma na física ainda seja de interesse especial, uma vez que foi a primeira a ocorrer na ciência moderna, a física agora perdeu seu papel de uma ciência que fornece a descrição mais fundamental da realidade. Em outras palavras, este ensaio fornece a justificativa racional mais científica e filosófica para minha própria mudança de foco, da física para as ciências da vida.

O corpo principal do ensaio contém um resumo da minha síntese da visão sistêmica da vida, como comecei a desenvolvê-la a partir de 1986. Ele é desenvolvido consideravelmente mais do que no Ensaio 11 porque, nesse meio-tempo, minha compreensão aumentou muito após extensas discussões com Humberto Maturana e, especialmente, com Francisco Varela.

No ensaio, identifico cinco critérios do pensamento sistêmico para especificar o que quero dizer com "a abordagem sistêmica" e os ilustro com exemplos da física moderna (conforme apropriado para minha palestra a um grupo de físicos, para os quais o ensaio se dirige). Em seguida, discuto o conceito de auto-organização, como fiz no Ensaio 11, mas dessa vez definindo três perspectivas interdependentes sobre sistemas auto-organizadores: seu padrão de organização, sua estrutura e sua atividade de organização.

Identifico o padrão de organização desses sistemas com o conceito de autopoiese, conforme descrito por Maturana e Varela; sua estrutura como uma estrutura dissipativa, como a define Prigogine; e sua atividade de organização como atividade mental, como a define Bateson; ou, de maneira equivalente, como cognição, como Maturana e Varela o definem.

No ensaio, identifico esse arcabouço conceitual como uma *teoria de sistemas auto-organizadores* emergentes (uma expressão que eu não usaria novamente em meus escritos posteriores). Também argumento que essa teoria fornece o arcabouço científico ideal para uma ética orientada para a ecologia, que é urgentemente necessária na ciência hoje. Essa "ética da Terra" seria formulada com grande detalhamento vários anos depois na *Earth Charter* (Carta da Terra), como discuto no Ensaio 29.

O Ensaio 12 representa o primeiro esboço de minha síntese das teorias de Prigogine, Bateson, Maturana e Varela, que eu refinaria durante os dez anos subsequentes. Esse processo demorou muito porque, durante o restante da década de 1980, minhas extensas atividades como educador ambiental e ativista me deixaram muito pouco tempo para pesquisas teóricas.

Notas

1. Capra (1988), pp. 71-89.
2. Capra (1982).
3. Capra e Spretnak (1984).

ENSAIO 10

Homenagem a Gregory Bateson

2010

TIVE A GRANDE SORTE de ter mantido discussões frequentes com Gregory Bateson durante os últimos dois anos de sua vida, que ele passou no Instituto Esalen. Ele foi, em minha opinião, um dos pensadores mais influentes do século XX. A singularidade de seu pensamento vinha de seu amplo conhecimento e de sua generalidade. Em uma época caracterizada pela fragmentação e superespecialização, Bateson desafiou os pressupostos e métodos básicos de várias ciências, procurando padrões que conectam diferentes fenômenos e por processos subjacentes às estruturas.

Figura 8. Gregory Bateson com o autor na casa de Bateson, Big Sur, Califórnia, 1980. Foto: Jacqueline Capra.

Ele apresentou contribuições significativas para várias ciências – antropologia, cibernética, psiquiatria e, o mais importante de tudo, para o novo campo interdisciplinar das ciências cognitivas, no qual foi pioneiro. Mas talvez ainda mais importante seja o fato de que ele defendeu uma nova maneira de pensar, que é extremamente importante para o nosso tempo – pensar com base em relações, conexões, padrões e contexto. À medida que substituímos a metáfora newtoniana do mundo como máquina pela metáfora da rede, e à medida que a complexidade se torna um dos focos principais da ciência, o tipo de pensamento sistêmico que Bateson defendia se torna de importância crucial.

Para usar uma frase popular, Bateson nos ensinou como ligar os pontos, e isso, hoje, é crucial não apenas na ciência, mas também na política e na vida cívica, o que nossos líderes têm uma extraordinária incompetência em fazer. Se servíssemos alimentos cultivados organicamente em nossas escolas, para usar outro exemplo, não teríamos a atual epidemia de obesidade entre nossos filhos, não envenenaríamos nossos trabalhadores agrícolas. O teor de carbono do solo orgânico capturaria quantidades significativas de dióxido de carbono e, assim, contribuiria para reverter as mudanças climáticas. Se aumentássemos a eficiência energética de nossos automóveis em apenas 0,42 quilômetro por litro, o que poderia ser facilmente obtido, não teríamos mais de importar nenhum petróleo do Golfo Pérsico. Porém, os político preferem lutar uma guerra que mata dezenas de milhares de pessoas inocentes, enquanto os gases de estufa aumentam a força e a frequência dos furacões, das secas e das inundações, o que resulta em milhões de desabrigados e causam bilhões de dólares de prejuízos.* Em suma, para resolver os principais problemas de nosso tempo, precisamos exatamente do tipo de pensamento do qual Bateson foi pioneiro.

Gregory Bateson não era apenas um cientista notável, mas também um filósofo altamente original. Ele era muito carismático e, como um mestre zen, gostava de sacudir a mente das pessoas fazendo perguntas surpreendentes e aparentemente misteriosas. "Qual é o padrão", perguntava Bateson, "que

---

* Nunca foram tão verdadeiras essas observações de Capra nos dias atuais, quando o ditador russo comete, impunemente, genocídios contra inocentes e terríveis crimes de guerra. (N. do R.)

conecta o caranguejo à lagosta e a orquídea à prímula, e todas os quatro a mim? E eu a você?".

O estilo de apresentação de Bateson era uma parte essencial e intrínseca de seu ensino. Sua mensagem central era a de que as relações são a essência do mundo vivo e que nós precisamos de uma linguagem de relações para entendê-las e descrevê-las. Uma das melhores maneiras de fazê-la, em sua opinião, é contando histórias. "As histórias são o caminho real para o estudo das relações", dizia ele. O que é importante em uma história, o que é verdadeiro nela, não é o enredo, as coisas ou as pessoas na história, mas as relações entre elas.

Como o método favorito de Bateson era apresentar padrões de relações na forma de histórias, os ensaios e livros que ele escreveu não nos dão todo o sabor de seu ensinamento. Para a essência da mensagem de Bateson, você realmente precisaria vivenciar a própria entrega dessa mensagem. Felizmente, isso ainda é possível, porque temos muitas horas de filmagens de Gregory Bateson falando, ensinando, contando histórias. É por isso que, na minha opinião, o filme de Nora é tão importante. Não é apenas uma lembrança inestimável de um dos maiores pensadores do nosso tempo, mas também um veículo essencial para transmitir sua mensagem, que hoje é mais importante do que nunca.

Nota

Este artigo tem por base comentários feitos para acompanhar a estreia da exibição do documentário de Nora Bateson, *An Ecology of Mind: A Daughter's Portrait of Gregory Bateson* [Uma Ecologia da Mente: O Retrato de Gregory Bateson por uma de suas Filhas], San Francisco, 10 de outubro de 2010.

ENSAIO 11

O Ponto de Mutação

Uma Nova Visão de Realidade

1982

ENCONTRAMO-NOS HOJE EM UM estado de crise mundial profunda e extremamente dolorosa. Podemos ler sobre os vários aspectos dessa crise praticamente todos os dias nos jornais e nas reportagens televisivas. Temos crise de energia, crise de saúde, inflação alta e desemprego, crise dos direitos humanos, poluição e outros desastres ambientais, uma ameaça cada vez maior de uma guerra nuclear, pelo menos no âmbito restrito da ameaça da guerra russa pela Ucrânia, e uma onda crescente de violência e crime.

Todas essas ameaças são, na verdade, diferentes facetas de uma mesma crise – essencialmente uma crise de percepção. Estamos tentando aplicar os conceitos de uma visão de mundo obsoleta – a visão de mundo mecanicista da ciência cartesiana-newtoniana – a uma realidade que não pode mais ser compreendida nesses termos.

Vivemos em um mundo globalmente interconectado no qual os fenômenos biológicos, psicológicos, sociais e ambientais são todos interdependentes. Para descrever este mundo de modo adequado, precisamos de uma perspectiva ecológica que a visão de mundo cartesiana não é capaz de oferecer.

O que precisamos, então, é de uma mudança fundamental em nossos pensamentos, percepções e valores. Os primórdios dessa mudança já são visíveis em todos os campos, e a mudança de uma concepção mecanicista para uma concepção holística da realidade provavelmente dominará toda a década.

A gravidade e a extensão global de nossa crise indicam que as mudanças atuais provavelmente resultarão em uma transformação de dimensões sem precedentes, um ponto de mutação para o planeta como um todo.

A Visão Mecanicista do Mundo

Descartes, Galileu, Bacon, Newton e outros desenvolveram a visão mecanicista do mundo no século XVII. Descartes baseou sua visão da natureza em uma divisão fundamental em dois reinos separados e independentes: o da mente e o da matéria.

O universo material era uma máquina e nada mais que uma máquina. A natureza trabalhava de acordo com leis mecânicas. Tudo no mundo material poderia ser explicado em função do arranjo e do movimento de suas partes. Descartes estendeu essa visão mecanicista da matéria aos organismos vivos. Plantas e animais eram considerados simplesmente máquinas; os seres humanos eram habitados por uma alma racional, mas o corpo humano era indistinguível de uma máquina-animal.

A essência da abordagem de Descartes ao conhecimento era seu método analítico de raciocínio, dividindo pensamentos e problemas em pedaços e organizando-os em ordem lógica. Essa abordagem tornou-se uma característica essencial do pensamento científico moderno e tem se mostrado extremamente útil no desenvolvimento de teorias científicas e na realização de projetos tecnológicos complexos.

Por outro lado, a ênfase excessiva no método cartesiano levou à fragmentação característica de nosso pensamento geral e de nossas disciplinas acadêmicas e à atitude generalizada de reducionismo na ciência – a crença de que *todos* os aspectos de fenômenos complexos podem ser entendidos reduzindo-os a suas partes constituintes.

A estrutura conceitual criada por Descartes foi completada triunfalmente por Newton, que desenvolveu uma formulação matemática consistente da visão mecanicista da natureza. Da segunda metade do século XVII até o final do século XIX, o modelo mecanicista newtoniano do universo dominou todo o pensamento científico. As ciências naturais, humanas e sociais aceitaram a visão mecanicista da física clássica como a descrição correta da realidade e modelaram suas próprias teorias de acordo. Sempre que sociólogos ou economistas, por exemplo, queriam ser científicos, eles naturalmente se voltavam para os conceitos básicos da física newtoniana, e muitos deles se apegam a esses conceitos mesmo agora que os físicos foram muito além deles.

Impacto Cartesiano na Medicina

Na biologia, a visão cartesiana dos organismos vivos como máquinas, construídas a partir de partes separadas, ainda fornece o arcabouço conceitual dominante. Embora a simples biologia mecanicista de Descartes tenha sido modificada consideravelmente durante os trezentos anos subsequentes, a crença de que todos os aspectos dos organismos vivos podem ser compreendidos reduzindo-os a seus menores constituintes e estudando os mecanismos pelos quais eles interagem está na base da maior parte do pensamento biológico contemporâneo.

A influência da biologia reducionista no pensamento médico resultou no chamado modelo biomédico, que constitui a base conceitual da medicina científica moderna. O corpo humano é considerado uma máquina que pode ser analisado em termos de suas partes; a doença é vista como um mau funcionamento dos mecanismos biológicos que são estudados do ponto de vista da biologia celular e molecular; o papel do médico é intervir, física ou quimicamente, para corrigir o mau funcionamento de um mecanismo específico, com diferentes partes do corpo sendo tratadas por diferentes especialistas.

Associar uma determinada doença a uma determinada parte do corpo é, naturalmente, muito útil em muitos casos. Mas a medicina científica moderna sempre tendeu a superenfatizar a abordagem reducionista e desenvolveu suas disciplinas especializadas a um ponto em que os médicos muitas vezes não são mais capazes de ver a doença como uma perturbação de todo o organismo, nem tratá-la como tal. Eles tendem a tratar um determinado órgão ou tecido, geralmente sem levar em conta o resto do corpo, muito menos considerando os aspectos psicológicos e sociais da doença do paciente.

Economia Fragmentada

A maioria das ciências sociais também é fragmentária e reducionista. A economia atual, por exemplo, não reconhece que a economia é apenas um aspecto de todo um tecido ecológico e social. Os economistas tendem a dissociar a economia desse tecido e a descrevem com base em modelos teóricos altamente não realistas. A maioria de seus conceitos básicos – eficiência, produtividade, produto interno bruto – foram definidos de maneira restrita e são usados seus contextos sociais e ecológicos mais amplos. Em particular, os custos sociais e ambientais gerados por todas as atividades econômicas são geralmente negligenciados.

Consequentemente, os conceitos e modelos econômicos atuais não são mais adequados para mapear os fenômenos econômicos em um mundo fundamentalmente interdependente, e os economistas em geral não conseguem entender os principais problemas econômicos do nosso tempo. Por exemplo, em grande medida, os economistas têm sido incapazes de entender a inflação. Hazel Henderson, uma das mais eloquentes críticas da economia convencional, define inflação como "a soma de todas as variáveis que os economistas deixaram de fora de seus modelos".

Por causa de seu arcabouço estreito e reducionista, a economia convencional é inerentemente antiecológica. Enquanto os ecossistemas circundantes são todos orgânicos autoequilibrados e autoajustantes, nossas economias e tecnologias atuais não reconhecem nenhum princípio autolimitante. O crescimento indiferenciado – econômico, tecnológico e institucional – ainda é considerado pela maioria dos economistas como sinal de uma economia "saudável", embora agora esteja causando desastres ecológicos, crimes corporativos generalizados, desintegração social e a probabilidade cada vez maior de uma guerra nuclear.

A situação é agravada ainda mais por economistas que, em uma tentativa equivocada de rigor científico, evitam reconhecer explicitamente o sistema de valores em que se baseiam seus modelos. Ao fazê-lo, eles aceitam tacitamente o conjunto altamente desequilibrado de valores que domina nossa cultura e está incorporado em nossas instituições sociais.

Sistemas de Valor Desequilibrados

A terminologia chinesa de yin e yang é útil para descrever esse desequilíbrio cultural. Juntamente com o desenvolvimento da visão de mundo mecanicista, nossa cultura tem consistentemente favorecido os valores e atitudes yang e negligenciado suas contrapartes yin complementares. Temos favorecido a autoafirmação sobre a integração, a análise sobre a síntese, o conhecimento racional sobre a sabedoria intuitiva, a ciência sobre a religião, a competição sobre a cooperação, a expansão sobre a conservação.

Hoje, a consequência mais grave desse desequilíbrio é a crescente ameaça de guerra nuclear, provocada por uma ênfase exagerada na autoafirmação, no controle e no poder, na competição excessiva e em uma obsessão patológica por "ganhar" em uma situação em que todo o conceito de vencer perdeu o sentido porque não pode haver vencedores em uma guerra nuclear. As armas nucleares, portanto, fornecem o exemplo mais trágico de pessoas que se apegam a um velho paradigma que há muito perdeu sua utilidade.

Desde os primórdios da cultura chinesa, o *yin* também tem sido associado ao feminino e o *yang* ao masculino e, em nosso tempo, as feministas repetidamente apontaram que os valores e atitudes favorecidos por nossa sociedade – e, em particular, aqueles que levaram à atual loucura nuclear – são traços típicos de uma cultura patriarcal. A visão de mundo cartesiana e o sistema de valores orientado para o *yang* foram apoiados pelo patriarcado, mas assim como o paradigma cartesiano, o patriarcado está agora em declínio, e a perspectiva feminista será um aspecto essencial da nova visão da realidade.

A Nova Visão de Mundo

A nova visão da realidade surgiu na física no início do século XX e agora está emergindo em vários outros campos. Consiste não apenas em novos conceitos, mas também em um novo sistema de valores, e se reflete em novas formas de organização social e novas instituições. Ela está sendo formulada em grande parte fora de nossas instituições acadêmicas, que permanecem ligadas demais à estrutura cartesiana para apreciar as novas ideias.

O mundo material, segundo a física contemporânea, não é um sistema mecânico, composto de objetos separados, mas em vez disso aparece como uma complexa teia de relações. As partículas subatômicas não podem ser entendidas como entidades isoladas e separadas, mas devem ser reconhecidas como interconexões, ou correlações, em uma rede de eventos. A noção de objetos separados é uma idealização que muitas vezes é muito útil, mas não tem validade fundamental. Todos esses objetos são padrões em um processo cósmico inseparável, e esses padrões são intrinsecamente dinâmicos.

Os físicos, seguindo a abordagem reducionista, tentaram desmontar a matéria para descobrir seus elementos constituintes. As substâncias podem ser isoladas na forma molecular, as moléculas quebradas em átomos e os átomos quebrados em partículas subatômicas. Porém, nesse ponto a abordagem reducionista desmorona. Isso porque, quando chegamos às partículas subatômicas, descobrimos que na verdade elas não são feitas de nenhuma substância material. Elas têm uma certa massa, mas essa massa é uma forma de energia. A energia está sempre associada aos processos, à atividade; é uma medida de atividade. As partículas subatômicas, então, são feixes de energia ou padrões de atividade. Os padrões de energia do mundo subatômico formam as estruturas atômicas e moleculares estáveis que constroem a matéria e lhe dão sua aparência macroscópica sólida, fazendo-nos acreditar que ela é feita de alguma substância material. No nível macroscópico cotidiano, a noção de substância é muio útil, mas no nível atômico, não faz mais sentido. Quando observamos as partículas que compõem os átomos, nunca vemos nenhuma substância; o que observamos continuamente são padrões dinâmicos mudando continuamente – uma dança perpétua de energia.

A Visão Sistêmica da Vida

A visão de mundo da física moderna é holística e ecológica. Ela enfatiza a inter-relação fundamental e a interdependência de todos os fenômenos e a natureza intrinsecamente dinâmica da realidade física. Para estender essa visão à descrição de organismos vivos, precisamos ir além da física, e agora há um arcabouço que parece ser uma extensão natural dos conceitos da física moderna.

O arcabouço é conhecido como teoria dos sistemas, às vezes também chamado de teoria geral dos sistemas. Na verdade, a expressão é um pouco enganadora, uma vez que a teoria sistêmica não é uma teoria bem definida, como é a teoria da relatividade ou a teoria quântica. Pelo contrário, é uma abordagem particular, uma linguagem, uma perspectiva.

A visão sistêmica olha para o mundo baseando-se em relações e integração. Os sistemas são totalidades integradas com propriedades únicas próprias que não podem ser reduzidas ou compreendidas simplesmente combinando as propriedades de unidades menores. Em vez de se concentrar em componentes básicos ou em substâncias básicas, a abordagem sistêmica enfatiza princípios básicos de organização.

Exemplos de sistemas são abundantes na natureza. Todo organismo – desde a menor bactéria, passando pela ampla variedade de plantas e animais até os seres humanos – é um todo integrado e, portanto, um sistema vivo. As células são sistemas vivos, assim como os vários tecidos e órgãos do corpo, sendo o cérebro humano o exemplo mais complexo.

Mas os sistemas não estão confinados a organismos individuais e suas partes. Os mesmos aspectos de totalidade são exibidos por sistemas sociais – como uma família ou uma comunidade – e por ecossistemas, que consistem em uma variedade de organismos e matéria inanimada em interação mútua.

Todos esses sistemas naturais são totalidades cujas estruturas específicas surgem das interações e interdependência de suas partes. As propriedades sistêmicas são destruídas quando um sistema é dissecado – física ou teoricamente – em elementos isolados. Embora possamos discernir partes individuais em qualquer sistema, a natureza do todo é sempre diferente da mera soma de suas partes.

Outro aspecto importante dos sistemas é sua natureza intrinsecamente dinâmica. Suas formas não são estruturas rígidas, mas são manifestações flexíveis, porém estáveis, de processos subjacentes. Pensamento sistêmico é pensamento processual: a forma se associa ao processo, a inter-relação com a interação e os opostos são unificados por meio da oscilação.

Um aspecto importante dos sistemas vivos é sua tendência para formar estruturas multiniveladas de sistemas dentro de sistemas. Por exemplo, o corpo humano contém sistemas de órgãos compostos de vários órgãos, cada órgão sendo composto de tecidos e cada tecido composto de células. Todos esses são organismos vivos, ou sistemas vivos, que consistem em partes menores e, ao mesmo tempo, atuam como partes de um todo maior. Os sistemas vivos, então, exibem uma ordem estratificada, e há interconexões e interdependências entre todos os níveis de sistemas, cada nível interagindo e se comunicando com seu ambiente total.

A visão sistêmica é uma visão ecológica. Como a visão da física moderna, ela enfatiza a inter-relação e a interdependência de todos os fenômenos e a natureza dinâmica dos sistemas vivos. Toda estrutura é vista como uma manifestação de processos subjacentes, e os sistemas vivos são descritos em termos de padrões de organização.

Quais são, então, os padrões de organização característicos da vida? Eles incluem toda uma variedade de processos e fenômenos que podem ser vistos como diferentes aspectos do mesmo princípio dinâmico, o princípio da auto-organização. Um organismo vivo é um sistema auto-organizado, o que significa que sua ordem não é imposta pelo ambiente, mas é estabelecida pelo próprio sistema.

Os sistemas auto-organizados exibem um certo grau de autonomia. Por exemplo, eles tendem a estabelecer seu tamanho de acordo com os princípios internos de organização, independentemente da influência ambiental. Isso não significa que os sistemas vivos estejam isolados de seu ambiente; pelo contrário, interagem com ele continuamente, mas essa interação não determina sua organização.

Uma teoria de sistemas auto-organizadores foi elaborada ao longo da última década com considerável riqueza de detalhes por pesquisadores de várias disciplinas, sob a liderança de Ilya Prigogine, físico-químico belga e ganhador do Prêmio Nobel.[1] Os aspectos da auto-organização descritos por essa teoria incluem não apenas os vários processos de automanutenção – tal como a autorrenovação, a regeneração e a adaptação às mudanças ambientais – mas também a tendência para a autotranscendência, que se manifesta nos processos de aprendizagem, desenvolvimento e evolução.

Um Novo Conceito de Mente

Para aplicar a visão sistêmica da vida aos organismos superiores – e em particular aos seres humanos – é necessário lidar com o fenômeno da mente. O antropólogo Gregory Bateson propôs definir a mente como um fenômeno sistêmico característico de organismos vivos, sociedades e ecossistemas.[2] Ele listou um conjunto de critérios que os sistemas precisam satisfazer para que a mente ocorra. Qualquer sistema que satisfaça esses critérios será capaz de processar informações e desenvolver vários fenômenos que associamos à mente – pensamento, aprendizado, memória e assim por diante.

Na visão de Bateson, a mente é uma consequência necessária e inevitável de uma certa complexidade que começa muito antes de os organismos desenvolverem um cérebro e um sistema nervoso superior. De fato, a mente é uma propriedade essencial dos sistemas vivos. Como disse Bateson: "A mente é a essência de estar vivo".[3] Do ponto de vista sistêmico, a vida não é uma substância ou força, e a mente não é uma entidade interagindo com a matéria. Tanto a vida como a mente são manifestações do mesmo conjunto de propriedades sistêmicas, um conjunto de processos que representam a dinâmica da auto-organização.

O novo conceito de mente será de enorme valor para nossas tentativas de superar a dicotomia cartesiana. Mente e matéria não parecem mais pertencer a duas categorias separadas, mas podem ser vistas apenas como aspectos diferentes do mesmo fenômeno. Por exemplo, a relação entre mente e cérebro, que confundiu inúmeros cientistas desde Descartes, agora se torna muito clara. A mente é a dinâmica da auto-organização, e o cérebro é a estrutura biológica por meio da qual essa dinâmica é realizada.

Uma vez que o mundo vivo é organizado em estruturas de vários níveis, a mente também deve ser organizada em tais níveis. No organismo humano, por exemplo, há vários níveis de mentação (*mentation*), ou atividade mental, envolvendo células, tecidos e órgãos. No nível mais alto está a mentação neural do cérebro, que consiste em vários níveis correspondentes a diferentes estágios na nossa evolução. A totalidade dessas mentações constitui o que eu chamaria de mente humana, ou psiquê. Esse conjunto integrado de atividades mentais inclui autoconsciência, experiência consciente, pensamento conceitual, linguagem simbólica – características que existem de maneira rudimentar em vários animais, mas se desenvolvem plenamente nos seres humanos.

Na ordem estratificada da natureza, as mentes humanas individuais estão inseridas nas maiores mentes que se caracterizam em conformidade com os sistemas sociais e ecológicos, e essas são integradas ao sistema mental planetário, que, por sua vez, devem participar de algum tipo de mente universal ou cósmica. Essa visão da mente tem implicações radicais para nossas interações com o ambiente natural, implicações que são totalmente consistentes com as tradições espirituais.

Implicações Sociais

A visão sistêmica da vida tem muitas consequências importantes não apenas para a ciência, mas também para a sociedade e a vida cotidiana. Ela influenciará nossa maneira de lidar com a saúde e a doença, nossa relação com o ambiente natural e muitas de nossas estruturas sociais e políticas. Todas essas mudanças já estão ocorrendo.

A mudança de paradigma não é algo que acontecerá em algum momento no futuro; está acontecendo agora. Os anos 1960 e 1970 geraram toda uma série de movimentos sociais que pareciam se dirigir, todos eles, na mesma direção; todos eles enfatizaram diferentes aspectos da nova visão da realidade.

Há uma crescente preocupação com a ecologia, expressa por movimentos de cidadãos que estão se formando em torno de questões sociais e ambientais, apontando os limites do crescimento, defendendo uma nova ética ecológica e desenvolvendo tecnologias "*soft*" apropriadas. Elas são as fontes de contraeconomias emergentes baseadas em estilos de vida descentralizados, cooperativos e ecologicamente harmoniosos. Na arena política, o movimento antinuclear está lutando contra a consequência mais extrema de nossa tecnologia autoafirmativa e, ao fazê-lo, está rapidamente se tornando a força política mais poderosa desta década.

Ao mesmo tempo, começa uma mudança significativa quanto aos valores: da admiração de empresas e instituições de grande porte para a noção de que "pequeno é bonito", do consumo material para a simplicidade voluntária, do crescimento econômico e tecnológico para o crescimento e o desenvolvimento interior.[4] Esses novos valores estão sendo promovidos pelo movimento do potencial humano, o movimento da saúde holística e por movimentos que reenfatizam a busca de sentido e a dimensão espiritual da vida. Por último, mas talvez o mais importante, o antigo sistema de valores está sendo desafiado e profundamente alterado pela ascensão da consciência feminista, originada no movimento das mulheres, que pode se tornar um catalisador para a coalescência de muitos outros movimentos.

Até agora, a maioria desses movimentos ainda opera separadamente e ainda não foi reconhecido como um modo de interrelacionar seus propósitos. No entanto, coalizões entre alguns movimentos começaram a se formar recentemente. Durante esta década, os vários movimentos são obrigados a reconhecer a comunalidade de seus objetivos e a fluir juntos para formar uma força poderosa para a transformação social. Essa projeção pode parecer idealista em vista da recente virada política para a direita nos Estados Unidos e as cruzadas de fundamentalistas cristãos promovendo noções medievais de realidade. No entanto, quando olhamos a situação de uma perspectiva evolutiva ampla, esses fenômenos tornam-se compreensíveis como aspectos inevitáveis de mudança e transformação.

Historiadores culturais muitas vezes ressaltaram que a evolução cultural é caracterizada por um padrão regular de ascensão, culminação, declínio e desintegração.[5] O declínio ocorre quando uma cultura se torna muito rígida em suas tecnologias, ideias ou organização social para enfrentar o desafio de mudanças de condições. Durante esse processo de declínio e desintegração, enquanto a cultura convencional se petrifica pelo apego a ideias fixas e a padrões rígidos de comportamento, minorias criativas aparecem em cena e transformam alguns dos antigos elementos em novas configurações, que se tornam parte de uma nova cultura em ascensão.

Esse padrão é agora extraordinamente evidente na Europa e na América do Norte. Os partidos políticos tradicionais, as grandes corporações multinacionais e a maioria de nossas instituições acadêmicas fazem parte de uma cultura em declínio. Estão em processo de desintegração. Os movimentos sociais das décadas de 1960 e 1970 representam uma cultura em ascensão.

Enquanto a transformação está em curso, a cultura em declínio se recusará a mudar, agarrando-se cada vez mais rigidamente às suas ideias ultrapassadas; nem as instituições sociais simplesmente cederão seus papéis de liderança às novas forças culturais. Mas inevitavelmente elas continuarão a declinar e a se desintegrar enquanto a cultura em ascensão continuará a ascender e, por fim, acabará por assumir o seu papel de liderança.

À medida que o ponto de mutação se aproximar, a compreensão de que mudanças evolutivas dessa magnitude não podem ser impedidas por atividades políticas de curto prazo nos oferece nossa maior esperança para o futuro.

Notas

Este ensaio foi publicado originalmente em *The Futurist*, dezembro de 1982, pp. 19-24.

1. Prigogine (1980); ver também Jantsch (1980).
2. Bateson (1979).
3. Gregory Bateson, comunicação pessoal, 1979.
4. Schumacher (1975).
5. Ver, por exemplo, Sorokin (1937-1941).

ENSAIO 12

O Papel da Física na Atual Mudança de Paradigmas

1986

Crise e Transformação na Ciência e na Sociedade

A dramática mudança de conceitos e ideias que aconteceu na física durante as três primeiras décadas do século XX tem sido amplamente discutida por físicos e filósofos por mais de cinquenta anos. Ela levou Thomas Kuhn à noção de um paradigma científico, uma constelação de realizações – conceitos, valores, técnicas e assim por diante – compartilhada por uma comunidade científica e usada por essa comunidade para definir problemas e soluções legítimas.[1] Para Kuhn, mudanças de paradigmas ocorrem em rupturas descontínuas e revolucionárias chamadas mudanças de paradigma.

Hoje, 25 anos depois que Kuhn apresentou sua análise, reconhecemos as mudanças de paradigma na física como parte integrante de uma transformação cultural muito maior.[2] A crise intelectual dos físicos quânticos na década de 1920 é espelhada hoje por uma crise cultural semelhante, mas muito mais ampla. Os principais problemas do nosso tempo – a crescente ameaça de uma guerra nuclear, a devastação do nosso ambiente natural, nossa incapacidade para lidar com a pobreza e a inanição em todo o mundo, para citar apenas os mais urgentes – são, todas elas, diferentes facetas de uma única crise, que é essencialmente uma crise de percepção. Assim como a crise da física quântica, ela deriva do fato de que a maioria de nós, e especialmente nossas grandes instituições sociais, subscrevem os conceitos de uma visão de mundo ultrapassada, inadequada para lidar com os problemas de nosso mundo superpovoado e globalmente interconectado. Ao mesmo tempo, pesquisadores de várias disciplinas científicas, vários movimentos sociais e inúmeras organizações e redes alternativas estão desenvolvendo uma nova visão da realidade que formará a base de nossas futuras tecnologias, sistemas econômicos e instituições sociais.

O que estamos vendo hoje é uma mudança de paradigmas não apenas dentro da ciência, mas também na arena social mais ampla. Para analisar essa transformação cultural, generalizei o relato de Kuhn de um paradigma científico ao de um paradigma social, que defino como "uma constelação de conceitos, valores, percepções e práticas compartilhadas por uma comunidade, que formam uma visão particular da realidade, a qual, por sua sua vez, forma a base de como a comunidade se organiza".[3]

O paradigma social agora em declínio dominou nossa cultura por centenas de anos, durante os quais moldou nossa sociedade ocidental moderna e influenciou significativamente o restante do mundo. Esse paradigma consiste em uma série de ideias e valores, entre eles a visão do universo como um sistema mecânico composto de "blocos de construção elementares", a visão do corpo humano como uma máquina, a visão da vida em sociedade como uma luta competitiva pela existência, a crença no progresso material ilimitado a ser alcançado por meio do crescimento econômico e tecnológico e – por último, mas não menos importante – a crença de que uma sociedade, na qual a mulher é em toda parte subordinada ao homem, é aquela que decorre de alguma lei básica da natureza. Durante as últimas décadas, todas essas suposições foram consideradas severamente limitadas e precisam de uma revisão radical.

De fato, essa revisão está ocorrendo agora. O novo paradigma emergente pode ser chamado de visão de mundo holística, ou ecológica, usando o termo *ecológico* aqui em um sentido muito mais abrangente e profundo do que é comumente usado. A percepção ecológica, nesse sentido profundo, reconhece a interdependência fundamental de todos os fenômenos e a inserção de indivíduos e sociedades nos processos cíclicos da natureza.

Em última análise, a consciência ecológica profunda é a consciência espiritual ou religiosa. Quando o conceito de espírito humano é entendido como o modo de consciência em que o indivíduo se sente conectado ao cosmos como um todo, que é o significado original da palavra *religion* (do latim *religare* que significa "ligar fortemente"), fica claro que a consciência ecológica é espiritual em sua essência mais profunda. Portanto, não é surpreendente o fato de que a nova visão emergente da realidade, baseada na consciência ecológica profunda, seja consistente com a "filosofia perene" das tradições espirituais, por exemplo, das tradições espirituais orientais, a espiritualidade dos místicos cristãos, ou com a filosofia e a cosmologia subjacentes às tradições nativas norte-americanas.[4]

A Abordagem Sistêmica

Na ciência, a linguagem da teoria dos sistemas, e especialmente a teoria dos sistemas vivos, parece fornecer a formulação mais apropriada do novo paradigma ecológico.[5] Uma vez que os sistemas vivos cobrem uma gama tão ampla de fenômenos – organismos individuais, sistemas sociais e ecossistemas – a teoria fornece uma estrutura e uma linguagem comuns para a biologia, a psicologia, a medicina, a economia, a ecologia e muitas outras ciências, uma estrutura na qual a perspectiva ecológica tão urgentemente necessária se manifesta de maneira explícita.

O arcabouço conceitual da física contemporânea, e especialmente os aspectos que serão o foco desta palestra, podem ser vistos como um caso especial da abordagem sistêmica, lidando com sistemas não vivos e explorando a interface entre sistemas vivos e não vivos. É importante reconhecer, acredito, que no novo paradigma, a física não é mais o modelo e a fonte de metáforas para as outras ciências. Embora a mudança de paradigma na física ainda seja de especial interesse, uma vez que foi a primeira a ocorrer na ciência moderna, a física agora perdeu seu papel como a ciência que fornece a descrição mais fundamental da realidade.

Gostaria agora de especificar o que quero dizer com abordagem sistêmica. Para fazer isso, identificarei cinco critérios de pensamento sistêmico que, afirmo, valem para todas as ciências – as ciências naturais, as ciências humanas e as ciências sociais. Formularei cada critério com base na mudança do antigo para o novo paradigma, e ilustrarei os cinco critérios com exemplos da física contemporânea. No entanto, como os critérios valem para todas as ciências, eu poderia ilustrá-los igualmente bem com exemplos da biologia, da psicologia ou da economia.

1. *A mudança das partes para o todo.* No velho paradigma, acredita-se que em qualquer sistema complexo, a dinâmica do todo pode ser compreendida a partir das propriedades das partes. As próprias partes não podem ser analisadas mais que isso, exceto se as reduzirmas a partes ainda menores. De fato, a física tem progredido dessa maneira, e a cada passo tem se manifestado um nível de constituintes fundamentais que não poderiam ser analisados ainda mais.

   No novo paradigma, a relação entre as partes e o todo é invertida. As propriedades das partes só podem ser compreendidas a partir da dinâmica do todo. Na verdade, em última análise, não há partes. O que chamamos de parte é apenas um padrão em uma teia de relações inseparáveis. A mudança das partes para o todo foi o aspecto central da revolução conceitual na física quântica na década de 1920. Heisenberg ficou tão impressionado com esse aspecto que intitulou sua autobiografia *Der Teil und das Ganze* [A Parte e o Todo].[6] Mais recentemente, a visão da realidade física como uma teia de relações foi enfatizada por Henry Stapp, que mostrou como essa visão está incorporada na teoria da matriz S.[7]

2. *A mudança da estrutura para o processo.* No velho paradigma, há estruturas fundamentais, e depois há forças e mecanismos por meio dos quais elas interagem, dando origem a processos. No novo paradigma, cada estrutura é vista como a manifestação de um processo subjacente. Toda a teia de relações é intrinsecamente dinâmica. A mudança da estrutura para o processo é evidente, por exemplo, quando lembramos que a massa na física contemporânea não é mais vista como medida de uma substância fundamental, mas como uma forma de energia, ou seja, como medida de atividade ou processos. A mudança da estrutura para o processo também é evidente na obra de Ilya Prigogine, que deu ao seu livro clássico o título de *From Being to Becoming* [Do Ser para o Vir a Ser].[8]

3. *A mudança da ciência objetiva para a ciência "epistêmica".* No velho paradigma, acredita-se que as descrições científicas sejam objetivas, ou seja, independentes do observador humano e do processo de conhecimento. No novo paradigma, acredita-se que a epistemologia – a compreensão do processo de conhecimento – deve ser incluída explicitamente na descrição dos fenômenos naturais. Esse reconhecimento entrou na física com Heisenberg e está intimamente relacionado à visão da realidade física como uma teia de relações. Sempre que isolamos um padrão nessa rede e o definimos como parte ou objeto, fazemos isso cortando algumas de suas conexões com o restante da rede, e isso pode ser feito de diferentes maneiras. Como Heisenberg (1958, p. 58) colocou: "O que observamos não é a própria natureza, mas a natureza exposta ao nosso método de questionamento".[9] Esse método de questionamento – em outras palavras, a epistemologia – inevitavelmente se torna parte da teoria. Atualmente, não há consenso sobre qual é a epistemologia adequada, mas há um consenso emergente de que a epistemologia terá de ser parte integrante de toda teoria científica.

4. *A mudança de "construção" para "rede" como metáfora do conhecimento.* A metáfora do conhecimento como um edifício tem sido usada na ciência e na filosofia ocidentais há milhares de anos. Há leis *fundamentais*, princípios *fundamentais*, blocos básicos de construção e assim por diante. O edifício da ciência deve ser construído sobre alicerces firmes. Durante os períodos de mudanças de paradigma, sempre sentimos que os fundamentos do conhecimento estavam mudando, ou mesmo desmoronando, e esse sentimento induzia uma grande ansiedade. Einstein (1949), por exemplo, escreveu em sua autobiografia sobre os primórdios da mecânica quântica: "Todas as minhas tentativas de adaptar a estrutura teórica da física a esse (novo tipo de) conhecimento falharam completamente. Era como se o chão tivesse sido arrancado de sob nossos pés, sem que se pudesse encontrar nenhuma fundação firme em qualquer lugar, sobre o qual fosse possível construir alguma coisa".[10]

No novo paradigma, a metáfora do conhecimento como uma construção está sendo substituída pela da rede. Como percebemos a realidade como uma rede de relações, nossas descrições também formam uma rede interconectada de conceitos e modelos na qual não há fundações. Para a maioria dos cientistas, essa metáfora do conhecimento como uma rede sem fundações firmes é extremamente desconfortável. É explicitamente expressa na física na teoria *bootstrap* de partículas de Geoffrey Chew.[11]

De acordo com Chew, a natureza não pode ser reduzida a nenhuma entidade fundamental, mas deve ser compreendida inteiramente por meio da autoconsistência. Não há equações fundamentais ou simetrias fundamentais na teoria *bootstrap*. A realidade física é vista como uma teia de eventos inter-relacionados. As coisas existem em virtude de suas relações mutuamente consistentes, e toda a física deve seguir exclusivamente a exigência de que seus componentes sejam consistentes entre si e consigo mesmos. Essa abordagem é tão estranha às nossas formas tradicionais de pensar que hoje é adotada apenas por uma pequena minoria de físicos.

Quando a noção de conhecimento científico como uma rede de conceitos e modelos, em que nenhuma parte é mais fundamental do que as outras, é aplicada à ciência como um todo, isso implica que a física não pode mais ser vista como o nível mais fundamental da ciência. Como não há fundações na rede, os fenômenos descritos pela física não são mais fundamentais do que aqueles descritos, por exemplo, pela biologia ou pela psicologia. Eles pertencem a diferentes níveis sistêmicos, mas nenhum desses níveis é mais fundamental do que os outros.

5. *A mudança da verdade para descrições aproximadas.* Os quatro critérios do pensamento sistêmico apresentados até agora são todos interdependentes. A natureza é vista como uma rede interconectada e dinâmica de relações em que a identificação de padrões específicos como "objetos" depende do observador humano e do processo de conhecimento. Essa teia de relações é descrita em termos de uma rede correspondente de conceitos e modelos, nenhum deles é mais fundamental do que os outros.

Essa nova abordagem levanta imediatamente uma questão importante: "Se tudo está conectado a tudo o mais, como podemos esperar compreender alguma coisa?". Como todos os fenômenos naturais estão, em última análise, interconectados, para explicar qualquer um deles precisamos compreender todos os outros, o que obviamente é impossível.

O que torna possível transformar a abordagem sistêmica em uma teoria científica é o fato de que há o conhecimento aproximado. Essa percepção é de importância crucial para toda a ciência moderna. O velho paradigma baseia-se na crença cartesiana segundo a qual há certeza no conhecimento científico. No novo paradigma, reconhece-se que todos os conceitos e teorias científicas são limitados e aproximados. A ciência nunca pode fornecer uma compreensão completa e definitiva. Os cientistas não lidam com a verdade no sentido de uma correspondência precisa entre a descrição e os fenômenos descritos. Eles lidam com descrições limitadas e aproximadas da realidade. Heisenberg apontou diversas vezes para esse fato importante. Por exemplo, ele escreveu, em *Física e Filosofia*: "A lição frequentemente discutida que foi aprendida com a física moderna [é] a de que cada palavra ou conceito, por mais claro que possa parecer, tem apenas um alcance limitado de aplicabilidade".[12]

Sistemas auto-organizadores

As implicações mais amplas da abordagem sistêmica são encontradas hoje na teoria dos sistemas vivos, que teve origem na cibernética na década de 1940 e emergiu em suas linhas gerais nos últimos vinte anos.[13] Como mencionei antes, os sistemas vivos incluem organismos individuais, sistemas sociais, e ecossistemas, e, portanto, a nova teoria pode fornecer um arcabouço e uma linguagem comuns para uma ampla gama de disciplinas – biologia, psicologia, medicina, economia, ecologia e muitas outras.

O conceito central da nova teoria é o de auto-organização. Um sistema vivo é definido como um sistema auto-organizador, o que significa que sua ordem não é imposta pelo ambiente, mas é estabelecida pelo próprio sistema. Em outras palavras, os sistemas auto-organizadores exibem um certo grau de autonomia. Isso não significa que os sistemas vivos estejam isolados de seu ambiente; pelo contrário, eles interagem com ele continuamente, mas essa interação não determina sua organização.

Neste ensaio, posso apresentar apenas um breve esboço da teoria dos sistemas auto-organizadores. Para fazer isso, deixe-me distinguir três aspectos de auto-organização:

1. *Padrão de organização*: a totalidade das relações que definem o sistema como uma totalidade integrada.
2. *Estrutura*: a realização física do padrão de organização no espaço e tempo.
3. *Atividade de organização*: a atividade envolvida na realização do padrão de organização.

Para sistemas auto-organizadores, o padrão de organização é caracterizado por uma dependência mútua das partes do sistema, que é necessária e suficiente para entender as partes. Isso é muito semelhante ao padrão de relações entre partículas subatômicas na teoria *bootstrap* de Chew. No entanto, o padrão de organização tem a propriedade adicional de proporcionar a todo o sistema uma identidade individual.

O padrão de auto-organização foi amplamente estudado e descrito com precisão por Humberto Maturana e Francisco Varela, que o chamaram de *autopoiese*, que significa, literalmente, "autoprodução".[14] Às vezes, também é chamado de fechamento operacional (*operational closure*).

Um aspecto importante da teoria está no fato de que a descrição do padrão de auto-organização não usa nenhum parâmetro físico, como energia ou entropia, nem recorre aos conceitos de espaço e de tempo. É uma descrição matemática abstrata de um padrão de relações. Esse padrão pode ser realizado no espaço e no tempo em diferentes estruturas físicas, que são descritas com base em conceitos da física e da química. No entanto, essa descrição, por si só, não conseguirá capturar o fenômeno biológico da auto-organização. Em outras palavras, a física e a química não são suficientes para compreender a vida; também precisamos compreender o padrão de auto-organização, que é independente de parâmetros físicos e químicos.

A estrutura dos sistemas auto-organizadores foi extensamente estudada por Ilya Prigogine,[15] que a batizou como estrutura dissipativa. As duas principais características de uma estrutura dissipativa são (1) a de que é um sistema aberto, mantendo seu padrão de organização por meio da troca contínua de energia e matéria com seu ambiente; e (2) que ela opera longe do equilíbrio termodinâmico e, portanto, não pode ser descrita por meio da termodinâmica clássica. Uma das maiores contribuições de Prigogine foi a de criar uma nova termodinâmica para descrever os sistemas vivos.

A atividade organizadora dos sistemas vivos e auto-organizadores, finalmente, é a cognição, ou atividade mental. Isso implica um conceito radicalmente novo de mente, que foi proposto pela primeira vez por Gregory Bateson.[16] O processo mental é definido como a atividade organizadora de vida. Isso significa que todas as interações de um sistema vivo com seu ambiente são interações cognitivas ou mentais. Com esse novo conceito de mente, vida e cognição tornam-se inseparavelmente conectadas. A mente, ou mais precisamente, o processo mental, é considerado como inerente à matéria em todos os níveis da vida.

Levei algum tempo para delinear a teoria emergente dos sistemas auto-organizadores porque ela é hoje a formulação científica mais ampla do paradigma ecológico com as mais amplas implicações. A visão de mundo da física contemporânea, a meu ver, precisará ser compreendida no âmbito dessa estrutura mais ampla. Em particular, qualquer especulação sobre a consciência humana e sua relação com os fenômenos descritos pela física terá de levar em consideração a noção de processo mental como a atividade auto-organizadora da vida.

Ciência e Ética

Outra razão pela qual considero a teoria dos sistemas auto-organizadores tão importante está no fato de que ela parece fornecer o arcabouço científico ideal para uma ética ecologicamente orientada.[17] Tal sistema de ética é urgentemente necessário, uma vez que a maior parte do que os cientistas estão fazendo hoje não é promover e preservar a vida, mas destruí-la. Com físicos projetando armas nucleares que ameaçam acabar com toda a vida no planeta, com elementos químicos contaminando nosso meio ambiente, com biólogos liberando novos e desconhecidos tipos de microrganismos no ambiente sem saber realmente quais são as consequências, com psicólogos e outros cientistas torturando animais em nome do progresso da ciência, com todas essas atividades ocorrendo, parece que é da máxima urgência introduzir padrões éticos na ciência moderna.

Geralmente nossa cultura não reconhece que nossos valores não são periféricos à ciência e à tecnologia, mas constituem sua própria base e força motriz. Durante a Revolução Científica no século XVII, os valores foram separados dos fatos e, desde então, tendemos a acreditar que os fatos científicos são independentes do que fazemos e, portanto, independentes de nossos valores. Na realidade, os fatos científicos emergem de toda uma constelação de percepções, valores e ações humanas – em outras palavras, de um paradigma – do qual não podem ser separados. Embora grande parte da pesquisa detalhada possa não depender explicitamente do sistema de valores do cientista, o paradigma mais amplo em cujo âmbito essa pesquisa é realizada nunca será isento de valores. Portanto, os cientistas são responsáveis por suas pesquisas não apenas intelectualmente, mas também moralmente.

Um dos *insights* mais importantes da nova teoria sistêmica da vida é o fato de que vida e cognição são inseparáveis. O processo de conhecimento é também o processo de auto-organização, ou seja, o processo da vida. Nosso modelo convencional de conhecimento é uma representação, ou uma imagem, de fatos existentes independentemente, que é o modelo derivado da física clássica. Do ponto de vista dos novos sistemas, o conhecimento faz parte do processo da vida, do diálogo entre objeto e sujeito.

Conhecimento e vida, então, são inseparáveis e, portanto, fatos são inseparáveis de valores. Assim, a divisão fundamental que impossibilitava a inclusão de considerações éticas em nossa visão de mundo científica já foi sanada. No momento, ninguém ainda estabeleceu um sistema de ética que expresse a mesma consciência ecológica em que se baseia a visão sistêmica da vida, mas acredito que isso agora seja possível. Também acredito que é uma das tarefas mais importantes dos cientistas e filósofos hoje.

Notas

Este ensaio é adaptado de uma palestra apresentada na conferência intitulada "The World View of Contemporary Physics: Does It Need a New Metaphysics?" [A Visão de Mundo da Física Contemporânea: Ela Precisa de uma Nova Metafísica?"], Colorado State University, 15 a 18 de setembro de 1986, e publicada por F. Kichener (org.), em *The World View of Modern Physics: Does It Need a New Metaphysics?*, SUNY Press, 1988, pp. 144-55.

1. Kuhn (1970).
2. Ver Capra (1982).
3. Capra (1986).
4. Ver Capra (1975).
5. Veja Capra (1982), Capítulo 9.
6. Heisenberg (1969).
7. Stapp (1971, 1972).
8. Prigogine (1980).
9. Heisenberg (1958), p. 58.
10. Albert Einstein em Schilpp (1949), p. 45.
11. Ver Capra (1985).
12. Heisenberg (1958), p. 125.
13. Ver Capra (1982).
14. Maturana e Varela (1980).
15. Prigogine (1980).
16. Bateson (1979).
17. Ver Capra (1984).

CAPÍTULO 5

Crise da Percepção

ESCREVER *O PONTO DE Mutação* foi, de certo modo, um esforço colaborativo. À medida que fui além da física em vários outros campos – medicina, psicologia, economia e assim por diante – percebi muito cedo que, por não ter experiência em nenhuma dessas disciplinas, não poderia adquirir esse novo conhecimento por conta própria. Eu nem saberia por onde começar. Então desenvolvi uma técnica – e ela me acompanha até hoje – de aprender com as pessoas por meio de diálogos. Adquiri o talento de procurar e reconhecer indivíduos que eram especialistas em suas áreas – pensadores sistêmicos – que compartilhavam minha visão geral de mundo e meus valores. Eu os encontrava em palestras, seminários ou conferências e posteriormente os envolvia em diálogos, muitas vezes sustentados por longos períodos. Por fim, encontrei quatro conselheiros (Stanislav Grof, Hazel Henderson, Margaret Lock e Carl Simonton) que me ajudariam formalmente com o livro, escrevendo artigos para mim sobre psicologia, economia e medicina, que então entrelacei em vários capítulos do livro *O Ponto de Mutação*[1].

Enquanto eu discutia a mudança de paradigma em diversos campos com vários especialistas, descobri que muitos deles estavam extremamente frustrados. Eles eram acadêmicos que haviam desistido ou estavam pensando em desistir do mundo acadêmico porque o achavam muito restritivo para a nova visão de mundo que buscavam. Então, em meados da década de 1980, decidi reunir algumas dessas pessoas, que se tornaram amigas, e fundar com elas um instituto alternativo. Eu o chamei de Elmwood Institute, em homenagem ao bairro em Berkeley onde eu morava na época, e nos referimos a ele como um "*thinking and doing tank*" (usina de pensar e de fazer) ecológico.

Financiei o empreendimento inicialmente com *royalties* dos meus dois primeiros livros e, durante os dez anos seguintes, construímos uma rede global de pensadores e ativistas. Organizamos inúmeros simpósios, palestras e diálogos públicos, aplicando a perspectiva sistêmica e ecológica a uma ampla gama de questões – da paz e não violência ao ativismo antinuclear, saúde e cura, política verde, educação ambiental, gestão sistêmica e ecológica, e muitos mais. Assim, de 1984 a 1994, fiz muito pouca pesquisa teórica (exceto minha pesquisa em física, por meio período, na equipe de Chew até 1988), mas trabalhei principalmente como educador ambiental e ativista. Os ensaios neste e no capítulo seguinte refletem meu trabalho durante esse período.

Ao explorar várias implicações sociais e políticas da visão sistêmica da vida, tornei-me profundamente consciente do fato de que os principais problemas de nosso tempo são problemas sistêmicos – todos interconectados e interdependentes – e que o pensamento sistêmico é, portanto, fundamental para resolvê-los com sucesso. Na verdade, percebi que todos esses problemas devem ser vistos apenas como diferentes facetas de uma única crise que, em última análise, é uma crise de percepção. Essa ideia se tornaria central para minhas aplicações do pensamento sistêmico a questões ambientais, sociais e políticas durante as três décadas seguintes.

A natureza sistêmica de nossos problemas globais é o tema principal dos dois ensaios deste capítulo. Minha análise no Ensaio 13 é baseada nos relatórios anuais *State of the World* [O Estado do Mundo] do Worldwatch Institute, que têm sido a principal fonte de dados para mim desde sua primeira publicação em meados da década de 1980.[2] (Ver também minha homenagem a Lester Brown, fundador do Worldwatch Institute, no Capítulo 9).

Começo o ensaio afirmando minha tese sobre a natureza sistêmica dos maiores problemas de nosso tempo e o fato de que, juntos, constituem uma crise de percepção. Em seguida, resumo as características do novo paradigma emergente em termos de pensamento sistêmico e os valores da ecologia profunda. Para ilustrar o poder do pensamento sistêmico, ofereço uma análise das semelhanças entre as visões mecanicista e sistêmica de saúde e paz, duas áreas importantes do meu trabalho ativista na década de 1980.

Voltando ao tema principal do ensaio, argumento que as verdadeiras questões de nosso tempo são excluídas do diálogo político porque a maioria de nossos líderes políticos não é capaz de ter o pensamento sistêmico e ecológico necessário para compreendê-las e resolvê-las. Termino o ensaio com uma nota altamente otimista com uma homenagem ao "novo pensamento" de Mikhail Gorbachev e minhas esperanças de uma expansão iminente do diálogo político.

O Ensaio 14 continua o tema do Ensaio 13, mas dessa vez dirigido especificamente à comunidade empresarial. Afirmo que na década de 1990, a preocupação com o meio ambiente não pode mais ser vista como uma das muitas "questões únicas", mas será o *contexto* de tudo o mais – nossas vidas, nossos negócios, nossas políticas. O ensaio inclui um mapa conceitual da interdependência dos problemas mundiais, que elaborei com base no relatório *State of the World* [O Estado do Mundo]: 1988.[3] Este mapa inclui minha primeira referência quanto às causas e consequências das mudanças climáticas.

Depois de discutir a natureza sistêmica de nossos problemas globais e a necessidade de soluções sistêmicas correspondentes, concentro-me na necessidade urgente de rejeitar a ideologia do crescimento econômico, que vejo como a força motriz da maioria desses problemas sistêmicos. Explico, no entanto, que isso não significa rejeitar todo o crescimento e defendo uma mudança do crescimento quantitativo para o qualitativo. Elaborei esse ponto vinte anos depois em um artigo substancial, em coautoria com Hazel Henderson, intitulado "Qualitative Growth" ["Crescimento Qualitativo"].[4]

Termino o ensaio com uma breve discussão sobre gestão sistêmica e ecologicamente consciente, que foi um tema importante em meu trabalho durante o final da década de 1980 e ao longo da década de 1990.

Notas

1. Capra (1982).
2. Brown *et al.* (1984–).
3. Brown *et al.*, (1988).
4. Capra e Henderson (2009).

ENSAIO 13

Por Que os Problemas Reais do Nosso Tempo são Excluídos do Diálogo Político?

1989

Por que as verdadeiras questões do nosso tempo são excluídas do diálogo político? Com esta frase: "As verdadeiras questões do nosso tempo", refiro-me aos principais problemas que ameaçam nosso bem-estar e nossa sobrevivência, e, mais ainda, o bem-estar e a sobrevivência das gerações futuras. Temos ampla documentação sobre a extensão e o significado desses problemas. Uma das melhores fontes é a série de relatórios anuais, *State of the World* [O Estado do Mundo], publicado pelo Worldwatch Institute.[1]

Há três grandes áreas problemáticas: a corrida armamentista e a ameaça da guerra nuclear, a devastação do ambiente natural e a persistência da pobreza, lado a lado com o progresso, mesmo nos países mais ricos, mas sobretudo nos do Terceiro Mundo. Cada uma dessas áreas problemáticas abrange muitas questões – o crescimento da população mundial, o desmatamento, o aquecimento pelo efeito estufa, a destruição da camada de ozônio, a poluição e a contaminação do ar, do solo e da água, e assim por diante. De todos esses problemas, eu diria, apenas a corrida armamentista e a ameaça da guerra nuclear se tornaram a parte do diálogo político que representa uma ameaça significativamente séria.

Por que não os outros problemas? Por que os nossos dois últimos candidatos presidenciais nunca falaram em preservar a floresta tropical, conter o crescimento populacional, proteger a camada de ozônio, combater o efeito estufa, ou salvar a vida de milhões de crianças no Terceiro Mundo? Acredito que há duas razões pelas quais essas questões foram excluídas do diálogo político e permanecerão excluídas até que nós mesmos venhamos a introduzi-las por meio de nossos movimentos políticos de base popular. Uma das razões diz respeito aos conceitos, a outra a valores. Ambas estão intimamente conectadas. Este é o assunto que eu gostaria de explorar.

Quanto mais estudamos os principais problemas do nosso tempo, mais conseguimos compreender que nenhum deles pode ser entendido de maneira isolada. Estão todos interligados e são todos interdependentes. A estabilização da população mundial só será possível quando a pobreza for reduzida em todo o mundo. A extinção em massa de espécies animais e vegetais continuará enquanto o Terceiro Mundo estiver sobrecarregado por dívidas maciças. Os recursos necessários para deter a destruição da nossa biosfera não estarão disponíveis a não ser que a corrida armamentista internacional possa ser interrompida.

As conexões entre alguns desses problemas são óbvias, mas há conexões entre outros que não são tão fáceis de se ver. Recentemente, consultei o relatório *State of the World 1988* [O Estado do Mundo 1988] e anotei todos os principais problemas mencionados nele em uma folha grande. Então os conectei ao longo das linhas sugeridas no relatório e obtive um mapa conceitual multiplamente interconectado (veja p. 174.) Foi um exercício muito esclarecedor, que eu insisto muito em recomendar.

Crise de Percepção

O que você pode aprender com esse estudo é o reconhecimento de que os principais problemas do nosso tempo são sistêmicos, como dizemos na ciência – problemas que são inter-relacionados e interdependentes. Na verdade, quanto mais você estuda a situação, mais percebe que esses problemas são apenas diferentes facetas de uma única crise, em essência uma crise de percepção. Ela deriva do fato de que a maioria de nós, e especialmente nossas grandes instituições sociais, subscrevem os conceitos de uma visão de mundo ultrapassada, uma percepção da realidade inadequada para lidar com nosso mundo superpovoado e globalmente interconectado.

Ao mesmo tempo, pesquisadores na linha de frente da ciência, vários movimentos sociais e numerosas redes alternativas estão desenvolvendo uma nova visão da realidade que formará a base de nossas futuras tecnologias, instituições sociais e futuros sistemas econômicos. Posso dizer isso com muita confiança, pois nossas futuras tecnologias e instituições sociais serão baseadas nessa nova visão ou não haverá futuro para a humanidade.

Estamos no início de uma mudança fundamental de visão de mundo na ciência e na sociedade, uma mudança de paradigmas que equivale a uma intensa e profunda transformação cultural. Mas essa percepção ainda não despontou em nossos líderes políticos. O reconhecimento de que uma profunda e intensa mudança de percepção e de pensamento são necessárias se quisermos sobreviver ainda não atingiu nossos líderes corporativos, nem os representantes de nossas grandes universidades. Na verdade, a resistência deles à mudança quase se parece com uma conspiração.

As tecnologias e práticas comerciais da comunidade corporativa, que geralmente são insalubres, quando não são totalmente destrutivas, recebem firme apoio do *establishment* científico – os conselheiros científicos de nossos governos, as fundações que fornecem financiamentos, e assim por diante. No entanto, a razão para esse apoio massivo a atividades perigosas e prejudiciais não é uma conspiração. Ela vem do fato de que os julgamentos e as atividades das comunidades corporativas e acadêmicas, bem como as de nossos líderes políticos, baseiam-se na mesma visão de mundo obsoleta. Nossas principais instituições sociais estão ligadas às mesmas percepções já ultrapassadas cujas limitações estão agora produzindo as múltiplas facetas da nossa crise global.

Essas visões e percepções formam o chamado velho paradigma, que tem dominado nossa cultura ao longo de várias centenas de anos, tempo durante o qual modelou nossa moderna sociedade ocidental, e influenciou de maneira significativa o resto do mundo. Esse paradigma consiste em várias ideias, entre elas a visão do universo como um sistema mecânico composto de "blocos de construção elementares" (a influência da filosofia cartesiana e da ciência newtoniana); de maneira correspondente, a visão do corpo humano como uma máquina, que é ainda a base conceitual da teoria e da prática de nossa ciência médica; a visão da vida como uma luta competitiva pela existência (herdada dos darwinistas sociais); e a crença no progresso material ilimitado a ser obtido por meio do crescimento econômico e tecnológico. Durante décadas recentes, todas essas suposições foram consideradas seriamente limitadas e exigindo uma revisão radical. Essa revisão está ocorrendo atualmente.

O Novo Paradigma

O novo paradigma emergente pode ser descrito de várias maneiras. Pode ser chamado de visão de mundo holística, enfatizando o todo em vez das partes. Também pode ser chamado de visão ecológica, usando o adjetivo *ecológico* no sentido de "ecologia profunda". A distinção entre ecologia "rasa" e "profunda" foi feita no início dos anos 1970 pelo filósofo Arne Naess e agora é amplamente aceita como uma terminologia útil para se referir a uma grande divisão dentro pensamento ambiental.[2]

A ecologia rasa é antropocêntrica. Ela localiza os seres humanos como acima ou fora da natureza, como fonte de todo valor, e atribui à natureza apenas valor instrumental, ou de uso. A ecologia profunda não separa os seres humanos, ou qualquer outra coisa, do ambiente natural. Não vê o mundo como uma coleção de objetos isolados, mas sim como uma rede de fenômenos fundamentalmente interconectados e interdependentes. A ecologia profunda reconhece os valores intrínsecos de todos os seres vivos e as visões dos seres humanos como apenas um fio particular na teia da vida.

Em última análise, a percepção ecológica profunda é a percepção espiritual ou religiosa. Quando o conceito de espírito humano é compreendido como o modo de consciência em que o indivíduo se sente conectado ao cosmos como um todo, fica claro que a percepção ecológica é espiritual em sua essência mais profunda. Não é de surpreender, portanto, que a nova visão emergente da realidade, baseada na percepção ecológica profunda, seja consistente com a chamada filosofia perene das tradições espirituais: com a das tradições espirituais orientais, a espiritualidade dos místicos cristãos, ou com a filosofia e a cosmologia subjacentes às tradições nativas norte-americanas.

Na ciência, a teoria dos sistemas vivos, que se originou na cibernética na década de 1940, mas emergiu plenamente apenas durante os últimos dez anos, mais ou menos, fornece a formulação científica mais adequada do novo paradigma ecológico.

A abordagem sistêmica olha para o mundo com base em relações e integração. Os sistemas são totalidades integradas cujas propriedades não podem ser reduzidas às de unidades menores. Exemplos de sistemas são abundantes na natureza. Cada organismo – desde a menor bactéria até uma ampla gama de plantas e de animais até os seres humanos – é uma totalidade integrada e, portanto, um sistema vivo. As células são sistemas vivos, assim como os vários tecidos e órgãos do corpo, sendo o cérebro humano o exemplo mais complexo. Mas os sistemas não estão confinados a organismos individuais e suas partes. Os mesmos aspectos da totalidade são exibidos por sistemas sociais, como uma família ou uma comunidade, e por ecossistemas, que consistem em vários organismos e matéria inanimada em interação mútua.

Todos esses sistemas naturais são totalidades cujas estruturas específicas surgem das interações e da interdependência de suas partes. As propriedades sistêmicas são destruídas quando um sistema é dissecado, física ou teoricamente, em elementos isolados. Embora possamos discernir partes individuais em qualquer sistema, a natureza do todo é sempre diferente da mera soma de suas partes. Em conformidade com isso, a abordagem sistêmica não se concentra em componentes básicos, mas, em vez disso, em princípios básicos de organização.

Dentro desse arcabouço, a pergunta "O que é a vida?" pode ser reformulada como: "Quais são os princípios de organização dos sistemas vivos?". O que é tão instigante a respeito dessa nova teoria é o fato de que ela fornece os contornos de uma resposta a essa antiquíssima questão, uma resposta que, pela primeira vez na ciência moderna, apresenta uma visão unificada da vida, da mente e da matéria. Eu levaria muito tempo para apresentar agora essa teoria de sistemas vivos, mas posso recomendar *The Tree of Knowledge* (A Árvore do Conhecimento), livro de Humberto Maturana e Francisco Varela, dois dos principais estudiosos que contribuíram para essa teoria.[3]

O modo de pensar sistêmico ou ecológico tem muitas implicações importantes, não só para a ciência e a filosofia, mas também para a sociedade e para nossas vidas. Como os sistemas vivos abrangem uma gama tão ampla de fenômenos, envolvendo organismos individuais, sistemas sociais e ecossistemas, a teoria dos sistemas fornece a linguagem ideal para unificar muitos campos de estudo, que se tornaram isolados e fragmentados. É uma das grandes vantagens da abordagem sistêmica o fato de que os mesmos conceitos podem ser aplicados em diferentes níveis sistêmicos, o que muitas vezes leva a percepções importantes em sua acuidade e profundidade. Ilustrarei isso com um exemplo.

A Visão Sistêmica da Saúde e da Paz

Quero comparar o estado de saúde de um indivíduo humano com o estado de paz de uma nação, e em ambos os casos, quero contrastar a visão mecanicista, baseada no velho paradigma, com a visão sistêmica do novo paradigma.

A visão mecanicista da saúde domina nossas instituições médicas, e a visão mecanicista da paz domina o pensamento da maioria dos nossos políticos e militares. Os cientistas médicos definem a saúde como a ausência de doença, e a doença é vista como o mau funcionamento dos mecanismos biológicos. O papel do médico é intervir, usando a tecnologia médica, para corrigir o mau funcionamento de um mecanismo específico.

De maneira semelhante, os estrategistas militares definem a paz como a ausência de guerra, e a abordagem da engenharia para a saúde tem sua contrapartida em uma abordagem de engenharia para a paz. Políticos e militares tendem a perceber todos os problemas de defesa como problemas de tecnologia. A ideia de que as considerações sociais e psicológicas também podem ser significativamente importantes não é levada em consideração.

Na assistência à saúde contemporânea, o organismo humano é geralmente dissociado do ambiente natural e social, e a grande rede de fenômenos que influenciam a saúde é reduzida aos seus aspectos fisiológicos e bioquímicos. De maneira muito semelhante, a abordagem convencional da defesa reduz a grande rede de fenômenos que influenciam a paz aos seus aspectos estratégicos e tecnológicos.

Esses aspectos são ainda mais reduzidos à medida que os políticos e os militares continuam a falar de segurança "nacional" sem reconhecer a perigosa falácia dessa noção simplista e fragmentada. Eles ainda parecem pensar que podemos aumentar nossa própria segurança fazendo com que os outros se sintam inseguros. Uma vez que as armas nucleares de hoje ameaçam extinguir a vida em todo o planeta, o novo pensamento sobre a paz precisa necessariamente ser global. Na era nuclear, todo o conceito de segurança nacional tornou-se obsoleto. Só pode haver segurança global.

No pensamento médico convencional, o tratamento envolve intervenção tecnológica. O potencial de auto-organização e autocura do paciente não é levado em consideração. De maneira semelhante, o pensamento militar convencional sustenta que a melhor maneira de resolver os conflitos é a intervenção tecnológica. O potencial auto-organizador das pessoas, comunidades e nações não é levado em consideração.

Por fim, em ambas as áreas, as visões mecanicistas são perpetuadas não apenas por cientistas, políticos e generais, mas também – e talvez, ainda com mais força – pelas indústrias farmacêutica e militar, que investiram fortemente no velho paradigma e resistem vigorosamente à mudança.

No entanto, a mudança da visão mecanicista para a visão sistêmica está ocorrendo atualmente tanto para a saúde como para a paz. Cientistas, filósofos e vários profissionais de saúde estão desenvolvendo uma visão sistêmica da saúde, enquanto estrategistas militares (a maioria deles, infelizmente, aposentados) e políticos (principalmente nos partidos Verdes europeus) estão desenvolvendo uma correspondente nova visão sistêmica da paz.

No cerne da visão sistêmica da saúde está a noção de equilíbrio dinâmico. A saúde é uma experiência de bem-estar resultante de um equilíbrio dinâmico que envolve aspectos físicos e psicológicos do organismo e suas interações com seu ambiente natural e social. O equilíbrio natural de organismos vivos inclui, em particular, o equilíbrio entre suas tendências autoafirmativas e integrativas. Para ser saudável, um organismo precisa preservar sua autonomia individual, mas, ao mesmo tempo, precisa ser capaz de se integrar harmoniosamente em sistemas maiores.

De maneira semelhante, a saúde e a equilíbrio dinâmico dos sistemas sociais é uma condição necessária para a verdadeira paz. Para estar em um tal estado pacífico, um grupo social ou nação precisa preservar sua autonomia e, ao mesmo tempo, ser capaz de se integrar harmoniosamente na comunidade nacional ou global mais ampla.

O desequilíbrio se manifesta como estresse e, como sabemos, o estresse excessivo é prejudicial e muitas vezes leva à doença. O desequilíbrio social manifesta-se como conflito, e o conflito excessivo é prejudicial e pode levar à violência e à guerra.

Do ponto de vista sistêmico, uma efetiva assistência à saúde consiste, em grande medida, em encontrar maneiras saudáveis de gerenciar o estresse. Isso significa restaurar e manter o equilíbrio dinâmico de indivíduos e grupos sociais, reconhecendo a teia de padrões inter-relacionados que levam a problemas de saúde e os mudam de maneira tal que o estresse é minimizado. Essa abordagem pode envolver toda uma gama de terapias.

Uma abordagem sistêmica da paz consiste em encontrar formas não violentas de resolução de conflitos. Isso significa, antes de mais nada, desenvolver uma visão sistêmica da rede de padrões econômicos, sociais e políticos a partir dos quais surgem os conflitos. Uma vez que esses padrões tenham sido compreendidos, uma ampla gama de métodos pode ser usada para resolver os conflitos.

Soluções Sustentáveis

Vou agora retornar à minha pergunta inicial: "Por que as verdadeiras questões reais de nosso tempo são excluídas do diálogo político?". O aspecto essencial que tentei desenvolver até aqui é o fato de que essas questões – os principais problemas de hoje – são problemas globais, sistêmicos, que requerem uma abordagem sistêmica para serem compreendidos e resolvidos. Eles são excluídos do diálogo político porque a maioria dos nossos líderes políticos não é capaz de realizar esse tipo de pensamento global, sistêmico e ecológico. Confinados pela visão estreita do velho paradigma, seguem a abordagem fragmentada que se tornou tão característica de nossas disciplinas acadêmicas e agências governamentais. Esse tipo de abordagem nunca pode resolver nenhum dos problemas, mas apenas os desloca ao redor de uma complexa teia de relações sociais e ecológicas. Um ano é a inflação, em seguida são as drogas e o crime, depois é o Love Canal, então é o efeito estufa – mas, na verdade, é sempre o mesmo problema sob diferentes disfarces, a mesma crise de percepção.

Também é importante perceber que a perspectiva estreita do velho paradigma diz respeito ao espaço e ao tempo. Nossos políticos e líderes corporativos não apenas não conseguem ver como esses diferentes problemas estão inter-relacionados, mas também não conseguem perceber como suas chamadas soluções afetam as gerações futuras. Eles não conseguem ver, por exemplo, que nossa prosperidade, tão excessivamente enaltecida por Reagan e Bush, é falsa, pois se baseia em empréstimos do futuro – em termos de dinheiro e de recursos não renováveis.

Do ponto de vista sistêmico, ecológico, as únicas soluções viáveis são soluções sustentáveis. Essa concepção de sustentabilidade – como em "agricultura sustentável", "economia sustentável", e assim por diante – tornou-se um conceito-chave no movimento ambientalista e é de fato um critério de importância crucial. O que isso quer dizer? Lester Brown, em *State of the World: 1988* [O Estado do Mundo: 1988], nos oferece uma simples, clara e bela definição: "Uma sociedade sustentável é aquela que satisfaz suas necessidades sem diminuir as perspectivas das gerações futuras".[4]

Até este ponto, enfatizei percepções e pensamentos. Se isso fosse o problema todo, a mudança de paradigma seria muito mais fácil. Há pensadores brilhantes o suficiente entre os proponentes do novo paradigma que poderiam convencer nossos líderes políticos e corporativos a respeito dos méritos do pensamento sistêmico. Contudo, a mudança de paradigmas exige não apenas uma expansão – e uma expansão não apenas das nossas percepções e maneiras de pensar –, mas também dos nossos valores.

Aqui é interessante observar que há uma notável conexão entre essas mudanças de pensamento e de valores. Ambas podem ser consideradas como mudanças da autoafirmação para a integração. Mencionei antes que as tendências de autoafirmação e de integração constituem, ambas, aspectos essenciais de todos os sistemas vivos. Nenhuma delas é intrinsecamente boa ou má. O que é bom, ou saudável, é um equilíbrio dinâmico. O que é mau, ou insalubre, é o desequilíbrio – a ênfase excessiva em uma tendência e a negligência da outra. No velho paradigma, temos enfatizado em excesso valores e modos de pensar autoafirmativos e negligenciando suas contrapartidas integrativas. O que estou sugerindo é não substituir um modo pelo outro, mas sim o estabelecimento de um melhor equilíbrio entre os dois.

Com isso em mente, vamos examinar as várias manifestações da mudança da autoafirmação para a integração. No que diz respeito ao pensamento, estamos falando sobre uma mudança do racional para o intuitivo, da análise para a síntese, do reducionismo para o holismo, do pensamento linear para o não linear. Até agora, no que diz respeito aos valores, estamos observando uma mudança correspondente da competição para a cooperação, da expansão para a conservação, da quantidade para a qualidade, da dominação para a parceria.

Você deve ter notado que os valores autoafirmativos – competição, expansão, dominação – são geralmente associados aos homens. De fato, em uma sociedade patriarcal, eles não são apenas favorecidos, mas também recebem recompensas econômicas e poder político. Essa é uma das razões pelas quais a mudança para um sistema de valores mais equilibrado é difícil para a maioria das pessoas, e especialmente para a maioria dos homens.

O poder, no sentido de dominação sobre outros, é autoafirmação excessiva. A estrutura social em que ela é exercida com mais eficácia é a hierarquia. De fato, nossas estruturas políticas, militares e corporativas são hierarquicamente ordenadas, com os homens ocupando os níveis superiores e as mulheres os inferiores. A maioria desses homens, e também algumas mulheres, chegaram a ver sua posição na hierarquia como parte de sua identidade e, por isso, a mudança para um diferente sistema de valores gera medo existencial nessas pessoas.

No entanto, há também outro tipo de poder, que é mais apropriado para o novo paradigma – o poder como influência sobre os outros. A estrutura ideal para o exercício desse tipo de poder não é a hierarquia, mas a rede, que também é uma das metáforas centrais do pensamento sistêmico. Assim, a mudança de paradigma inclui uma mudança na organização social de hierarquias para redes.

O "Novo Pensamento" de Mikhail Gorbachev

Os novos valores, juntamente com novas atitudes e estilos de vida, estão agora sendo promovidos por um número de movimentos de base popular cada vez maior: o movimento ecológico, o movimento pela paz, o movimento feminista, os movimentos pela saúde holística e pelo potencial humano, numerosos movimentos e iniciativas de cidadãos, e movimentos de libertação do Terceiro Mundo e movimentos étnicos, e muitos outros. Durante as décadas de 1960 e de 1970, esses movimentos operavam separadamente, em sua maior parte, sem perceber como seus propósitos estavam inter-relacionados. Mas desde o início dos anos 1980, os vários movimentos começaram a se aglutinar, reconhecendo que apenas representavam diferentes facetas da mesma nova visão da realidade, e formando assim uma poderosa força de transformação social. O sucesso político do movimento Verde europeu é o exemplo mais impressionante desse processo de coalescência.

Durante os últimos dois anos, essa nova força social, que em meu livro *O Ponto de Mutação* eu chamei de "cultura nascente", recebeu ajuda vinda de um quadrante inesperado. De todas as nações do mundo, quem teria pensado que justamente a União Soviética, com sua rígida hierarquia política, seu regime autoritário e sua carência de muitos direitos humanos, seria a última a abraçar o novo paradigma? No entanto, em Mikhail Gorbachev, temos agora um líder mundial que está ciente da atual mudança de pensamento e de valores e que tenta implementá-los nacional e internacionalmente.

Para mostrar a você até que ponto o pensamento de Gorbachev – o "novo pensamento", como ele o chama – é do tipo que apresentei a você, deixe-me citar algumas passagens de sua recente palestra nas Nações Unidas.

> Seria ingênuo pensar que os problemas que assolam a humanidade hoje possam ser resolvidos com meios e métodos que foram aplicados, ou

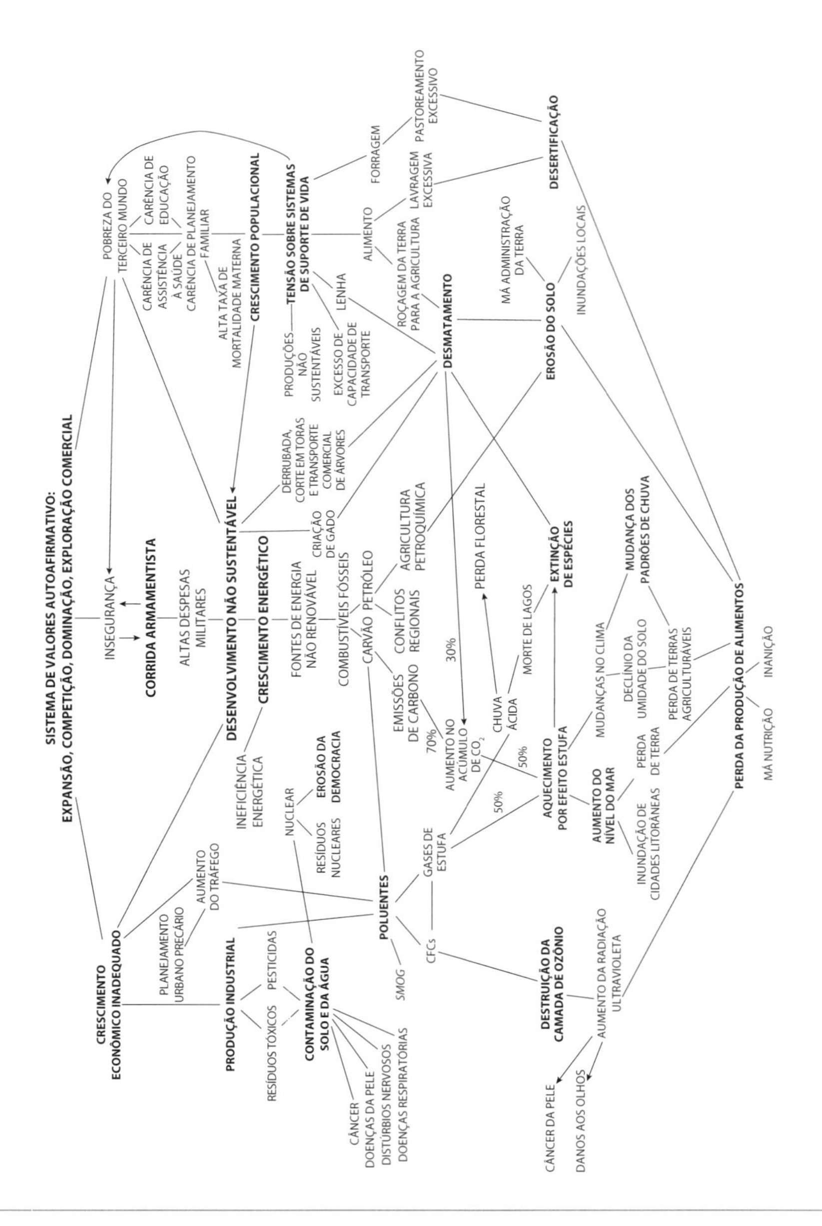

Figura 9. Este diagrama, baseado no relatório *State of the World: 1988* [O Estado do Mundo: 1988], editado pelo Worldwatch Institute, mostra a interconectividade e a interdependência sistêmicas de nossos principais problemas globais. Esses problemas parecem diferentes facetas de uma única crise, que é uma crise de percepção e de valores.

> que pareciam funcionar, no passado... [Novas] realidades estão mudando toda a situação do mundo [...]. Algumas das diferenças e disputas do passado estão perdendo sua importância [...]. A vida está nos fazendo abandonar visões obsoletas [...] esse é um dos sinais da natureza crucial da atual fase da história.
>
> [Estamos testemunhando] o processo da emergência de um mundo mutuamente inter-relacionado e integral [...]. Esforços para resolver problemas globais exigem um novo âmbito e uma nova qualidade de interação de estados.
>
> O uso ou a ameaça pela força não pode e não deve mais ser um instrumento de política externa. Esse é o primeiro e mais importante componente de um mundo não violento como um ideal [...]. Estamos falando de cooperação, que poderia ser mais precisamente chamada de cocriação e de codesenvolvimento [...]. Precisamos construir um novo mundo – e precisamos construí-lo juntos.[5]

Não são citações tiradas do contexto. Você pode ler outras palestras de Gorbachev e seu livro *Perestroika*, e encontrará neles a mesma visão global e sistêmica da realidade, a mesma mudança dramática de valores.[6]

Sinto que, por causa desse desenvolvimento inesperado na União Soviética, podemos agora ser muito mais otimistas, embora a percepção da emergência de um novo paradigma ainda não tenha chegado aos outros líderes mundiais. Gorbachev e os movimentos europeu e norte-americano pela paz, juntos, forçaram Reagan a negociar seriamente e a assinar o Tratado de Forças Nucleares de Alcance Intermediário.

Se Gorbachev continuar a introduzir o pensamento e os valores do novo paradigma a partir do nível do topo e se continuarmos a apresentá-los a partir do nivel das organizações populares, poderemos, de fato, expandir o diálogo político de modo a incluir as questões reais do nosso tempo.

Notas

Este ensaio foi publicado originalmente em *City Lights Review, 3*, em novembro de 1989, pp. 1-10.

1. Brown *et al.* (1984-).
2. Veja Deval e Sessions (1985).
3. Maturana e Varela (1987).
4. Brown *et al.* (1988).
5. Gorbachev (1988).
6. Gorbachev (1987).

ENSAIO 14

O Desafio dos Anos 1990

1990

HÁ HOJE UM DIFUNDIDO acordo segundo o qual os anos 1990 serão uma década de importância crucial. A sobrevivência da humanidade e a sobrevivência do planeta estão em jogo. Os anos 1990 serão a década do meio ambiente, não porque estamos dizendo isso, mas por causa de eventos quase além do nosso controle. A preocupação com o meio ambiente não é mais uma das muitas "questões isoladas"; é o *contexto* de todo o restante – toda a nossa vida, nossos negócios, nossa política.

Hoje, enfrentamos uma série de problemas que estão prejudicando a vida humana e a biosfera de maneira alarmante, e que, em breve, logo poderão se tornar irreversíveis. Temos ampla documentação sobre a extensão e o significado desses problemas. Uma das melhores fontes é a série de relatórios anuais *State of the World* [O Estado do Mundo], publicada pelo Worldwatch Institute.[1]

Ao avaliar a saúde ambiental do planeta, esses relatórios têm observado as mesmas tendências alarmantes ano após ano. As florestas da terra recuam enquanto seus desertos se expandem. A camada superior do solo em nossas terras agriculturáveis diminui, e a camada de ozônio, que nos protege da radiação ultravioleta prejudicial, está cada vez mais esgotada. Concentrações de gases que aprisionam calor na atmosfera aumentam enquanto o número de espécies vegetais e animais se reduz. A população mundial continua a crescer enquanto a lacuna entre ricos e pobres aumenta.

Quanto mais nós estudamos esses problemas críticos, com mais evidência chegamos a reconhecer que nenhum deles pode ser compreendido isoladamente. São problemas *sistêmicos* – todos eles interligados e interdependentes (ver diagrama no fim do ensaio anterior). A estabilização da população mundial só será possível quando a pobreza for reduzida em todo o mundo. A extinção de espécies animais e vegetais em grande escala continuará enquanto o Terceiro Mundo estiver sobrecarregado por dívidas maciças. E somente se interrompermos a corrida armamentista internacional, teremos os recursos necessários para evitar os muitos efeitos destrutivos sobre a biosfera e sobre a vida humana.

Em última análise, esses problemas precisam ser considerados como diferentes facetas de uma única crise, uma crise de percepção – pois somente se *percebermos* o mundo de maneira diferente poderemos agir de maneira diferente. Precisamos de uma mudança de percepção, uma mudança radical em nossa visão de mundo e em nosso sistema de valores. Na verdade, essa mudança está ocorrendo agora.

As velhas percepções, que moldaram a sociedade ocidental moderna influenciaram significativamente o restante do mundo, incluindo a visão do universo como um sistema mecânico composto de componentes separados, a visão do corpo humano como uma máquina, a visão da vida em uma sociedade como uma luta competitiva pela existência, e a crença no progresso material ilimitado, que se alcançará graças ao crescimento econômico e tecnológico.

Uma revisão radical de todas essas suposições está ocorrendo agora, na linha de frente tanto da ciência quanto da sociedade. A visão de mundo emergente pode ser chamada de visão holística, pois ela vê o mundo como uma totalidade integrada em vez de uma coleção dissociada de partes. Ela também pode ser chamada de visão ecológica – usando a expressão em um sentido muito mais amplo e mais profundo do que o usual – porque a percepção ecológica profunda é a compreensão da *interdependência fundamental de todos os fenômenos*: a percepção de que, como indivíduos e como sociedades, estamos encaixados nos processos cíclicos da natureza.

Na ciência, a teoria dos sistemas vivos, que se originou na cibernética na década de 1940 e emergiu plenamente apenas durante os últimos dez anos ou mais, fornece a formulação científica mais adequada da nova visão ecológica da realidade.

Os sistemas são totalidades integradas cujas propriedades não podem ser reduzidas às de unidades menores. A abordagem sistêmica vê o mundo com base em relações e em integração. Exemplos de sistemas são abundantes na natureza. Todo organismo – desde a menor bactéria, passando por plantas e animais, até seres humanos – é uma totalidade integrada e, portanto, um sistema vivo. Células são sistemas vivos, assim como os vários tecidos e órgãos do corpo, sendo o cérebro humano o exemplo mais complexo.

Mas os sistemas não estão confinados a organismos individuais e às suas partes. Os mesmos aspectos da totalidade são exibidos por sistemas sociais – como uma família ou uma comunidade – e por ecossistemas, que consistem em vários organismos e matéria inanimada em interação mútua.

Propriedades sistêmicas são destruídas quando um sistema é dissecado, seja física ou teoricamente, em elementos isolados. Embora possamos discernir partes em qualquer sistema, a natureza do todo é sempre diferente da mera soma de suas partes. Em conformidade com isso, a abordagem sistêmica não se concentra em componentes básicos, mas sim, em princípios básicos de *organização*.

Assim, um aspecto essencial da atual mudança de visões de mundo é a mudança de percepção do mundo concebido como uma série de blocos de construção, ou componentes distintos, para o mundo como um sistema vivo. Essa mudança diz respeito à nossa percepção da natureza, do organismo humano, da sociedade, e também de nossa percepção de uma organização empresarial.

As empresas também são sistemas vivos que não podem ser compreendidos a partir de apenas um ponto de vista econômico. Como um sistema vivo, uma empresa tem um certo grau de autonomia. Gestores que pensam e agem "sistemicamente" reconhecem a própria lógica e emocionalidade da empresa e procuram influenciar o sistema em vez de tentar controlá-lo. Esse estilo de liderança é talvez a característica mais distintiva de uma nova abordagem de gestão, que muitas vezes é chamada de gestão sistêmica em escolas europeias de administração e em grupos de consultoria. Gerentes sistemicamente orientados não se veem mais como dominadores e controladores dentro da empresa, mas sim, como cultivadores ou catalisadores. Estando conscientes de que a empresa é um sistema vivo e relativamente autônomo, eles lhe dão *impulsos* em vez de instruções.

Essa mudança de atitude *do controle para a parceria* caracteriza uma profunda mudança de valores que está implícita na mudança da visão de mundo mecanicista para a visão de mundo ecológica. Enquanto uma máquina é adequadamente compreendida por meio de dominação e controle, a compreensão de um sistema vivo será muito mais bem-sucedida se ela for abordada por meio de cooperação e parceria. As relações cooperativas constituem uma característica essencial da teia da vida.

A mudança de ênfase da dominação para a parceria está conectada com outras mudanças de valor – da competição para a cooperação, da expansão para a conservação, da quantidade para a qualidade. No que diz respeito às organizações empresariais, o exemplo mais importante dessa mudança é a mudança do crescimento econômico para a sustentabilidade ecológica.

O crescimento irrestrito é a principal força motriz das políticas econômicas de hoje e, tragicamente, da destruição ambiental global. Rejeitar a ideologia do crescimento econômico não significa rejeitar todo o crescimento. O crescimento, naturalmente, é uma característica de toda a vida. No entanto, no mundo vivo, ele não tem apenas um significado quantitativo, mas também um significado qualitativo. Para um ser humano, por exemplo, crescer significa desenvolver-se até a maturidade, não apenas ficando maior, mas também qualitativamente mais poderoso, por meio do crescimento interior. O mesmo é verdadeiro para todos os sistemas vivos.

A tarefa, então, consistirá em estabelecer critérios que determinem quando uma empresa deve crescer e quando não deve. É aqui que a *sustentabilidade* emerge como um conceito-chave do pensamento ecológico e das práticas de negócios ecologicamente concientes. O que isso significa? Lester Brown, do Worldwatch Institute, ofereceu-nos uma definição simples e clara: "Uma sociedade sustentável é aquela que satisfaz suas necessidades sem diminuir as perspectivas das gerações futuras".[2]

Este é, em poucas palavras, o desafio dos anos 1990: criar ambientes sociais e culturais em que podemos satisfazer nossas necessidades sem diminuir as oportunidades e opções das gerações futuras para satisfazer as necessidades *delas*. E esse é também o desafio da gestão ecologicamente consciente: modificar o crescimento ao introduzir a sustentabilidade como um critério-chave para todas as atividades de negócios.

Para produzir essas mudanças radicais em nosso pensamento e nossos valores – em um tempo em que é quase tarde demais – precisamos de diálogo, de discussão e de uma campanha massiva de educação pública. Essas são as missões do Elmwood Institute, um *think tank* intelectual dedicado a promover novos conceitos e valores para um futuro sustentável.

O mais novo projeto do Elmwood, o *Global File*, foi desenvolvido para educar a comunidade corporativa. Consiste em uma série de relatórios sobre práticas ecológicas bem-sucedidas nos negócios e nos governos em todo o mundo. O mais recente – e mais substancial – relatório dessa série é *EcoManagement: The Elmwood Guide to Ecological Auditing and Sustainable Business* (*Gerencimento Ecológico – EcoManagement – Guia do Instituto Elmwood de Auditoria Ecológica e Negócios Sustentáveis*).[3]

Esse livro de 130 páginas é um guia conceitual que mapeia o arcabouço cultural e estabelece padrões para uma ecoauditoria. Uma ecoauditoria, como é compreendida pelo Elmwood, é um exame e uma revisão das operações de uma empresa a partir da perspectiva da ecologia profunda. É motivada por uma mudança de valores na cultura corporativa, da gestão pela dominação à parceria e ao trabalho em equipe, da ideologia do crescimento econômico para a da sustentabilidade ecológica. Envolve uma mudança correspondente do pensamento mecanicista para o pensamento sistêmico e, em conformidade com isso, um novo estilo de gestão conhecido como gestão sistêmica. O resultado é um plano de ação para minimizar o impacto ambiental de uma empresa e tornando todas as suas operações ecologicamente sadias.

As práticas de ecoauditoria e de gestão ecologicamente consciente são ferramentas essenciais para as empresas comerciais enfrentarem o desafio dos anos 1990 se quisermos criar e sustentar ambientes sociais e culturais em que podemos satisfazer nossas necessidades pessoais e profissionais sem diminuir as opções das gerações futuras. Espero que, reunidos em uma compreensão mais profunda da interdependência de todas as coisas, possamos – e vamos – fazer as mudanças que são agora tão cruciais para o nosso bem-estar e do planeta.

Notas

Este ensaio foi publicado originalmente em *Insight*, *Bell Communications Research*, inverno de 1990, pp. 2-5.

1. Brown *et al.* (1984-).
2. Brown *et al.* (1988).
3. Callenbach *et al.* (1993).

CAPÍTULO 6

Alfabetização Ecológica

A EDUCAÇÃO TORNOU-SE UM dos principais focos do Elmwood Institute durante o início da década de 1990. Nossa premissa básica foi a de que comunidades sustentáveis precisam ser planejadas de tal maneira que seus modos de vida não interfiram na capacidade inerente da natureza para sustentar a vida, e que, para isso, precisamos, em primeiro lugar, nos tornar "ecologicamente alfabetizados", capazes de compreender os princípios básicos da ecologia. Isso, por sua vez, requer que pensemos com base em padrões e relações – em outras palavras, que coloquemos em ação o pensamento sistêmico.

Em 1994, transformamos o Elmwood Institute em uma nova organização, o Center for Ecoliteracy [Centro para Ecoalfabetização], dedicado exclusivamente a promover a alfabetização ecológica e o pensamento sistêmico na educação primária e secundária.[1] Os ensaios neste capítulo baseiam-se em meus *workshops* e discussões sobre alfabetização ecológica com professores e administradores escolares durante os anos 1994-1997.

Em 1993, participei de uma conferência de ativistas ambientais em Washington, DC, na qual alguns de meus amigos me desafiaram a definir os princípios básicos da ecologia. Durante a discussão subsequente, tornou-se evidente que não havia nenhuma enumeração clara de princípios básicos da ecologia, ou de seus conceitos fundamentais. Ao longo dos meses seguintes, discuti o assunto com vários dos principais ecologistas. O resultado foi o Ensaio 15, que disseminei amplamente, mas não publiquei. Durante os anos subsequentes, os princípios da ecologia tornaram-se uma das principais ferramentas de ensino no Center for Ecoliteracy. Seu número e seus nomes mudaram várias vezes. Para ensiná-los em escolas, acabamos por achar útil estreitá-los até seis conceitos fundamentais: redes (*networks*), sistemas aninhados, ciclos, fluxos, desenvolvimento e equilíbrio dinâmico.

O Ensaio 16 baseia-se em uma série de *workshops* que eu preparei e apresentei para a faculdade e os administradores do Mill Valley School District (uma cidade perto de San Francisco). O estilo desse ensaio é um tanto diferente dos outros, pois nele eu tentei manter o tom coloquial e informal característico de meus *workshops* com os professores durante retiros semanais.

No ensaio, defino os princípios da ecologia como padrões básicos de organização que os ecossistemas desenvolveram para sustentar a teia da vida. Enfatizo que eles também podem ser compreendidos como princípios comunitários, pois os ecossistemas são comunidades sustentáveis de plantas, animais e microrganismos. Também enfatizo que a compreensão desses padrões de organização requer uma nova maneira de pensar, conhecida como pensamento sistêmico – pensamento no âmbito de relações, padrões e contexto.

No corpo principal desse ensaio, discuto dez conceitos ecológicos básicos (os "princípios da ecologia"): interdependência, redes, sistemas aninhados, auto-organização, e assim por diante. Eu os apresento meramente como aspectos diferentes de um e do mesmo padrão de organização – o padrão básico da vida.

O Ensaio 17 baseia-se em uma palestra que proferi em uma conferência educacional, A Garden in Every School [Um Jardim em Cada Escola], organizado pelo Center for Ecoliteracy. Introduzi três princípios da ecologia – a teia da vida, o fluxo de energia e os ciclos da natureza – como características essenciais da nova compreensão sistêmica da vida. Em seguida, ilustro como esses princípios podem ser vivenciados por crianças no jardim de uma escola. Concluo que a aprendizagem no jardim da escola é benéfica para o desenvolvimento do estudante individual e a comunidade escolar, e que é uma das melhores maneiras de as crianças se tornarem ecologicamente alfabetizadas e, desse modo, capazes de contribuir para a construção de um futuro sustentável.

Sei, a partir de minha própria experiência, pois cresci em uma fazenda, que essa experiência direta da natureza permanecerá com esses estudantes pelo resto de suas vidas.

Nota

1. Ver www.ecoliteracy.org.

ENSAIO 15

Os Princípios da Ecologia

1994

A ECOLOGIA – PALAVRA derivada do grego *oikos*, "lar" – é o estudo de como o Lar Terrestre funciona. Mais precisamente, é o estudo das relações que interligam todos os membros do Lar Terrestre. Como John Muir se expressa: "Quando tentamos distinguir* qualquer coisa por si mesma, descobrimos que ela está acoplada a tudo o mais no universo".[1] A ecologia, então, é o estudo da "conectividade das coisas", do "estado de inter-relação" das coisas.

O arcabouço teórico mais apropriado para a ecologia é a teoria dos sistemas vivos. Os sistemas vivos são totalidades integradas cujas propriedades não podem ser reduzidas às propriedades de partes menores. Embora possamos distinguir partes em qualquer sistema vivo, a natureza do todo é sempre diferente da mera soma de suas partes.

Todo organismo – animal, vegetal, microrganismo ou ser humano – é uma totalidade integrada, um sistema vivo. Partes de organismos – por exemplo, folhas ou células – são novamente sistemas vivos. Em todo o mundo vivo, encontramos vida em sistemas aninhados dentro de outros sistemas vivos.

Os sistemas vivos incluem mais do que organismos individuais e suas partes. Eles incluem sistemas sociais – por exemplo, uma família ou uma comunidade – e também ecossistemas, que consistem em uma grande variedade de

---

* No original, *pick out*, que também carateriza as ilusões equivalentes de escolher, destacar e separar, pois todas respondem à crítica de Muir de "tentar distinguir". (N. do R. T.)

organismos, bem como matéria inanimada em mútua interação. Todos esses sistemas vivos são totalidades integrais, e a teoria dos sistemas nos diz que todos eles exibem os mesmos princípios básicos de organização. Esses são os princípios da ecologia que exploraremos aqui.

A maioria dos organismos não está apenas encaixada em ecossistemas, mas também são ecossistemas complexos, contendo uma multidão de organismos menores, que, além de ter considerável autonomia, ainda estão integrados harmoniosamente no funcionamento do todo.

Os ecossistemas mais complexos da Terra são o recife de coral tropical e a floresta tropical. Ambos são caracterizados por um grande número de espécies, uma rápida rotatividade de matéria e energia e reciclagem extensiva de todos os materiais essenciais. Em ambos os ecossistemas, os princípios da ecologia são exibidos claramente e com grande beleza.

Princípio 1: Interdependência

> Todos os membros de um ecossistema estão interconectados em uma teia de relações, na qual todos os processos vitais dependem uns dos outros.

Um ecossistema é uma teia dinâmica e integrada de formas vivas e não vivas (elementos químicos, minerais etc.). Todos os membros da comunidade ecossistêmica estão interconectados nessa vasta e intrincada rede de relações, a teia da vida. Eles derivam suas propriedades essenciais de suas relações com outras coisas e, na verdade, não poderiam existir fora dessas relações. O que é preservado em uma área selvagem não são árvores ou organismos individuais, mas a complexa teia de relações entre eles.

A interdependência – a dependência recíproca de um processo de vida em relação a outro – define a natureza das relações entre os membros individuais de um ecossistema, e entre cada membro e todo o sistema. O comportamento de cada membro vivo do ecossistema depende do comportamento de muitos outros. O sucesso de todo o sistema depende do sucesso de seus membros individuais, enquanto o sucesso de cada membro depende do sucesso do sistema como um todo.

Princípio 2: Sustentabilidade

> A sobrevivência (sustentabilidade) em longo prazo de cada espécie em um ecossistema depende de uma base de recursos limitada.

Os sistemas vivos são sistemas abertos. Isso significa que eles têm de manter uma troca contínua de energia e matéria com o ambiente para se manterem vivos. Cada membro da comunidade ecossistêmica, portanto, depende de uma base de recursos para sua sobrevivência.

Às vezes, falamos de "cadeias alimentares", como se cada espécie se alimentasse apenas de uma outra, mas na verdade os organismos vivos geralmente se alimentam de várias espécies, e assim, as cadeias alimentares tornam-se interligadas em uma teia alimentar complexa.

As bases de recursos em um ecossistema são sempre finitas, mesmo que o sistema seja aberto com relação à energia. O conceito de capacidade de carga é usado na ecologia para caracterizar os limites de um ecossistema prescrito pelos limites de seus recursos. Para cada espécie, a capacidade de carga do ecossistema é o número máximo de indivíduos dessa espécie que pode ser sustentado por um período de tempo indefinido pelos recursos do sistema.

Em um ecossistema equilibrado, cada população de organismos sofre flutuações periódicas em torno do tamanho ótimo em que seus padrões de consumo material são sustentáveis; ou seja, sua base de recursos é mantida. A sustentabilidade de populações individuais e a sustentabilidade de todo o ecossistema são interdependentes.

Em consequência de uma série de problemas ambientais globais alarmantes que ameaçam a sobrevivência da humanidade e do planeta, a sustentabilidade precisa se tornar um princípio crucial da ecologia para todas as sociedades humanas. Uma sociedade sustentável é aquela que é capaz de satisfazer suas necessidades, mantendo seus recursos naturais e sistemas de suporte de vida. Nas palavras de Lester Brown: "Sociedades sustentáveis satisfazem suas necessidades sem diminuir as oportunidades das gerações futuras".[2]

Princípio 3: Ciclos Ecológicos

As interdependências entre os membros de um ecossistema envolvem a troca de matéria e energia em ciclos contínuos.

Como todos os sistemas vivos, os ecossistemas são sistemas autogeradores e autorreguladores em que animais, plantas, microrganismos e substâncias inanimadas são interligados em uma complexa teia de interdependências envolvendo a troca de energia e matéria em ciclos contínuos (por exemplo, ciclo da água, ciclo do nitrogênio e de outros nutrientes). A maioria dos ecossistemas é tão complexa que os ciclos não são simplesmente caminhos circulares, mas contêm muitas ramificações que se interligam em uma rede de interações.

As comunidades de organismos em um ecossistema evoluíram ao longo de bilhões de anos, usando e reciclando continuamente as mesmas moléculas de minerais, de água e de ar. E essa reciclagem contínua de componentes ocorre não apenas no ecossistema como um todo, mas também em cada organismo individual. Um organismo vivo empenha-se principalmente em se renovar, as células continuamente se decompõem e constroem suas estruturas, tecidos e órgãos substituindo suas células em ciclos contínuos. No entanto, enquanto essas mudanças estruturais contínuas ocorrem, o organismo mantém sua identidade e padrão geral de organização. Essa coexistência entre estabilidade e mudança é uma das "marcas de qualidade" da vida.

Todos os processos ecológicos são fundamentalmente não lineares. As relações lineares de causa e efeito só muito raramente existem em ecossistemas. Assim, qualquer perturbação grave não se limitará a um único efeito, mas provavelmente se espalhará através de todo o ecossistema em padrões cada vez mais amplos. Pode ser até mesmo amplificado por laços de realimentação (*feedback loops*) interdependentes, que podem obscurecer por completo a fonte original da perturbação.

Princípio 4: Fluxo de Energia

> A energia solar, transformada em energia química pela fotossíntese de plantas verdes, impulsiona todos os ciclos ecológicos.

Todos os organismos vivos em um ecossistema precisam de substâncias orgânicas complexas – proteínas, carboidratos, gorduras etc. Essas substâncias são produzidas pelas plantas verdes a partir de água e minerais, e absorvidas pelos animais que se alimentam das plantas. Microrganismos reduzem os resíduos orgânicos dos animais a substâncias inorgânicas, que finalmente acabam como minerais que voltarão a ser retomados pelas plantas.

A energia solar impulsiona esses ciclos ecológicos básicos, e plantas verdes desempenham um papel vital no fluxo da energia. Eles absorvem água e sais minerais da terra, e esses sucos sobem para as folhas, onde se combinam com o dióxido de carbono (CO_2) do ar formando açúcar e outros compostos orgânicos. Nesse processo maravilhoso, conhecido como fotossíntese, a energia solar é convertida em energia química e ligada às substâncias orgânicas, enquanto o oxigênio (O_2) é liberado no ar. Todo o ciclo CO_2-O_2 é uma espécie de processo respiratório.

Princípio 5: Parceria

> Todos os membros vivos de um ecossistema estão envolvidos em uma interação sutil de competição e cooperação envolvendo incontáveis formas de parceria.

Por causa da finitude dos recursos do ecossistema, há competição em todos os níveis. Mas essa competição ocorre dentro de um arcabouço mais amplo de cooperação e parceria. A interdependência fundamental de animais, plantas e microrganismos, e suas trocas cíclicas de energia e matéria são sustentadas por uma cooperação generalizada. Até mesmo relacionamentos predatórios-presas que são destrutivos para a presa individual são geralmente benéficos para ambas as espécies. A parceria – a tendência para se associar, estabelecer vínculos, viver um dentro do outro, e cooperar – é uma característica essencial dos organismos vivos.

O fenômeno generalizado da simbiose é a forma mais altamente desenvolvida de parceria em ecossistemas. Envolve duas ou mais espécies diferentes em uma associação biológica tão íntima que muitas vezes são confundidas com um único organismo. As relações simbióticas são mutuamente benéficas para parceiros associados e envolvem animais, plantas e microrganismos em quase todas as combinações imagináveis. Muitos destes formaram sua união no passado distante e evoluíram para uma interdependência ainda mais coesa e uma adaptação mais sofisticada uns aos outros.

As bactérias vivem com frequência em simbiose com outros organismos de uma maneira que torna suas próprias vidas e as vidas de seus anfitriões dependentes da relação simbiótica. As bactérias do solo, por exemplo, alteram as configurações de moléculas orgânicas a fim de se tornarem utilizáveis para as necessidades energéticas das plantas. Para isso, elas se incorporam tão intimamente às raízes das plantas que parecem fazer parte dessas raízes.

Em uma escala ainda menor, a simbiose ocorre dentro das células de todos os organismos superiores, e é crucial para a organização das atividades celulares. Por exemplo, os cloroplastos de plantas verdes, que contêm a clorofila e os elementos necessários para a fotossíntese, são habitantes autônomos que se autossubstituem na células das plantas.

Princípio 6: Flexibilidade Flutuante

> Os ciclos ecológicos tendem a se manter de maneira flexível em um estado caracterizado por flutuações interdependentes de suas variáveis.

Quando mudanças nas condições ambientais – por exemplo, quando uma temperatura de verão excepcionalmente quente – perturbam um elo em um ciclo ecológico, o ciclo todo atuará como um laço de realimentação autorregulador, que logo trará a situação de volta ao equilíbrio. Como essas perturbações ambientais acontecem o tempo todo, a densidade da população e outras variáveis em um ciclo ecológico sofrem continuamente flutuações interdependentes. Essas flutuações representam a resposta flexível do ecossistema a mudanças externas.

Todas as flutuações ecológicas ocorrem entre limites de tolerância. Há sempre o perigo de que todo o sistema colapsará quando uma flutuação ultrapassar esses limites e o sistema não é mais capaz de compensá-lo. Nesses casos, "fugitivos" exponenciais começarão a aparecer. Algumas plantas podem se transformar em "ervas daninhas", alguns animais em "pragas" e outras espécies podem ser exterminadas.

Ecossistemas antigos como a floresta tropical são especialmente inclinados a perturbações desse tipo porque a maioria dos seus nutrientes são fixados nos organismos; não existe quase nenhuma reserva deixada no solo. Desse modo, o desmatamento ou o fogo podem causar danos irreversíveis. Esses antigos ecossistemas não evoluíram o suficiente para lidar com tais perturbações; ao contrário, por exemplo, florestas mistas e comunidades de pastagens são com frequência sujeitas a incêndios causados por raios.

Princípio 7: Diversidade

> A estabilidade de um ecossistema depende do grau de complexidade de sua rede de relações, ou seja, sobre a diversidade do ecossistema.

Em um ecossistema altamente diversificado, muitas espécies com funções ecológicas sobrepostas coexistem e podem parcialmente substituir e abrigar um ao outro. Quanto mais diversificado for o sistema, mais relacionamentos alternativos estão disponíveis quando qualquer determinado *link* na rede se rompe.

Princípio 8: Coevolução

> A maioria das espécies em um ecossistema coevoluem por meio de uma interação de criação e adaptação mútuas.

Os sistemas vivos exibem não apenas o impressionante fenômeno da autorrenovação – a capacidade de renovar e reciclar continuamente seus componentes, mantendo sua integridade geral – mas também o fenômeno igualmente impressionante de autotranscendência, a capacidade de alcançar de maneira criativa e formar novas estruturas e novos padrões de comportamento. Essa busca criativa pela novidade, uma propriedade funtamental da vida, manifesta-se nos processos de aprendizagem, desenvolvimento e evolução.

Em um ecossistema, a evolução não se limita à adaptação gradual de organismos ao seu ambiente, porque o ambiente é em si uma rede de sistemas vivos capazes de adaptação e criatividade. Então, o que se adapta ao quê? Cada um se adapta ao outro – eles coevoluem. Assim, a evolução – o desdobramento de formas de vida de complexidade cada vez maior – procede por meio de uma interação de criação e adaptação mútua. A coevolução é uma dança em andamento, uma conversa em andamento.

Todas as formas de vida na Terra coevoluíram dessa forma como componentes integrais de ecossistemas por bilhões de anos. A engenhosidade, eficiência e durabilidade desses sistemas são muito superiores aos das tecnologias humanas. Assim, o profundo respeito pela sabedoria da natureza demonstrado por muitas culturas tribais é totalmente consistente com os *insights* da ecologia moderna.

Agradecimentos

Sou muito grato a Ernest Callenbach, Ed Clark, Raymond Dasmann, Leonard Duhl, Alan Miller, Stephanie Mills, Sandra Postel e John Ryan pela leitura crítica de vários rascunhos deste artigo, suas numerosas sugestões, e suas estimulantes correspondência e conversas.

Notas

Este ensaio não publicado anteriormente foi escrito para o Elmwood Institute em 1994.

1. Muir (1911), capítulo 6.
2. Brown *et al.* (1988).

ENSAIO 16

Ecologia e Comunidade

1994

QUERO DISCUTIR AQUI A ligação entre ecologia e comunidade e incentivar o leitor a realmente ficar atento a essa ligação, mesmo que isso exija tempo e novas maneiras de pensar, e mesmo que isso signifique superar obstáculos em sua comunidade. Essa não é de maneira alguma uma questão secundária. É *a* questão crucial do nosso tempo.

O grande desafio do nosso tempo é o de criar e nutrir comunidades sustentáveis, isto é, comunidades que satisfazem suas necessidades e aspirações sem diminuir as oportunidades das gerações futuras. Se nos importamos com o destino de nossos filhos e netos e com o das gerações futuras, é isso o que precisamos fazer. Em nossas tentativas de construir comunidades sustentáveis, podemos aprender valiosas lições dos ecossistemas da natureza, que *são* comunidades sustentáveis – de plantas, animais e microrganismos. Em mais de três bilhões de anos de evolução, ecossistemas desenvolveram os modos mais intrincados e sutis de se organizaram de maneira a maximizar sua sobrevivência, ou sustentabilidade, em longo prazo. Essas são as lições que podemos aprender.

Para compreender essas lições, precisamos aprender os princípios básicos da ecologia – a linguagem da natureza. Precisamos nos tornar ecologicamente alfabetizados. Uma vez que realmente compreendermos esses princípios da ecologia – interdependência, diversidade, parceria, e assim por diante – perceberemos que eles também podem ser chamados de princípios da comunidade. Em nossas escolas, ou comunidades de aprendizagem, podemos aplicar esses princípios da ecologia como princípios da educação.

A ligação entre comunidades ecológicas e comunidades humanas existe porque ambas são sistemas vivos. Os princípios da ecologia, ou princípios da comunidade, nada mais são do que os princípios de organização que são comuns a todos os sistemas vivos. Assim, o paralelismo entre ecossistemas e comunidades humanas não é apenas uma metáfora. É uma conexão real, pois ambos são sistema vivos.

Leis da Sustentabilidade

Há leis da sustentabilidade que são leis naturais, assim como a lei da gravidade é uma lei natural. Em nossa ciência nos séculos passados, aprendemos muito sobre a lei da gravidade e leis semelhantes da física, mas não aprendemos muito sobre as leis da sustentabilidade. Se subir em um penhasco alto e caminhar para fora dele, desrespeitando a lei da gravidade, você certamente morrerá. Se vivemos em uma comunidade, desrespeitando as leis da sustentabilidade, do mesmo modo certamente morreremos em longo prazo como uma comunidade. Essas leis são tão rigorosas quanto as leis da física, mas até recentemente elas não eram estudadas.

A lei da gravidade, como você sabe, foi formalizada por Galileu e por Newton. É claro que antes de Galileu e de Newton as pessoas sabiam que não podiam saltar de um penhasco muito. De maneira semelhante, as pessoas conheciam as leis da sustentabilidade, ou os princípios da ecologia, muito antes de os ecologistas no século XX começarem a descobri-los. Na verdade, o que estou falando aqui não é nada que um menino navajo de 10 anos ou uma menina hopi, que cresceu em uma comunidade nativa norte-americana tradicional, não compreenderia e não saberia.

Princípios de Ecologia

Meu propósito aqui não é permitir que você liste dez princípios da ecologia. O que quero que compreenda é a essência de como os ecossistemas se organizam.

Você pode formalizar isso e abstrair certos princípios de organização, e pode chamá-los de princípios da ecologia, mas não é uma lista de princípios que eu quero que você aprenda. É um padrão de organização que quero que compreenda. E você verá que sempre que formalizá-lo e disser: "Este é um princípio-chave, e aquele é um princípio-chave", você não sabe realmente por onde começar, porque todos eles ficam juntos. Você precisa compreender todos eles ao mesmo tempo. Então, quando os ensina na escola, não pode dizer: "Na terceira série, fazemos interdependência e depois na quarta série fazemos cooperação". Um não pode ser ensinado ou praticado sem o outro.

O que vou fazer, então, é mostrar a você, de uma maneira abstrata, como os ecossistemas se organizam. Apresentarei a você a própria essência dos seus padrões de organização. Ao fazer isso, você descobrirá muito em breve que, para compreender esses padrões, precisamos aprender uma nova maneira de pensar.

A mudança fundamental em nossa maneira de pensar é uma mudança de ênfase das partes para o todo. A ênfase nas partes tem sido chamada por vários nomes, sendo que a mais conhecida delas foi chamada de "mecanicista". Essa palavra deriva, é claro, de "máquina". Para compreender uma máquina, você precisa desmontá-la. Mas não pode fazer isso com sistemas vivos. Se desmontar uma coisa viva, você a mata. Portanto, a abordagem mecanicista não é apropriada para sistemas vivos. Essa abordagem, às vezes, também é chamada de pensamento reducionista, porque a pessoa reduz o funcionamento do todo à compreensão de suas partes.

A ênfase no todo tem sido chamada de pensamento holístico – do grego *holos*, o todo – ou pensamento organísmico, porque os organismos são uma das principais manifestações dos sistemas vivos. Também foi chamado de pensamento ecológico, pois a ecologia é o estudo das comunidades vivas às quais esse pensamento se aplica.

Esses são termos que foram cunhados no fim do século XIX e início do século XX. Por volta da década de 1930, e a partir dessa época, a perspectiva holística tornou-se conhecida como "sistêmica" e o modo de pensar a respeito dela implica sua natureza como a de um "pensamento sistêmico". Assim, antes de lhe mostrar os princípios básicos da ecologia, gostaria de falar muito brevemente sobre as características básicas do pensamento sistêmico.

Pensamento Sistêmico

O pensamento sistêmico surgiu durante as primeiras décadas do século XX simultaneamente em várias disciplinas. Foi iniciado por biólogos, que enfatizaram a visão dos organismos vivos como totalidades integradas, cujas propriedades não podem ser reduzidas aos de partes menores. Essa escola de biologia foi chamada de biologia organísmica. O pensamento sistêmico foi posteriormente enriquecido por psicólogos da nova escola de psicologia da *gestalt*. *Gestalt* é uma palavra alemã que significa "forma orgânica". O que esses psicólogos descobriram foi que os organismos vivos não percebem as coisas como elementos isolados, mas sim como padrões perceptivos integrados – totalidades significativamente organizadas que exibem qualidades que estão ausentes em suas partes. Isso é o que eles chamam de *gestalt*. O famoso lema segundo o qual "O todo é mais do que a soma de suas partes" foi na verdade cunhado por um psicólogo da *gestalt*.

A terceira disciplina na qual o pensamento sistêmico emergiu foi a ecologia, que realmente começou como uma ciência naqueles dias. Seus precursores foram os naturalistas do século XIX. E então, na década de 1920, a expressão *ecossistema* foi cunhada, e com esse neologismo, a ecologia começou como uma ciência independente. Os ecologistas estavam concentrados no estudo de comunidades animais e vegetais, e novamente eles encontraram essa totalidade irredutível. Em particular, eles observaram redes de relações – a teia da vida.

Por volta da década de 1930, a maior parte das características-chave do pensamento sistêmico tinha sido formulada por biólogos organísmicos, psicólogos da *gestalt* e ecologistas. Em todos esses campos, as explorações de três tipos de sistemas vivos – organismos, partes de organismos e comunidades de organismos – levaram os cientistas à mesma nova maneira de pensar com base em relações, padrões e contexto. Isso é o que se tornou conhecido como pensamento sistêmico.

Então, deixe-me agora resumir as características-chave do pensamento sistêmico.

Mudança das Partes para o Todo

A primeira característica, e a mais geral, é uma mudança de perspectiva das partes para o todo. De acordo com a visão sistêmica, as propriedades essenciais de um sistema vivo – um organismo ou uma comunidade – são propriedades do todo, que nenhuma das partes tem. Elas surgem das interações e das relações entre as partes. Essas propriedades são destruídas quando o sistema é dissecado, física ou teoricamente, em elementos isolados. Embora possamos discernir partes individuais em qualquer sistema, elas não são isoladas, e a natureza do todo é sempre diferente da mera soma de suas partes.

Para lhe dar um exemplo, quando você sai para a natureza e estuda ecossistemas, descobrirá que as várias espécies ali presentes estão todas interconectadas. Elas formam uma comunidade e estão interligadas por meio de relações de alimentação. Os principais padrões que você descobrir, como vou mostrar, são redes e ciclos dentro dessas redes que atuam como laços de realimentação. São propriedades que só podem ser compreendidas se você observar todo o ecossistema. Se você o dividir em várias espécies e fizer uma lista delas, nunca descobrirá que existem esses padrões cíclicos que os interligam. Isto é o que queremos dizer quando dizemos que o sistema como um todo deve ser estudado, que não pode ser reduzido às propriedades de suas partes.

A crença segundo a qual em todo sistema complexo o comportamento do todo pode ser compreendido a partir das propriedades de suas partes era central para a visão de mundo mecanicista. O grande choque que a ciência do século XX recebeu foi o de que os sistemas vivos não podem ser compreendidos dessa maneira. Em um sistema vivo, as propriedades das partes não são propriedades intrínsecas, mas podem ser compreendidas apenas dentro do contexto do todo maior. Assim, a relação entre as partes e o todo foi invertida. Na abordagem sistêmica, as propriedades das partes só podem ser compreendidas a partir da organização do todo. A nova regra é a de que para compreender algo, você não o desmonta, mas o coloca em um contexto maior. O pensamento sistêmico é o pensamento contextual.

Deixe-me lhe dar um exemplo. Se você olhar ao redor na natureza e ver um pássaro, ou qualquer outro animal, verá que tem penas, ou pelos, certas cores e alguns outros atributos. Para compreendê-los, você precisa compreender o animal no contexto de seu ambiente. Precisa saber qual é o seu *habitat*, quais são os seus hábitos sazonais, e assim por diante. Só assim compreenderá, por exemplo, por que um pássaro tem certas cores. Então, se você souber alguma coisa sobre evolução, saberá como essas cores se originaram e evoluíram. Dessa maneira, compreenderá as propriedades dentro do contexto do meio ambiente desse animal e dentro de seu contexto evolutivo.

De Objetos para Relações

A mudança das partes para o todo também pode ser reconhecida como uma mudança de objetos para relações. Em certo sentido, essa é uma mudança figura/fundo. Na visão mecanicista, o mundo é visto como uma coleção de objetos, e as relações entre eles são secundárias. Na visão sistêmica, percebemos que os próprios objetos – os organismos em um ecossistema ou as pessoas em uma comunidade – são redes de relações embutidas em redes maiores. Para o pensador sistêmico, as relações são primárias. Os limites dos padrões discerníveis – os "objetos" – são secundários.

O mundo é um mundo de relações, e dentro dessas relações nós desenhamos círculos em torno de certos padrões, e então dizemos: "Bem, isso é o que eu chamo de objeto". Por exemplo, essa rede de relações entre folhas, ramos e galhos eu chamarei de "árvore". É significativo que quando desenhamos uma árvore – e os psicólogos às vezes pedem às pessoas para fazer isso como um teste – a maioria de nós não desenha as raízes. No entanto, as raízes são muitas vezes tão expansivas quanto o que vemos em uma árvore. Se desenharmos as relações contidas dentro da árvore acima e abaixo da terra, temos imagens muito diferentes. Esse é apenas um exemplo de mudança de percepção de objetos para relações.

De Estrutura para Processo

As características discutidas até agora podem ser reconhecidas como diferentes aspectos de uma grande vertente do pensamento sistêmico, que podemos chamar de pensamento contextual. O pensamento contextual significa pensar com base em relacionamentos, padrões e contexto. Na verdade, se você procurar a raiz latina da palavra *contexto*, descobrirá que ela significa "tecer conjuntamente".

Há outra vertente no pensamento sistêmico que é de igual importância. Essa segunda vertente é o pensamento processual. No arcabouço mecanicista da ciência cartesiana, há estruturas fundamentais, e em seguida há forças e mecanismos por meio dos quais elas interagem, dando origem a processos. Na ciência sistêmica, toda estrutura é reconhecida como a manifestação de processos subjacentes. Estrutura e processo andam sempre juntos; são dois lados da mesma moeda. O pensamento sistêmico é sempre pensamento processual.

Voltarei brevemente à natureza dos processos que observamos nos ecossistemas. Então, deixe-me agora descrever os padrões básicos da organização de ecossistemas – em outras palavras, os princípios básicos da ecologia.

Interdependência

Quando você olha para um ecossistema – digamos, um prado – quando o estuda e tenta compreender o que é, a primeira coisa que reconhecerá é o fato de que há muitas espécies lá. Há muitas plantas, muitos insetos, muitos microrganismos. E eles não constituem apenas um conjunto, ou coleção, de espécies. Eles formam uma comunidade, o que significa que são interdependentes. Eles dependem um do outro de muitas maneiras, e a mais importante delas é uma maneira muito existencial: eles devoram um ao outro. Essa é a interdependência mais existencial que você pode imaginar.

De fato, quando a ecologia foi desenvolvida, na década de 1920, uma das primeiras coisas que as pessoas estudavam eram relações de alimentação. Foi isso que os impressionou: relações de alimentação. De início, os ecologistas formularam o conceito de cadeias alimentares. Eles estudaram os peixes maiores comendo os peixes menores, que comem peixes ainda menores, e assim por diante. Logo esses cientistas descobriram que não são cadeias lineares, mas ciclos. Então eles estudaram os ciclos alimentares. O conceito mudou de cadeias alimentares para ciclos alimentares.

Então, eles descobriram que vários ciclos alimentares estão realmente interligados, e então o foco novamente mudou de ciclos alimentares para teias alimentares, para redes. Na ecologia, é disso que as pessoas estão falando agora. Elas estão falando sobre teias alimentares, redes de relações alimentares.

Esses não são os únicos exemplos de interdependência. Os membros de uma comunidade ecológica, por exemplo, também abrigam uns aos outros. Você tem pássaros aninhando-se em árvores e pulgas aninhando-se em cães e bactérias agarrando-se às raízes das plantas. O abrigo é outro tipo importante de relações interdependentes.

Então, compreender ecossistemas nos leva a compreender relações. Isso não é fácil porque é algo que vai contra o empreendimento científico tradicional na cultura ocidental. Tradicionalmente na ciência, tentamos medir e pesar coisas, mas relações não podem ser medidas e pesadas. As relações precisam ser mapeadas. Você pode desenhar um mapa de relações interligando diferentes elementos ou diferentes membros da comunidade. Ao fazer isso, descobrirá certas configurações de relações que aparecem repetidas vezes. Isso é o que chamamos de padrões. O estudo das relações o leva ao estudo dos padrões. Um padrão é uma configuração de relações que aparecem repetidamente.

E aqui descobrimos uma tensão que tem caracterizado a ciência e a filosofia ocidental ao longo das eras. É uma tensão entre o estudo da substância e o estudo da forma.

Substância e Forma

O estudo da substância começa com a pergunta: "Do que ela é feita?". O estudo da forma começa com a pergunta: "Qual é o seu padrão?". São duas abordagens muito diferentes. Ambas existiram ao longo de toda a nossa tradição científica e filosófica. O estudo do padrão começou com os pitagóricos na Antiguidade grega, e o estudo da substância começou ao mesmo tempo, com Parmênides, Demócrito e vários filósofos que indagavam: "Do que é feita a matéria? Do que é feita a realidade? Quais são seus constituintes finais? Qual é a sua essência?".

Ao fazer essas perguntas, os gregos apresentaram a ideia de quatro elementos fundamentais: Terra, Fogo, Ar e Água. Nos tempos modernos, esses elementos foram reformulados nos elementos químicos de Dalton – muito mais do que quatro, mas ainda os elementos básicos em que consiste toda a matéria.

Então, com a física atômica, os elementos foram identificados com os átomos, e assim os átomos foram ainda mais reduzidos, a núcleos e elétrons, e então os núcleos em outras partículas subatômicas.

De maneira semelhante, na biologia, os elementos básicos primeiro foram organismos ou espécies. Nos séculos XVIII e XIX, você tinha esquemas de classificação de espécies muito complexos. Então, com a descoberta das células como elementos comuns em todos os organismos, o foco mudou de organismos para células. A biologia celular estava na linha de frente da biologia. Em seguida, a célula foi quebrada ou decomposta em suas macromoléculas, nas enzimas e proteínas e aminoácidos, e assim por diante, e a biologia molecular era a nova fronteira. Em todo esse empreendimento, a pergunta sempre foi: "Do que isso é feito? Qual é a substância final?".

Ao mesmo tempo, ao longo de toda a mesma história da ciência, o estudo do padrão sempre esteve lá. Em vários momentos, veio à tona, mas na maioria das vezes foi negligenciado, suprimido ou marginalizado pelo estudo da substância. Agora, no século XX, o estudo do padrão, da forma, está chegando novamente ao primeiro plano. O pensamento sistêmico inclui a mudança de ênfase da substância no padrão, da medição no mapeamento, da quantidade na qualidade.

Padrões na Arte

Como mencionei, o estudo das formas, ou dos padrões, requer visualização e mapeamento. Esse é um aspecto muito importante do estudo de padrões, e é a razão pela qual, sempre que o estudo dos padrões esteve na linha de frente, os artistas contribuíram significativamente para o avanço da ciência. Talvez os dois exemplos mais famosos sejam Leonardo da Vinci, que dedicou toda a sua vida científica a um estudo de padrões, e o poeta alemão Goethe, no século XVIII, que realizou contribuições significativas à biologia graças ao seu estudo de padrões.

Isso é muito importante para nós, pois é o que chega naturalmente às crianças. Quando minha filha, que agora tem 8 anos, faz a lição de casa, ela sempre inclui um desenho, seja uma lição de matemática, de ortografia ou qualquer outra coisa. Isso é típico das crianças. O estudo de padrões é natural para elas; visualizar e desenhar padrões, é natural. Na escola tradicional isso não era incentivado. A arte era meio que colocada de lado. Podemos tornar isso uma característica central da ecoalfabetização: a visualização e o estudo de padrões por meio das artes.

Redes

Uma vez que compreendemos que o estudo de padrões tem importância central para a ecologia, podemos fazer a pergunta crucial: "Qual é o padrão da vida?". Em todos os níveis da vida – organismos, partes de organismos e comunidades de organismos – temos padrões de organização, e podemos perguntar: "Qual é o padrão característico da vida?".

O primeiro passo para responder a essa pergunta – e talvez seja esse o passo mais importante, é muito fácil e óbvio: o padrão da vida é um padrão de rede. Sempre que vê o fenômeno da vida, você observa redes. Isso foi trazido para a ciência com a ecologia na década de 1920, quando as pessoas estudavam teias alimentares, redes de relações alimentares. Elas passaram a se concentrar no padrão de rede. Mais tarde, todo um conjunto de ferramentas matemáticas foi desenvolvido para estudar redes. Então, os cientistas perceberam que o padrão de rede é característico não somente das comunidades ecológicas, mas também de cada membro dessa comunidade. Todo organismo é uma rede de órgãos, de células, de vários componentes, e cada célula é uma rede de moléculas. Então, o que você tem são redes dentro de redes. Sempre que olha para a vida, você olha para redes.

Ciclos

A rede, então, é o padrão básico de organização de toda a vida. Assim, podemos perguntar: O que podemos dizer sobre as redes? Uma rede, como todos sabem, é um certo padrão de vínculos, de relações. Portanto, para compreender redes, precisamos aprender a pensar em termos de padrões e relações. É exatamente disso que trata o pensamento sistêmico.

Em seguida, notamos imediatamente quando desenhamos uma rede que ela é um padrão não linear; ela se estende para todas as direções. Assim, as relações em um padrão de rede são relações não lineares. Por exemplo, uma influência pode ir de um nodo a outro na rede, depois para um terceiro e um quarto, e daí pode voltar para o primeiro. Em outras palavras, a sequência de causa e efeito forma um ciclo.

Esse é o caso para todas as redes vivas. Todas têm ciclos embutidos nelas. Esses ciclos são *loops* fechados que atuam como laços de realimentação. O importante conceito de realimentação (*feedback*), que foi descoberto na década de 1940 na cibernética, está intimamente ligado ao padrão de rede. Porque você tem realimentação em redes, porque uma influência viaja em torno de um laço e volta para você, você pode ter autorregulação – não apenas autorregulação, mas também auto-organização. Quando você tem uma rede, por exemplo, uma comunidade, a comunidade pode regular a si mesma. Ela pode aprender com seus erros, porque os erros viajarão e voltarão a aparecer ao longo desses laços de realimentação. Então você pode aprender, e na próxima rodada, pode agir de maneira diferente. O efeito voltará novamente e você pode aprender novamente, em passos.

Auto-organização

Dessa maneira, uma comunidade pode se organizar e aprender. Ela não precisa de uma autoridade externa para lhe dizer: "Vocês fizeram algo errado". Uma comunidade tem sua própria inteligência, sua própria capacidade de aprendizagem. Na verdade, cada comunidade viva é sempre uma comunidade de aprendizagem. O desenvolvimento e a aprendizagem sempre fazem parte da própria essência da vida, por causa desse padrão de rede. Assim que você compreender que a vida se constitui em redes, também compreenderá que a característica-chave da vida é a auto-organização.

Então, quando alguém lhe perguntar: "Qual é a essência da vida? Um organismo vivo se refere ao quê?", você poderia responder: "É uma rede, e porque é uma rede, ela se organiza". Essa resposta é simples, mas ao mesmo tempo vem da própria linha de frente da ciência atual. E isso não é geralmente conhecido.

Quando você anda pelos departamentos acadêmicos e pergunta às pessoas: "Qual é a essência da vida?", essa não é a resposta que vai ouvir. O que vai ouvir é: 'aminoácidos', 'enzimas', 'DNA' e coisas assim, porque essa é a investigação realizada no nível da substância – aquela que indaga: 'Do que isso é feito?'".

É importante compreender que, apesar dos grandes triunfos da biologia molecular, os biólogos ainda não sabem como respiramos, ou como uma ferida é curada, ou como um embrião se desenvolve e se transforma em um organismo evoluído. Todas essas atividades coordenadoras da vida só podem ser compreendidas quando você compreende a vida como uma rede auto-organizadora. Assim, a auto-organização é a própria essência da vida, e está conectada com o padrão de rede.

Sistemas Aninhados

Quando examinamos todas essas redes na natureza, vemos que há diferentes níveis. Uma propriedade notável dos sistemas vivos é sua tendência para formar estruturas multiniveladas de sistemas dentro de sistemas. Vamos considerar nosso próprio organismo como exemplo. No menor nível, temos células, e cada célula é um sistema vivo. Essas células se combinam para formar tecidos, os tecidos formam órgãos e os órgãos formam sistemas de órgãos (por exemplo, o sistema nervoso ou o sistema digestivo). Em seguida, o organismo como um todo existe dentro de sistemas sociais e dentro de ecossistemas, que são novamente redes. Em cada nível, temos sistemas que são totalidades integradas, as quais, ao mesmo tempo, são partes de totalidades maiores. Ao longo de todo o mundo vivo, encontramos sistemas vivos aninhados dentro de outros sistemas vivos.

Desde os primórdios da ecologia, esses arranjos multinivelados foram chamados de hierarquias. No entanto, essa palavra pode ser enganosa, uma vez que é derivada das hierarquias humanas, originalmente provenientes da Igreja Católica e agora dos mundos militar e corporativo. Estes têm estruturas de dominação e controle muito rígidos, muito diferentes da ordem multinivelada encontrada na natureza.

A visão de sistemas vivos como redes fornece uma nova perspectiva útil sobre as chamadas hierarquias da natureza. Por exemplo, podemos imaginar um ecossistema esquematicamente como uma rede com alguns nodos. Cada nodo representa um organismo, o que significa que cada nodo, quando ampliado, aparece como um rede. Cada nodo, na nova rede, pode representar um órgão, que, por sua vez, aparecerá como uma rede quando ampliada, e assim por diante.

Em outras palavras, a teia da vida consiste em redes dentro de redes. Em cada escala, os nodos da rede se revelam como redes menores sob escrutínio mais atento. Tendemos a organizar esses sistemas, todos eles aninhados dentro de sistemas maiores, em um esquema hierárquico, colocando os sistemas maiores acima dos menores em forma de pirâmide. Mas essa é uma projeção humana. Na natureza, não há "acima" ou "abaixo"; não há pirâmides nem hierarquias. Há apenas redes aninhadas dentro de outras redes.

Fluxos

Vamos voltar agora à ideia de pensamento sistêmico como pensamento processual e perguntar: "Que tipo de processos observamos nos ecossistemas?". Essa é uma velha questão da história da biologia. Durante séculos, era evidente para os biólogos que a forma biológica é mais do que apenas forma, mais do que uma configuração estática de componentes em um todo. Há um fluxo contínuo de matéria e energia que percorre um organismo vivo, embora sua forma seja sempre mantida. Teóricos sistêmicos cunharam a expressão *sistema aberto* para descrever essa situação. Todos os sistemas vivos são sistemas abertos, o que significa que eles precisam se alimentar de um fluxo contínuo de matéria e energia para permanecerem vivos.

Nos organismos, esse fluxo de matéria e energia é o processo do metabolismo – ingerindo alimentos, digerindo-os, usando a energia para crescer e manter estruturas, e para alimentar as atividades, e descartar os produtos residuais. Em um ecossistema, há um fluxo correspondente de matéria e energia ao longo de toda a comunidade de plantas e animais.

No processo de fotossíntese, as plantas verdes absorvem energia vinda do sol, transformando-a em energia química e usando-a para construir substâncias orgânicas complexas a partir de minerais e água – proteínas, carboidratos, gorduras e assim por diante. Essas substâncias são então absorvidas pelos animais que se alimentam das plantas e de outros animais e, finalmente, os resíduos orgânicos dos animais (e, no final, os próprios animais) são reduzidos a substâncias inorgânicas por microrganismos, terminando como minerais que serão retomados pelas plantas.

Desse modo, há um fluxo cíclico contínuo que atravessa o ecossistema, cada organismo transmitindo matéria e energia e cada um se mantendo em um estado de equilíbrio dinâmico à medida que matéria e energia fluem através dele. Os fluxos cíclicos de energia e matéria: este é outro princípio da ecologia. Na verdade, você pode definir um ecossistema como uma comunidade onde não há resíduos sólidos. Tudo é continuamente reciclado.

É claro que essa é uma lição extremamente importante que devemos aprender com a natureza. Nossos negócios, atualmente, são planejados de maneira linear – consumindo recursos, produzindo bens e depois descartando-os como resíduos. Nosso desafio-chave consiste em replanejá-los de modo a imitar os processos cíclicos da natureza. Paul Hawken escreveu recentemente sobre isso de maneira muito eloquente em seu livro *The Ecology of Commerce.*[1]

Parceria

Para resumir os princípios da ecologia que mencionei até aqui, temos interdependência, relações em rede, laços de realimentação, e auto-organização; temos fluxos cíclicos e sistemas de aninhamento com comunidades de muitas espécies. Quando você toma tudo isso conjuntamente, isso implica cooperação e parceria. À medida que os vários nutrientes passam através de todo o ecossistema, as relações que observamos são várias formas de parceria, de cooperação.

No século XIX, os darwinistas sociais falavam sobre competição na natureza, a luta – "Natureza vermelha em dentes e garras", como o poeta Alfred Lord Tennyson se expressa em um verso famoso. No século XX, os ecologistas descobriram que na auto-organização dos ecossistemas, a cooperação é realmente muito mais importante do que a competição. Constantemente observamos parcerias, vínculos, associações – espécies que vivem umas dentro das outras, que dependem umas das outras para sobreviver. A parceria é uma característica-chave da vida. A auto-organização é um empreendimento coletivo.

Flexibilidade Por Meio de Flutuações

Os princípios da ecologia que discuti são, todos eles, diferentes aspectos de um único padrão de organização. Eles são, se você quiser, o padrão básico da vida. Depois de obter essa compreensão, você pode pedir informações mais detalhadas, em perguntas como: "Qual é a resiliência desse tipo de organização?". Como é que ela reage a perturbações externas? Desse modo, você descobrirá mais dois princípios, os quais permitem a comunidades ecológicas sobreviverem a perturbações e se adaptarem a condições em mudança. Um deles é a flexibilidade; o outro é a diversidade. A flexibilidade se manifesta na estrutura da rede, pois ela não é uma rede rígida; é uma rede flutuante. Sempre que você tiver esses laços de realimentação, quando há um desvio o sistema leva a si mesmo a se equilibrar.

E uma vez que essas perturbações acontecem o tempo todo, pois as coisas no ambiente mudam o tempo todo, o efeito efetivo é uma flutuação contínua. Tudo em um ecossistema flutua – as densidades populacionais, as várias ocupações de *habitats*, tudo o que você pode observar em um ecossistema flutua. E isso também é verdadeiro para um organismo individual. Tudo o que observamos em nosso corpo – nossa temperatura corporal, nosso equilíbrio hormonal, a umidade da nossa pele, nossas ondas cerebrais, nossos padrões de respiração – tudo isso flutua. É assim que podemos ser flexíveis e adaptáveis, pois quando essas flutuações são perturbadas, elas retornam a um estado flutuante saudável. Assim, a flexibilidade realizada por meio de flutuações é a maneira como os ecossistemas permanecem resilientes.

Diversidade

Naturalmente, isso nem sempre funciona, pois pode haver perturbações muito graves, que efetivamente matarão uma espécie em particular, simplesmente eliminando-a. O que você tem então é que um dos elos (*links*) dessa rede será destruído. Um ecossistema, ou qualquer comunidade, será resiliente quando esse elo destruído não for o único de seu tipo, quando houver outros elos que podem, pelo menos parcialmente, realizar sua função. Em outras palavras, quanto mais complexa for a rede e quanto mais complexos forem todos esses elos de conexão, mais resiliente ela será, porque, por assim dizer, ela pode se "dar ao luxo" de perder alguns dos seus *links*. Ainda haverá muitos deles lá, realizando a mesma função.

Isso, meus amigos, se traduz em diversidade. Diversidade significa muitos *links*, muitos elos, muitas abordagens diferentes para o mesmo problema. Assim, uma comunidade diversificada é uma comunidade resiliente. Uma comunidade diversificada é aquela que pode se adaptar a situações cambiantes e, portanto, a diversidade é outro princípio muito importante da ecologia.

Agora, nas comunidades humanas, devemos ter cuidado quando falamos sobre diversidade. Sabemos que é politicamente correto celebrar a diversidade e dizer que é uma grande vantagem. Mas isso nem sempre é verdadeiro, e é o que podemos aprender com os ecossistemas. A diversidade é uma vantagem estratégica para uma comunidade se, e somente se, houver uma rede ativa de relações, se houver um fluxo de informações através de todos os elos da rede. Então a diversidade será uma tremenda vantagem estratégica. No entanto, se houver fragmentação, se houver subgrupos na rede ou indivíduos que realmente não fazem parte da rede, então a diversidade irá gerar preconceito, irá gerar atrito, e, como sabemos bem de nossas cidades do interior, muitas vezes irá gerar violência.

Todas as pesquisas sobre diversos estilos de aprendizagem, diversas inteligências e tudo o mais poderá ser extremamente útil, mas somente se houver uma comunidade vibrante onde você tiver acesso à interdependência, uma rede vibrante de relações, de fluxos de energia e de informação. Quando os fluxos forem restritos, você criará suspeita e desconfiança, e a diversidade será uma obstrução. Mas quando os fluxos são abertos, então a diversidade será uma grande vantagem. Em um ecossistema, naturalmente, os fluxos estão sempre abertos. Todas as portas estão sempre abertas em um ecossistema. Tudo troca energia, matéria e informação com tudo o mais; desse modo, a diversidade é uma das estratégias de importância-chave da natureza para a sobrevivência e para a evolução.

Estes, então, são os princípios básicos da ecologia: interdependência, padrões de rede, sistemas de aninhamento, laços de realimentação, auto-organização, fluxos cíclicos de energia e matéria, flexibilidade, diversidade, cooperação e parceria. Todos eles são aspectos diferentes, perspectivas diferentes sobre um mesmo fenômeno. É assim que os ecossistemas se organizam para sustentar a vida.

Nota

Este ensaio, nunca antes publicado, baseia-se em uma série de *workshops* com professores no Mill Valley School District, na Califórnia, 1994.

1. Hawken (1993).

ENSAIO 17

Gira, Gira, Gira

A Compreensão dos Ciclos da Natureza

1997

Os ORGANIZADORES DESTA CONFERÊNCIA acreditam, como afirmam na brochura, "que a jardinagem irá reconectar as crianças com os aspectos fundamentais da alimentação, ao mesmo tempo que integram e vivificam praticamente todas as atividades que ocorrem em uma escola". Quero levar essa afirmação um passo adiante, mostrando a você que a jardinagem reconectará as crianças não apenas aos aspectos fundamentais da alimentação, mas também aos aspectos fundamentais da vida.

Ao longo das duas últimas décadas, uma nova concepção sistêmica da vida emergiu na linha de frente da ciência. Não terei tempo aqui para descrever essa nova concepção da vida em qualquer detalhe, mas quero mencionar algumas de suas características mais importantes. A percepção-chave (*insight*) central é a de que existe um padrão básico da vida que é comum a todos os sistemas vivos – organismos vivos, ecossistemas ou sistemas sociais. Esse padrão básico é a rede. Há uma teia de relações entre todos os componentes de um organismo vivo, assim como há uma rede de relações entre as plantas, os animais e os microrganismos em um ecossistema ou entre as pessoas de uma comunidade humana.

Uma das características fundamentais dessas redes vivas é o fato de que todos os seus nutrientes são transmitidos em ciclos. Em um ecossistema, a energia flui através da rede, enquanto a água, o oxigênio, o carbono e todos os outros nutrientes se movem nesses ciclos ecológicos bem conhecidos. De maneira semelhante, o sangue circula ao longo do nosso corpo, bem como o ar, o fluido linfático e assim por diante. Onde quer que vemos vida, vemos redes, e onde quer que vemos redes vivas, vemos ciclos.

Estas três percepções-chave – o padrão de rede, o fluxo de energia e os ciclos de nutrientes – são essenciais para a nova concepção científica da vida. Cientistas as formularam em linguagem técnica complicada. Eles falam em "redes autopoiéticas", "estruturas dissipativas" e "ciclos catalíticos". Mas os fenômenos básicos descritos por esses termos técnicos são a teia da vida, o fluxo de energia e os ciclos da natureza. E estes são exatamente os fenômenos experimentados, explorados e compreendidos pelas crianças por meio da jardinagem.

A compreensão da vida com base em redes, fluxos e ciclos é relativamente nova na ciência, mas é uma parte essencial da sabedoria das tradições espirituais, como ela se manifesta, por exemplo, nas tradições nativas norte-americanas, na tradição cristã ou na tradição budista. Alguns dos mais idosos entre vocês vão se lembrar de que o título da minha palestra é o título de uma velha canção de Pete Seeger – "Turn! Turn! Turn! (To everything there is a season)" [Gira! Gira! Gira! (Para tudo há uma estação)]. A letra dessa canção é tirada diretamente da Bíblia (Eclesiastes 3,8.), e escolhi esse título para nos lembrarmos de que a percepção dos ciclos da natureza faz parte da sabedoria milenar da humanidade.

Infelizmente, perdemos essa sabedoria em grande medida durante o recente período relativamente curto da era industrial. Há hoje um grande confronto entre a ecologia e as economias do mundo industrial. Ele deriva do fato de que a natureza é cíclica, enquanto nossos sistemas industriais são lineares. Nossas atividades comerciais extraem recursos, transformam-nos em produtos e resíduos, e vendem os produtos aos consumidores, que descartam ainda mais resíduos depois de consumirem os produtos. Padrões sustentáveis de produção e consumo precisam ser cíclicos, imitando os processos cíclicos da natureza. Para obter tais padrões cíclicos, precisamos replanejar fundamentalmente nossas atividades comerciais e nossa economia.

Na raiz desse problema está nossa obsessão pelo crescimento econômico irrestrito. O crescimento é uma característica-chave de todos os seres vivos, mas em um planeta finito nem todas as coisas podem crescer ao mesmo tempo. Para tudo há uma estação. Enquanto algumas coisas crescem, outras precisam diminuir. Assim como a decadência das folhas caídas do ano passado fornecem nutrientes para um novo crescimento nesta primavera, é preciso permitir que algumas instituições tenham a permissão de declinar e decair, de modo que seu capital e seus talentos humanos possam ser liberados e reciclados para criar novas organizações.

Essa sabedoria milenar pode ser experimentada e compreendida diretamente por meio da jardinagem. À medida que avançamos em direção ao século XXI, o grande desafio de nosso tempo é criar comunidades ecologicamente sustentáveis, comunidades nas quais podemos satisfazer nossas necessidades e aspirações sem diminuir as oportunidades das gerações futuras. Para essa tarefa, podemos aprender lições valiosas com o estudo dos ecossistemas, que são comunidades sustentáveis de plantas, animais e microrganismos. Para compreender essas lições, precisamos aprender os princípios básicos da ecologia. Precisamos nos tornar ecologicamente alfabetizados, e o melhor lugar para obter alfabetização ecológica é a horta escolar.

Não é uma coincidência o fato de que a jardinagem e a preparação de alimentos a partir do que cresce no jardim tenha sido parte integrante da prática religiosa em muitas tradições espirituais, por exemplo nas tradições monásticas do cristianismo e do budismo. A jardinagem e a culinária são exemplos de trabalho cíclico – trabalho que precisa ser feito repetidamente, vezes e mais vezes, trabalho que não deixa vestígios duradouros. Você cozinha uma refeição que é imediatamente consumida. Você lava os pratos, mas logo eles estarão sujos novamente. Você planta, cuida do jardim, colhe e depois planta novamente. Esse trabalho faz parte da prática monástica porque nos ajuda a reconhecer a ordem natural do crescimento e da decadência, do nascimento e da morte, e assim nos torna conscientes de como todos nós estamos encaixados nesses ciclos da natureza.

Na horta, aprendemos sobre os ciclos alimentares, um dos primeiros e mais importantes conceitos ecológicos. Desde o início da ciência da ecologia, os ecologistas estudam relações alimentares. Nesses dias primordiais, eles formularam o conceito de cadeia alimentar, que usamos ainda hoje – pequenas criaturas sendo comidas por criaturas maiores que, por sua vez, são comidas por outras ainda maiores, e assim por diante. Logo os ecologistas perceberam que todas as grandes criaturas são comidas pelas menores quando morrem, pelos chamados organismos decompositores. Isso levou ao conceito de ciclos alimentares. E, finalmente, os ecologistas reconheceram que esses ciclos alimentares estão todos interconectados, pois a maioria das espécies se alimenta de várias outras espécies, como nós fazemos, e assim os ciclos alimentares tornam-se parte de uma só rede interconectada. Por isso, o conceito contemporâneo em ecologia é o da teia alimentar, uma rede de relações alimentares.

No jardim, aprendemos que as plantas verdes desempenham um papel de importância vital no fluxo de energia que corre através de todos os ciclos ecológicos. Suas raízes absorvem água e sais minerais da terra, e os sucos resultantes sobem para as folhas, onde se combinam com o dióxido de carbono (CO_2) do ar para formar açúcares e outros compostos orgânicos. Nesse processo maravilhoso, conhecido como fotossíntese, a energia solar é convertida em energia química, que fica ligada nas substâncias orgânicas, enquanto o oxigênio é liberado no ar para ser retomado novamente por outras plantas, e por animais, no processo de respiração.

Ao misturar água e minerais, que vêm de baixo, com a luz solar e o CO_2, que vêm de cima, as plantas verdes ligam a terra e o céu. Nós tendemos a acreditar que as plantas crescem do solo, mas, na verdade, a maior parte de sua substância vem do ar. A maior parte da celulose e de outros compostos orgânicos produzidos pela fotossíntese consiste em pesados átomos de carbono e de oxigênio, que as plantas absorvem diretamente do ar na forma de CO_2. Assim, o peso de um tronco de madeira vem quase que inteiramente do ar. Quando queimamos uma tora em uma lareira, o oxigênio e o carbono combinam-se mais uma vez em CO_2, e sob o efeito da luz e do calor do fogo, recuperamos parte da energia solar que foi usada para fazer a madeira. Tudo isso nós podemos aprender graças à jardinagem.

Em um ciclo alimentar típico, as plantas são comidas por animais, que por sua vez são comidos por outros animais, e assim os nutrientes das plantas são transmitidos ao longo da teia alimentar, enquanto a energia é dissipada como calor por meio da respiração, e como resíduos por meio da excreção. Os resíduos, bem como os animais e as plantas mortos, são decompostos por insetos e bactérias, os organismos decompositores, que os quebram em nutrientes básicos, para serem absorvidos, mais uma vez, por plantas verdes.

Na jardinagem, integramos os ciclos alimentares naturais em nossos ciclos de plantio, cultivo, colheita, compostagem e reciclagem. Por meio dessa prática, também aprendemos que o jardim como um todo está encaixado em sistemas maiores, que são, novamente, redes vivas com seus próprios ciclos. Os ciclos alimentares cruzam-se com esses ciclos maiores – o ciclo da água, o ciclo das estações e assim por diante, todos os quais são elos na teia planetária da vida.

Por meio da jardinagem, também nos tornamos cientes de como nós mesmos fazemos parte da teia da vida. Para citar o famoso discurso atribuído ao chefe Seattle: "Não tecemos a teia da vida; somos apenas um fio nessa teia. O que quer que nós façamos à teia, nós fazemos a nós mesmos".[1]

No jardim, aprendemos que um solo fértil é um solo vivo contendo bilhões de organismos vivos em cada centímetro cúbico. Essas bactérias do solo realizam várias transformações químicas que são essenciais para sustentar a vida na Terra. Por causa da natureza básica do solo vivo, precisamos preservar a integridade dos grandes ciclos ecológicos em nossa prática de jardinagem e de agricultura. Esse princípio está incorporado em métodos agrícolas tradicionais, que têm por base um profundo respeito pela vida. Os agricultores costumavam plantar diferentes culturas todos os anos, rotacionando-as para que o equilíbrio no solo fosse preservado. Nenhum pesticida era necessário, uma vez que os insetos atraídos por uma cultura desapareceriam com a próxima. Em vez de usar fertilizantes químicos, os agricultores enriqueceriam seus campos com esterco, devolvendo matéria orgânica ao solo para que ela reingressasse no ciclo ecológico.

Há quatro décadas, essa prática milenar de agricultura orgânica mudou drasticamente com a introdução massiva de fertilizantes químicos e pesticidas. A agricultura química provocou sérias rupturas no equilíbrio do nosso solo, e isso exerceu um grave impacto sobre a saúde humana, pois qualquer desequilíbrio no solo afeta o alimento que cresce nele e, portanto, a saúde das pessoas que se alimentam da comida. Felizmente, um número crescente de agricultores está agora ciente dos perigos da agricultura química e está voltando para os métodos orgânicos, ecológicos. A horta escolar é o lugar ideal para ensinar aos nossos filhos os méritos da agricultura orgânica.

Outro tipo de ciclo que encontramos no jardim é o ciclo de vida de um organismo – o ciclo de nascimento, crescimento, amadurecimento, declínio, morte e novo crescimento da geração seguinte. No jardim/horta, experimentamos crescimento e desenvolvimento no dia a dia. Podemos acompanhar o desenvolvimento de uma planta desde a semente até o primeiro rebento, o crescimento do caule e das folhas, os botões, as flores e os frutos. E quando olhamos para uma fruta, descobrimos que em seu próprio núcleo há novas sementes; e assim o ciclo de vida recomeça.

A compreensão do crescimento e do desenvolvimento, é claro, é essencial não apenas para a jardinagem, mas também para a educação. Embora as crianças aprendam que o trabalho na horta escolar muda com o desenvolvimento e o amadurecimento das plantas, os métodos de instrução dos professores e todo o discurso na sala de aula mudam com o desenvolvimento e o amadurecimento dos alunos. Isto é pensamento sistêmico em ação – aplicando o mesmo princípio a diferentes níveis sistêmicos.

A partir do trabalho pioneiro de Jean Piaget nas décadas de 1920 e 1930, um amplo consenso emergiu entre cientistas e educadores sobre os desdobramentos das funções cognitivas na criança em crescimento.[2] Parte desse consenso é o reconhecimento de que um ambiente de aprendizagem rico e multissensorial – as formas e texturas, as cores, cheiros e sons do mundo real – é essencial para o pleno desenvolvimento cognitivo e emocional da criança. A aprendizagem na horta escolar é a aprendizagem no mundo real no que ele tem de melhor. É benéfico para o desenvolvimento individual do aluno e da comunidade escolar, e é uma das melhores maneiras de as crianças se tornarem ecologicamente alfabetizadas e, assim, capazes de contribuir para a construção de um futuro sustentável.

Notas

Este ensaio é adaptado de um comunicado com uma ideia básica apresentado na conferência "A Garden in Every School", Martin Luther King Middle School, Berkeley, Califórnia, 15 de março de 1997; *print* não publicado pelo Center for Ecoliteracy.

1. O texto do discurso original do chefe Seattle, proferido por volta de 1854, foi perdido. As linhas frequentemente citadas, que começam com “Nós não tecemos a teia da vida”, são de uma versão escrita para um documentário de Ted Perry; ver Kaiser (1987).
2. Ver, por exemplo, Piaget (1925).

CAPÍTULO 7

Complexidade e Vida

EMBORA EU TENHA PASSADO a maior parte do fim da década de 1980 e o início da de 1990 dedicando-me às atividades de educador e ativista, continuei a manter diálogos com cientistas de grande destaque. Durante esses anos, encontrei-me com Humberto Maturana, Francisco Varela e Lynn Margullis, sendo que todos eles exerceram grande influência em meu pensamento. E depois de dez anos de ativismo, durante os quais realizei muito pouco trabalho teórico, pensei: "Deus! Eu adoraria escrever outro livro teórico". E foi o que fiz. Durante os anos 1994 e 1995, sintetizei o que havia aprendido em meus recentes diálogos científicos em *A Teia da Vida*, livro publicado em 1996.[1]

Esse livro representa, de várias maneiras, um importante progresso de minha síntese da visão sistêmica da vida. Para começar, empreendi um estudo sistemático da história do pensamento sistêmico. Isso foi muito mais difícil do que eu imaginava. Pensei, talvez ingenuamente, que começaria por me dirigir à biblioteca da Universidade de Berkeley, pegaria a Encyclopedia Britannica e examinaria algum verbete sobre "sistêmica, história da teoria", e que nele eu encontraria um resumo coerente. Na verdade, não havia verbete algum sobre "teoria sistêmica", nem sobre "teoria dos sistemas" e nem sobre "pensamento sistêmico". Havia "engenharia de sistemas" e "análise de sistemas", que não tinham nada a ver com sistemas vivos. Procurei em várias outras grandes enciclopédias – alemãs, francesas, italianas, russas – sem encontrar nada.

Por fim, montei uma história articulando textos que extraí de vários livros e artigos, e em *A Teia da Vida* conto isso em cinco capítulos – que vão da biologia organísmica, a psicologia da *gestalt* e a ecologia até a teoria geral dos sistemas, a cibernética, o conceito de auto-organização e a teoria da complexidade. Ainda hoje, esse é um dos poucos lugares, talvez até mesmo o único lugar, onde se pode encontrar uma abordagem completa e coerente a respeito desse importante desenvolvimento intelectual que ocorreu na ciência do século XX.

Em minhas pesquisas sobre a história do pensamento sistêmico, logo descobri os trabalhos pioneiros de cientistas russos e, em 1991, tive uma oportunidade única de explorar suas contribuições em diálogos com cientistas e filósofos russos quando fui convidado para proferir um seminário de quatro dias na Academia de Ciências da URSS (agora Academia de Ciências da Rússia) em Moscou. O primeiro ensaio deste capítulo é uma homenagem a esses pioneiros do pensamento sistêmico. Ele se baseia em uma palestra que proferi na Universidade da Califórnia, em Berkeley, em 2012, para comemorar a vida e a obra de uma colega e amiga russa, a ecologista e pensadora sistêmica Svetlana Chernikova.[2] As ideias pioneiras dos pensadores sistêmicos russos que discuto e honro neste ensaio incluem a primeira concepção da Terra como um sistema vivo, apresentada pelo geoquímico Vladimir Vernadsky; a primeira teoria sistemática dos sistemas vivos e não vivos, conhecida como "tektologia" (tectologia), desenvolvida pelo pesquisador médico e filósofo Alexander Bogdanov; e a ideia radical de uma evolução molecular, "pré-biótico", introduzida pelo químico Alexander Oparin. Também presto homenagem à teoria das estruturas dissipativas, de Ilya Prigogine, e ao trabalho experimental do químico Boris Belousov e do bioquímico Anatoly Zhabotinsky, no qual esse trabalho se baseia.

O segundo elemento novo em *A Teia da Vida*, além de meu relato da história do pensamento sistêmico, é o capítulo sobre a teoria da complexidade. Esse foi mais fácil de escrever do que os capítulos sobre a história inicial do pensamento sistêmico, pois alguns bons livros sobre complexidade e teoria do caos, que estavam entre os desenvolvimentos mais instigantes da ciência naquela época, já haviam sido publicados.[3] Essa nova compreensão permitiu-me introduzir uma distinção crítica entre as velhas teorias dos sistemas, "clássicas", e as novas teorias e modelos, mais recentes, que incorporam as profundas e aguçadas percepções que despontaram na teoria da complexidade.

Os três ensaios sobre a teoria da complexidade apresentados neste capítulo (Ensaios 19, 20 e 21) baseiam-se em palestras e seminários apresentados em ambientes muito especiais – o primeiro na Irlanda, o segundo em Cuba e o terceiro em um teatro em San Francisco. Como explico nesses ensaios, a teoria da complexidade – tecnicamente conhecida como "dinâmica não linear" – é uma nova linguagem matemática que permitiu aos cientistas, pela primeira vez, lidar matematicamente com a enorme complexidade dos sistemas vivos. A teoria do caos e a geometria fractal são ramos importantes da teoria da complexidade. Essa nova matemática não linear é uma matemática de padrões, de relações, o que elevou o pensamento sistêmico a um nível totalmente novo.

As duas novas teorias sistêmicas mais importantes são a teoria das estruturas dissipativas de Ilya Prigogine e a teoria da autopoiese e da cognição por Humberto Maturana e Francisco Varela.[4] As duas teorias são muito diferentes. Elas usam diferentes linguagens para descrever dois fenômenos diferentes, ambos os quais são características essenciais da vida.

Prigogine usa a linguagem da física e da química para descrever fluxos de energia e de matéria através de "sistemas abertos" que ele chama de "estruturas dissipativas". O conceito de "sistemas abertos" já era conhecido anteriormente, mas Prigogine foi capaz de identificar a não linearidade como sua característica-chave e de formular uma teoria matemática desses sistemas não lineares, pela qual ele recebeu o Prêmio Nobel. A conquista mais importante empreendida pela teoria de Prigogine consiste, a meu ver, em identificar e descrever com precisão o fenômeno da emergência nesses sistemas não lineares. Na verdade, reconheço isso como a conquista mais importante de toda a teoria da complexidade.

Maturana descreve a vida biológica em termos de padrões de organização. Ele partiu do reconhecimento de que todos os sistemas vivos são redes, o que também já era conhecido anteriormente (na verdade, desde os primeiros dias da ecologia). Ele compreendeu que as redes vivas são auto-organizadoras (algo que ele aprendeu com os ciberneticistas), e em seguida acrescentou a nova ideia de que a essência dessa auto-organização está no fato de que as redes vivas são *auto-geradoras*. Esse é o principal *insight* da teoria da autopoiese, formulada por Maturana e Varela. A segunda ideia revolucionária que Maturana e Varela acrescentaram à sua teoria é a do elo entre a autopoiese e a cognição na chamada teoria da cognição de Santiago. Nessa teoria, o conhecimento, o processo de conhecer, está associado ao próprio processo da vida, com a autogeração contínua de redes vivas.

No início da década de 1990, vim a compreender ambas as teorias, a das estruturas dissipativas de Prigogine e da autopoiese e da cognição de Maturana (e Varela). Para minha grande surpresa, descobri que havia estes dois campos (*camps*) no desenvolvimento da visão sistêmica da vida: o campo Maturana e o campo Prigogine, e não havia, praticamente, nenhuma comunicação entre eles. Discuti esse fato com Varela e Prigogine, e descobri que nenhum deles estava muito interessado no trabalho do outro. Então, passei a construir uma ponte, uma síntese entre Maturana e Prigogine, entre as descrições de sistemas vivos com base em redes e em fluxos.

Meu ponto de partida foi a distinção, feita por Maturana e Varela, entre a organização de um sistema (que mudei para "padrão de organização") e sua estrutura. O padrão de organização é uma configuração de relações entre as partes do sistema que determina as características essenciais do sistema. Por exemplo, em uma bicicleta há relações específicas entre o seu quadro, suas rodas, pedais, guidão e assim por diante que a fazem funcionar como uma bicicleta. Essa configuração de relações é o padrão de organização da bicicleta. A estrutura é a incorporação física do padrão de organização. A bicicleta poderia ser feita de metal leve ou pesado, de bambu ou de outros materiais. O mesmo padrão "bicicleta" pode ser incorporado em muitas diferentes estruturas.

A percepção-chave, para mim – a essência de minha síntese – foi a compreensão de que, nos sistemas vivos, a incorporação do padrão de organização do sistema em uma certa estrutura física e química é um processo contínuo. Ocorre um fluxo incessante de matéria através de um organismo vivo e seus componentes mudam continuamente. Essa característica notável da vida biológica sugeriu-me que a ideia de *processo* era uma terceira perspectiva da vida, além de padrão e estrutura. Desse modo, minha síntese de Maturana e Prigogine, a qual sintetiza as descrições da vida em termos de padrões e estruturas, consiste em reconhecer o processo como o elo entre os dois. O processo da vida é a atividade envolvida na incorporação contínua do padrão de organização do sistema.

Em *A Teia da Vida*, defini formalmente as três perspectivas da vida – padrão, estrutura e processo – e enfatizei que elas estão fundamentalmente interligadas, que todas as três são necessárias para uma compreensão sistêmica completa da vida biológica. E, por fim, identifiquei a perspectiva-padrão com a teoria da autopoiese, a perspectiva da estrutura com a teoria das estruturas dissipativas e a perspectiva do processo com a teoria da cognição de Santiago.

Um ano depois da publicação de *A Teia da Vida*, tive uma oportunidade única para apresentar minha nova síntese da visão sistêmica da vida em um fórum de prestígio. Fui convidado para proferir a palestra Erwin Schrödinger de 1997 no Trinity College em Dublin, onde Schrödinger trabalhou e lecionou nas décadas de 1940 e 1950, e onde escreveu seu livro pioneiro *What Is Life?* (O Que é Vida?).

O Ensaio 19 tem por base minha palestra Schrödinger. Abro o ensaio com uma homenagem às influentes palestras de Schrödinger e ao seu livro sobre a natureza da vida, que descortinou uma nova fronteira da ciência, a biologia molecular. Nesse ensaio argumentei que biólogos moleculares descobriram os elementos constituintes fundamentais da vida, mas essa grande realização científica não os levou para mais perto de responder à pergunta provocativa de Schrödinger, porque eles ainda não compreendem as ações integrativas vitais dos organismos vivos.

No corpo principal do ensaio, apresento um resumo conciso de minha síntese da visão sistêmica da vida, a qual, como declaro, fornece-nos a linguagem adequada para responder à pergunta de Schrödinger. Começo o meu resumo com uma breve revisão das características e da história do pensamento sistêmico, desde seu surgimento, na década de 1920, passando pelas teorias "clássicas" dos sistemas da década de 1940, até o avanço radical da teoria da complexidade na década de 1970.

Em seguida, apresento a teoria das estruturas dissipativas de Prigogine e a teoria de Maturana e Varela da autopoiese e da cognição como as duas mais importantes "novas" teorias dos sistemas vivos, e concluo com minha síntese dessas duas teorias expressando-as sob a forma da integração de três perspectivas da vida – padrão, estrutura e processo. Pela primeira vez, eu declaro, temos uma teoria científica que une mente, matéria e vida.

O Ensaio 20 baseia-se em um artigo, "Complexity and Life" [Complexidade e Vida], que apresentei em um seminário denominado "The Philosophical, Epistemological, and Methodological Implications of Complexity Theory" [As Implicações Filosóficas, Epistemológicas e Metodológicas da Teoria da Complexidade] em Havana, Cuba, em janeiro de 2002. É uma revisão (em linguagem ligeiramente mais técnica do que os outros ensaios neste livro) dos conceitos básicos, das realizações atuais e do *status* da teoria da complexidade com base na perspectiva da nova compreensão sistêmica da vida biológica. Os modelos e as teorias que discuto incluem a teoria das estruturas dissipativas para sistemas químicos não lineares, a aplicação da teoria da bifurcação a redes genéticas e à diferenciação celular, o estudo da origem da forma biológica (morfologia), uma nova abordagem da compreensão da estabilidade do desenvolvimento em embriologia, e um modelo da "origem da vida" e da evolução pré-biótica.

O Ensaio 21 é baseado em um seminário sobre a teoria da complexidade que eu apresentei ao elenco da peça *Arcadia* de Tom Stoppard no American Conservatory Theatre em San Francisco. Comecei meu seminário revisando a origem e o desenvolvimento da termodinâmica no século XIX, incluindo a descoberta de processos irreversíveis e da "seta do tempo". Em seguida, mudei para a ascensão e o desenvolvimento da teoria da complexidade nas décadas de 1970 e 1980, enfatizando, em particular, a geometria fractal. Conforme explicava aos atores os conceitos-chave da teoria da complexidade, ilustrei esses conceitos com citações abundantes da peça. *Arcadia* é uma peça tão instigante para um cientista porque todas as referências à nova matemática e à ciência da complexidade estão absolutamente corretas.

Notas

1. Capra (1996).
2. Svetlana Chernikova (1963-2011), professora-assistente da cátedra de Meio Ambiente, Segurança e Sustentabilidade Regional da Universidade Estatal de São Petersburgo.
3. Ver, por exemplo, Stewart (1989), Briggs e Peat (1990).
4. Prigogine (1980); Maturana e Varela (1980).

ENSAIO 18

Pioneiros Russos do Pensamento Sistêmico

2012

Muito me honra realizar esta primeira palestra em memória de Svetlana Chernikova e muito me emociona esta ocasião. Svetlana foi uma ecologista e uma pensadora sistêmica consumada e, como tais, seguiu uma longa tradição russa. Para honrá-la, quero mostrar por que o pensamento sistêmico tem importância crucial para a construção de um futuro sustentável, uma das grandes paixões de Svetlana, e como esse pensamento surgiu e evoluiu na Europa no século XX. Também quero destacar as significativas contribuições de cientistas russos para essa tradição intelectual.

Sustentabilidade Ecológica

O grande desafio que se impõe ao nosso tempo é o de construir e nutrir comunidades sustentáveis – ambientes sociais, culturais e físicos nos quais podemos satisfazer nossas necessidades e aspirações sem diminuir as oportunidades das gerações futuras.

Desde sua introdução, no início da década de 1980, o conceito de sustentabilidade tem sido frequentemente distorcido, cooptado e até banalizado pelo fato de utilizarem-no sem o contexto ecológico que lhe proporciona seu significado adequado. Um bom exemplo é o acordo assinado por líderes mundiais na conferência Rio+20. O primeiro esboço começou com "desenvolvimento sustentável". Essa expressão foi alterada para "crescimento sustentável" em versões subsequentes, e no documento final encontramos "crescimento sustentado", o que é manifestamente insustentável da perspectiva ecológica.

O que é sustentado em uma comunidade sustentável não é o crescimento econômico, mas toda a teia da vida, da qual depende nossa sobrevivência em longo prazo. Em outras palavras, uma comunidade sustentável é planejada de tal maneira que seus modos de vida, suas atividades comerciais, sua economia, suas estruturas físicas e suas tecnologias não interferem com a capacidade inerente da natureza para sustentar a vida. É natural que o primeiro passo nesse empreendimento consista na necessidade de compreender como a natureza sustenta a vida. Acontece que esse fato envolve uma nova compreensão ecológica da vida, bem como um novo tipo de pensamento – o pensamento que tem por base relações, padrões e contexto.

Na verdade, essa nova compreensão da vida emergiu ao longo dos últimos trinta anos. Na linha de frente da ciência contemporânea, o universo não é mais considerado como uma máquina constituída de componenetes elementares. Descobrimos que o mundo material, em última análise, é uma rede de padrões de relações inseparáveis, que o planeta como um todo é um sistema vivo, autorregulador. A visão do corpo humano como uma máquina e da mente como uma entidade separada está sendo substituída por outra visão, a qual reconhece que não apenas o cérebro, mas também o sistema imunológico, os tecidos corporais e até mesmo cada célula são sistemas vivos e cognitivos. A evolução não é mais considerada como uma luta competitiva pela existência, mas sim, como uma dança cooperativa na qual a criatividade e o surgimento constante de novidades são as forças motrizes. E, juntamente com a nova ênfase na complexidade, nas redes e nos padrões de organização, uma nova ciência das qualidades está emergindo lentamente.

Redes Vivas

Uma das percepções mais importantes dessa nova compreensão da vida é o reconhecimento de que as redes constituem o padrão básico de organização de todos os sistemas vivos. Os ecossistemas são compreendidos com base em teias alimentares (ou seja, em redes de organismos); os organismos são redes de células, de órgãos e de sistemas de órgãos; e as células são redes de moléculas. A rede é um padrão comum a toda a vida. Onde quer que vemos vida, vemos redes.

É importante compreender que essas redes vivas não são estruturas materiais, como uma rede de pesca ou uma teia de aranha. São redes *funcionais*, redes de relações entre vários processos. Em uma célula, por exemplo, esses processos são reações químicas entre as moléculas na célula. Em uma teia alimentar, eles são processos de alimentação, de organismos que se alimentam uns dos outros. Em ambos os casos, a rede é um padrão não material de relações.

Um exame mais detalhado dessas redes vivas mostrou que sua característica-chave é o fato de que elas são *autogeradoras*. Em uma célula, todas as estruturas biológicas – as proteínas, o DNA, a membrana celular e assim por diante – estão sendo continuamente produzidos, consertados e regenerados pela rede celular. De maneira semelhante, no nível de um organismo multicelular, as células corporais são continuamente regeneradas e recicladas pela rede metabólica do organismo. Redes vivas criam ou se recriam continuamente transformando ou substituindo seus componentes.

A vida no domínio social também pode ser entendida com base em redes, mas aqui não estamos lidando com reações químicas; estamos lidando com comunicações. As redes sociais, como vocês sabem, são redes de comunicações. Como as redes biológicas, elas são autogeradoras, mas o que elas geram é, em sua maior parte, de natureza não material. Cada comunicação cria pensamentos e significados, que dão origem a novas comunicações e, assim, toda a rede gera a si mesma.

Pensamento Sistêmico

Uma vez que uma rede é um padrão de relações, a compreensão da vida com base em redes requer que aprendamos a pensar a partir de padrões e relações. Na ciência, essa maneira de pensar é conhecida como "pensamento sistêmico" (*systemic thinking*) ou "pensamento com base em sistemas" (*systems thinking*). Ela emergiu na Europa na década de 1920 a partir de uma série de diálogos interdisciplinares entre biólogos, psicólogos e ecologistas. Em todos esses campos, os cientistas perceberam que um sistema vivo – um organismo, ecossistema ou sistema social – é uma totalidade integrada cujas propriedades não podem ser reduzidas às de partes menores. As propriedades "sistêmicas" são propriedades do todo, que nenhuma de suas partes tem. Portanto, o pensamento sistêmico envolve uma mudança de perspectiva das partes para o todo. Os primeiros pensadores sistêmicas cunharam a frase: "O todo é mais do que a soma de suas partes".

O que, exatamente, isso significa? Em que sentido o todo é mais do que a soma de suas partes? A resposta é: "nas relações". Todas as propriedades essenciais de um sistema vivo dependem das relações entre os componentes do sistema. O pensamento sistêmico significa pensar com base em relações. A compreensão da vida requer uma mudança de perspectiva, não apenas das partes para o todo, mas também dos objetos para as relações.

Então, compreender as relações não é fácil para nós, pois é algo que se contrapõe ao empreendimento científico tradicional na cultura ocidental. Na ciência, disseram-nos que as coisas devem ser medidas e pesadas; mas as relações não podem ser medidas e pesadas; relações precisam ser mapeadas. Portanto, há outra mudança de perspectiva da medição para o mapeamento, ou da quantidade para a qualidade.

Teorias Sistêmicas

Os primeiros pensadores sistêmicos identificaram os conceitos básicos para descrever os sistemas vivos como totalidades integradas – conceitos como "organização", "padrão" e "complexidade", a ideia de "propriedades emergentes", a noção de sistemas vivos como auto-organizadores, o conceito de ecossistema e as noções associadas de ciclos ecológicos e de teias alimentares, e assim por diante. No fim da década de 1930, a maioria desses conceitos-chave foi identificada e bem definida. A década de 1940, então, viu a formulação das atuais teorias sistêmicas. Isso significa que os conceitos sistêmicos foram integrados em arcabouços teóricos coerentes que descrevem os princípios de organização dos sistemas vivos.

O biólogo austríaco Ludwig von Bertalanffy é comumente creditado como o autor da formulação do primeiro desses arcabouços teóricos, que ele chamou de "teoria geral dos sistemas".[1] No entanto, de vinte a trinta anos antes que

Bertalanffy publicasse seus primeiros artigos, Alexander Bogdanov, pesquisador médico russo, filósofo e economista, desenvolveu uma teoria sistêmica de igual sofisticação e âmbito, teoria que, infelizmente, ainda é ampla e extensamente desconhecida fora da Rússia.[2]

Bogdanov chamou sua teoria de *tektologia*, ou tectologia, palavra que vem do grego *tekton* ("construtor"), como em "arquitecto", grafia para "arquiteto" adotada em Portugal. A tektologia pode ser traduzida como "a ciência das estruturas". O principal objetivo de Bogdanov era esclarecer e generalizar os princípios de organização de todas as estruturas vivas e não vivas. A tektologia foi a primeira tentativa na história da ciência a chegar a uma formulação sistemática dos princípios de organização que operam em sistemas vivos e não vivos. Isso antecipou o arcabouço conceitual da teoria geral dos sistemas de Ludwig von Bertalanffy, e também incluiu várias ideias importantes que seriam formuladas, quatro décadas depois, em um idioma diferente, como princípios-chave da cibernética por Norbert Wiener.

A estabilidade e o desenvolvimento de todos os sistemas podem ser compreendidos, de acordo com Bogdanov, em função de dois mecanismos de organização básicos: formação e regulação. A dinâmica da formação consiste na junção de sistemas complexos por meio de vários tipos de ligações, que Bogdanov analisa em grande detalhe. Ele enfatiza, em particular, o fato de que a tensão entre crise e transformação é de importância central para a formação de sistemas complexos. Prenunciando o trabalho de outro russo, Ilya Prigogine, Bogdanov mostra como a crise organizacional se manifesta como um colapso do equilíbrio sistêmico existente e, ao mesmo tempo, representa uma transição para um novo estado de equilíbrio.[3] Ao definir categorias de crises, Bogdanov chegou até mesmo a antecipar o conceito de catástrofe desenvolvido na década de 1960 pelo matemático francês René Thom, ideia que, mais tarde, sob o nome de "bifurcação", tornou-se um conceito-chave da teoria da complexidade.[4]

Gaia - a Terra Viva

A visão que concebia os sistemas vivos como totalidades integradas levou alguns cientistas do fim do século XIX e início do século XX a estender a todo o planeta sua busca pela totalidade e a reconhecer a Terra como uma totalidade integrada, um ser vivo. A visão segundo a qual a Terra está viva tem, é claro, uma longa tradição. Imagens míticas da Mãe Terra estão entre as mais antigas da história religiosa humana. Gaia, a deusa da terra, era reverenciada como a divindade suprema na Grécia primordial, pré-helênica, e é por isso que a moderna concepção científica do nosso planeta como um sistema vivo é conhecida como teoria de Gaia.

A expressão *biosfera* foi usada pela primeira vez no fim do século XIX pelo geólogo austríaco Eduard Suess para descrever a camada de vida que circunda a Terra. Poucas décadas depois, o geoquímico russo Vladimir Vernadsky desenvolveu o conceito em uma teoria completa em seu livro pioneiro, *Biosfera*, publicado em 1926.[5] Vernadsky concebeu a vida como uma "força geológica" que cria e controla parcialmente o ambiente planetário. Entre todas as primeiras teorias da Terra viva, a de Vernadsky é a que mais se aproxima de nossa teoria contemporânea de Gaia.

Teoria da Complexidade

A visão dos sistemas vivos como redes auto-organizadoras cujos componentes são todos interconectados e interdependentes foi expressa repetidas vezes pelos primeiros pensadores sistêmicos. No entanto, modelos detalhados de sistemas auto-organizadores só puderam ser formulados muito recentemente, quando novos recursos matemáticos tornaram-se disponíveis, permitindo aos cientistas descrever e modelar matematicamente, pela primeira vez, a interconectividade fundamental das redes vivas.

A intrincada complexidade dessas redes desafia a imaginação. Até mesmo o mais simples dos sistemas vivos, uma célula bacteriana, é uma rede altamente complexa que envolve, literalmente falando, milhares de reações químicas interdependentes. Antes da década de 1970, simplesmente não havia, em absoluto, maneira alguma pela qual essas redes pudessem ser modeladas matematicamente. Mas então, apareceram poderosos computadores de alta velocidade, que tornaram possível a cientistas e matemáticos desenvolverem um novo conjunto de conceitos e técnicas para lidar com essa enorme complexidade. Durante as duas décadas seguintes, essas novas concepções aglutinaram-se em um arcabouço matemático coerente, conhecido popularmente como teoria da complexidade. Seu nome técnico é dinâmica não linear, pois se trata de uma matemática não linear. Sistemas complexos são sistemas não lineares. A teoria do caos e a geometria fractal são importantes ramos dessa nova matemática da complexidade.

Estruturas Dissipativas

A descoberta da dinâmica não linear levou a grandes avanços desbravadores em nossa compreensão da vida biológica e é amplamente considerada como o mais instigante desenvolvimento científico do fim do século XX. Um dos primeiros cientistas a aplicar a teoria da complexidade ao estudo dos sistemas vivos foi Ilya Prigogine, da Universidade de Bruxelas, russo de nascimento e ganhador do Prêmio Nobel.

Prigogine ficou intrigado com o fato de os organismos vivos serem capazes de manter seus processos de vida em condições de não equilíbrio. Eles permanecem em um estado estável, embora a energia e a matéria que fluem através deles e de suas estruturas estejam mudando continuamente. Prigogine ficou fascinado por esses sistemas afastados do equilíbrio térmico e iniciou uma intensa investigação para descobrir exatamente sob que condições as situações de não equilíbrio podem ser estáveis.

Para resolver o quebra-cabeça da estabilidade afastada do equilíbrio, Prigogine, na verdade, não estudou sistemas vivos, mas se voltou para sistemas químicos muito mais simples sujeitos a situações de não equilíbrio, em particular os chamados relógios químicos. Estes são reações afastadas do equilíbrio químico, que produzem oscilações periódicas extremamente notáveis. A primeira oscilação química desse tipo foi descoberta na década de 1950 pelo químico russo Boris Belousov, e foi estudada mais detalhadamente tempos depois pelo bioquímico Anatoly Zhabotinsky. Em conformidade com isso, toda a família de reações químicas oscilantes é agora conhecida como reação Belousov-Zhabotinsky.[6] Quando Prigogine tentou, no início da década de 1960, construir um modelo matemático do comportamento dessa reação, o resultado que obteve foi, para ele, equivalente a um avanço desbravador, que o levou a compreender que esses sistemas precisam ser descritos por equações não lineares.

O claro reconhecimento dessa ligação entre "afastado do equilíbrio" e "não linearidade" abriu uma nova perspectiva de pesquisas para Prigogine. Aplicando a recém-desenvolvida matemática da complexidade a esses sistemas, ele conseguiu desenvolver uma nova termodinâmica não linear para descrever a auto-organização de sistemas abertos afastados do equilíbrio. Ele a chamou de teoria das estruturas dissipativas, e ganhou o Prêmio Nobel.[7]

De acordo com a teoria de Prigogine, as estruturas dissipativas não apenas se mantêm em um estado estável afastado do equilíbrio como também podem até mesmo evoluir. Quando o fluxo de energia e matéria que os atravessa aumenta, eles conseguem encontrar pontos de instabilidade, conhecidos como pontos de bifurcação, nos quais o sistema é capaz de ramificar-se em direção a um estado inteiramente novo, em que novas estruturas e novas formas de ordem podem emergir.

Essa emergência espontânea de ordem em pontos críticos de instabilidade, que muitas vezes é conhecida simplesmente como "emergência", é um dos "selos de qualidade" que caracterizam a vida. Ela foi, e continua a ser, reconhecida como a origem dinâmica do desenvolvimento, da aprendizagem e da evolução. Em outras palavras, a criatividade – a geração de novas formas – é uma propriedade-chave de todos os sistemas vivos.

Evolução Molecular

A teoria das estruturas dissipativas de Prigogine tem outra implicação importante. Uma vez que todas as estruturas dissipativas têm o potencial de evoluir, e uma vez que nem todas elas são sistemas vivos, isso significa que deve ter havido uma evolução "pré-biótica" antes da emergência das primeiras células vivas. Essa visão é amplamente aceita entre os biólogos atuais, mas era radical quando foi proposta pela primeira vez pelo químico russo Alexander Oparin. Oparin afirmou corajosamente que a vida na Terra deve ter se originado de matéria inanimada por meio de uma série muito longa de etapas químicas que produziram um aumento espontâneo e contínuo de complexidade molecular, até o surgimento das primeiras células vivas. Ele ilustrou sua ideia de evolução molecular com um cenário especulativo em um livro seminal, *A Origem da Vida*, publicado em Moscou em 1924.[8]

Alfabetização Ecológica

Depois dessa breve revisão das contribuições de alguns dos pioneiros do pensamento sistêmico, deixe-me voltar agora à sustentabilidade. Como mencionei antes, uma comunidade sustentável precisa ser planejada de maneira tal que seus modos de vida, suas atividades comerciais, sua economia, suas estruturas físicas e suas tecnologias não interfiram com a capacidade inerente da natureza para sustentar a vida. O primeiro passo nesse empreendimento precisa ser o de compreender como a natureza sustenta a vida.

Para fazer isso, precisamos passar da biologia para a ecologia, pois a vida sustentada é propriedade de um ecossistema em vez de um único organismo ou espécie. Ao longo de bilhões de anos de evolução, os ecossistemas da Terra desenvolveram certos princípios de organização para sustentar a teia da vida. O conhecimento desses princípios de organização, ou princípios de ecologia, é o que se tornou conhecido como "alfabetização ecológica".

Nas próximas décadas, a sobrevivência da humanidade dependerá de nossa "alfabetização ecológica" – nossa capacidade para compreender os princípios básicos da ecologia e de viver em conformidade com essa compreensão. Isso significa que a alfabetização ecológica deve se tornar uma habilidade crucial para políticos, líderes empresariais e profissionais em todas as esferas, e também deve ser a parte mais importante da educação em todos os níveis – desde as escolas primárias e secundárias até as faculdades, universidades, a educação continuada e o treinamento de profissionais.

Precisamos ensinar nossos filhos, nossos alunos e nossos líderes políticos e corporativos a respeito dos fatos fundamentais da vida – por exemplo, que aquilo que uma espécie perde ou desperdiça é alimento para outra espécie; que a matéria circula continuamente pela teia da vida; que a energia que impulsiona os ciclos ecológicos flui do sol; que a diversidade garante a resiliência; que, desde o seu início, há mais de três bilhões de anos, não conquistou o planeta pelo combate, mas pela rede.

Problemas Sistêmicos - Soluções Sistêmicas

Uma vez que nos tornamos ecologicamente alfabetizados, uma vez que compreendemos os processos e os padrões de relações que permitem aos ecossistemas sustentar a vida, também compreenderemos as muitas maneiras pelas quais nossa civilização humana, especialmente desde a Revolução Industrial, ignorou esses padrões e processos ecológicos e interferiu neles. E vamos compreender que essas interferências são as causas fundamentais de muitos dos problemas mundiais que nos assolam. Pensando sistemicamente, reconheceremos que os principais problemas do nosso tempo são problemas sistêmicos – todos eles interconectados e interdependentes.

Para resolver esses problemas, precisamos de soluções sistêmicas, nas quais podemos converter a interconectividade dos problemas em uma vantagem, de modo que uma só ação possa resolver vários problemas ao mesmo tempo. Por exemplo, se mudamos de nossa agricultura química, industrial, de grande escala para a agricultura orgânica, sustentável, voltada para a comunidade, isso contribuiria significativamente para resolver três dos nossos maiores problemas. Reduziria em grande medida nossa dependência de energia, porque agora estamos usando um quinto de nossos combustíveis fósseis para cultivar e processar alimentos. Os alimentos saudáveis e cultivados organicamente teriam um enorme efeito positivo sobre a saúde pública, pois muitas doenças crônicas estão diretamente ligadas à nossa dieta. E, por fim, a agricultura orgânica contribuiria de modo significativo para o combate à mudança climática, pois um solo orgânico é um solo rico em carbono, o que significa que ele retira CO_2 da atmosfera e o aprisiona em matéria orgânica.

Hoje, há numerosas ONGs em todo o mundo que desenvolvem e aplicam tais soluções sistêmicas. Elas evidenciam o fato de que temos o conhecimento e as tecnologias para construir um futuro sustentável. O que precisamos é de vontade política e liderança. Essa liderança deve vir de quatro setores da sociedade:

governo, negócios, mundo acadêmico e rede global das ONGs, que constituem a nova sociedade civil global. A meu ver, seremos capazes de caminhar em direção a um futuro sustentável somente se todos esses setores colaborarem. Svetlana Chernikova dedicou sua vida a promover essas colaborações entre governo, negócios, sociedade civil e estudiosos acadêmicos, e nós podemos honrá-la melhor continuando esse trabalho.

Notas

Este ensaio foi adaptado da Svetlana Chernikova Memorial Lecture, Universidade da Califórnia, Berkeley, 6 de julho de 2012.

1. Bertalanffy (1968).
2. Veja Gorelik (1975).
3. Prigogine (1980).
4. Thom (1972).
5. Vernadsky (1926).
6. Veja Winfree (1984).
7. Prigogine (1980).
8. Oparin (1924).

ENSAIO 19

"O Que é Vida?" Revisitado

1997

Em fevereiro de 1943, o físico austríaco Erwin Schrödinger, um dos fundadores da teoria quântica, proferiu uma série de três palestras no Trinity College, em Dublin, com o título "What Is Life?" (O Que é Vida?), que mudou o curso das ciências da vida.[1] Nessas palestras, e no livro subsequente com o mesmo título, Schrödinger apresentou hipóteses claras e convincentes sobre a estrutura dos genes, o que estimulou biólogos a pensar sobre genética de uma maneira nova e, ao fazê-lo, abriu uma nova fronteira da ciência, a biologia molecular.

Durante as décadas subsequentes, esse novo campo gerou uma série de triunfantes descobertas, que culminaram no desvendamento do código genético. No entanto, esses avanços espetaculares não levaram os biólogos para mais perto de responder à pergunta feita por Schrödinger: "O Que é vida?" nem foram capazes de responder às muitas perguntas associadas que intrigaram cientistas e filósofos por centenas de anos: "Como estruturas complexas evoluíram a partir de uma coleção aleatória de moléculas? Qual é a relação entre mente e cérebro? O que é consciência?".

Os biólogos moleculares descobriram os elementos fundamentais da vida, mas isso não os ajudou a compreender as ações integrativas vitais dos organismos vivos. Há 25 anos, um dos mais importantes biólogos moleculares, Sidney Brenner, fez os seguintes comentários reflexivos:

> Em um certo sentido, você poderia dizer que todas as obras genéticas e biológicas moleculares dos últimos sessenta anos poderiam ser consideradas um longo interlúdio. [...] Agora que esse programa foi concluído, fechamos o círculo – de volta para os problemas que ficaram sem solução. Como um organismo ferido se regenera exatamente para a mesma estrutura que tinha antes? Como o ovo forma o organismo? [...] Acho que nos próximos 25 anos teremos de ensinar aos biólogos uma outra linguagem [...] eu ainda não sei como ela é chamada; ninguém sabe. [...] Poderia estar errado acreditar que toda a lógica está no nível molecular. Pode ser que precisemos ir além dos mecanismos de relógio.[2]

Desde a época em que Brenner fez esses comentários, uma nova linguagem para compreender a complexidade dos sistemas vivos – ou seja, dos organismos, sistemas sociais e ecossistemas – realmente emergiu. Talvez você tenha ouvido falar sobre alguns dos conceitos-chave dessa nova maneira de compreender sistemas complexos – caos, atratores, fractais, estruturas dissipativas, auto-organização e assim por diante.

No início da década de 1980, concebi uma síntese dessas novas descobertas, um novo arcabouço conceitual para a compreensão científica da vida. Desenvolvi e refinei minha síntese por dez anos, discuti-a com vários cientistas e a publiquei em meu livro *A Teia da Vida*.[3]

A tradição intelectual do pensamento sistêmico e os modelos de sistemas vivos desenvolvidos durante as primeiras décadas do século formam as raízes conceituais e históricas do novo arcabouço científico que quero lhe apresentar aqui. Na verdade, minha síntese de modelos e teorias atuais pode ser vista como um esboço de uma nova teoria emergente dos sistemas vivos. O que está agora emergindo na vanguarda da ciência é uma teoria científica coerente que oferece, pela primeira vez, uma visão unificada de mente, matéria e vida.

Uma vez que a sociedade moderna foi dominada pela divisão cartesiana entre mente e matéria e pelo paradigma mecanicista que se seguiu ao longo dos trezentos anos seguintes, essa nova visão que finalmente supera a divisão cartesiana não terá somente importantes consequências científicas e filosóficas, mas também tremendas implicações práticas. Ela mudará a maneira como nos relacionamos uns com os outros e com o nosso meio ambiente natural vivo, como lidamos com a nossa saúde, como percebemos nossas organizações empresariais, nossos sistemas educacionais e muitas outras instituições sociais e políticas.

Em particular, a nova visão da vida nos ajudará a construir e a nutrir comunidades sustentáveis – o grande desafio do nosso tempo – porque nos ajudará a compreender como as comunidades de plantas, animais e microrganismos da natureza – os ecossistemas – organizaram-se de modo a maximizar sua sustentabilidade ecológica. Temos muito o que aprender com essa sabedoria da natureza, e, para fazer isso, precisamos nos tornar ecologicamente alfabetizados. Precisamos compreender os princípios básicos da ecologia, a linguagem da natureza. O novo arcabouço que eu apresento em meu livro mostra que esses princípios da ecologia também são os princípios de organização de todos os sistemas vivos.

A Emergência do Pensamento Sistêmico

Começarei meu esboço da nova compreensão da vida com uma breve perspectiva histórica da tradição do pensamento sistêmico. O pensamento sistêmico emergiu durante a década de 1920 simultaneamente em três campos diferentes: biologia organísmica, psicologia da *gestalt* e ecologia. Em todos esses campos, cientistas exploraram sistemas vivos, isto é, totalidades integradas cujas propriedades não podem ser reduzidas às de partes menores. Sistemas vivos incluem organismos individuais, partes de organismos e comunidades de organismos, como sistemas sociais e ecossistemas. Eles abrangem um âmbito muito amplo e o pensamento sistêmico é, portanto, por sua própria natureza, uma abordagem interdisciplinar, ou melhor ainda, "transdisciplinar".

Desde o início da biologia, filósofos e cientistas perceberam que a forma de um organismo vivo é mais do que a morfologia genérica que o caracteriza superficialmente, ou melhor, mais do que uma configuração estática de componentes em um todo. Os primeiros pensadores sistêmicos expressaram essa realização na famosa frase: "O todo é mais do que a soma de suas partes".

Por várias décadas, biólogos e psicólogos lutaram com a questão: "Em que sentido, exatamente, o todo é mais do que a soma de suas partes?". Naquela época, havia um debate acalorado entre duas escolas de pensamento, conhecidas como mecanicismo e vitalismo. Os mecanicistas diziam: "O todo nada mais é do que a soma de suas partes. Todos os fenômenos biológicos podem ser explicados por meio das leis da física e da química". Os vitalistas discordavam e sustentavam que uma entidade não física – uma força vital ou campo – deve ser adicionada às leis da física e da química para explicar fenômenos biológicos.

A escola de biologia organísmica surgiu como uma terceira saída para esse debate. Os biólogos organísmicos opuseram-se tanto aos mecanicistas como aos vitalistas. Eles concordaram em que alguma coisa precisa ser acrescentada às leis da física e da química para compreender a vida, mas essa coisa, na visão deles, não era uma entidade nova. Era o conhecimento da organização do sistema vivo, ou, como eles diziam, de suas "relações organizadoras".

Os biólogos organísmicos foram os primeiros a enfatizar que as propriedades essenciais de um sistema vivo são propriedades do todo, que nenhuma das partes tem. Elas surgem das interações e das relações entre as partes. Essas propriedades são destruídas quando o sistema é dissecado, tanto física como teoricamente, em elementos isolados. Embora possamos discernir partes individuais em qualquer sistema, essas partes não são isoladas, e a natureza do todo é sempre diferente da mera soma de suas partes. Demorou muitos anos para formular claramente essa percepção, e vários conceitos-chave do pensamento sistêmico foram desenvolvidos durante esse período.

A nova ciência da ecologia, que começou a se desenvolver na década de 1920, enriqueceu a emergente maneira sistêmica de pensar introduzindo um conceito muito importante, o conceito de rede (*network*). Desde o início da ecologia, comunidades ecológicas eram consideradas como comunidades consistindo em organismos ligados entre si, à semelhança de redes, por relações de alimentação. No início, os ecologistas formularam os conceitos de cadeias alimentares e ciclos alimentares, e esses conceitos foram logo expandidos para o conceito contemporâneo de teia alimentar.

A "teia da vida" é, sem dúvida, uma ideia antiga, que tem sido usada por poetas e filósofos ao longo das eras para transmitir seu sentido de entrelaçamento e interdependência de todos os fenômenos. Como o conceito de rede tornou-se cada vez mais proeminente em ecologia, os pensadores sistêmicos começaram a usar modelos de rede em todos os níveis sistêmicos, reconhecendo os organismos como redes de órgãos e células, assim como os ecossistemas são entendidos como redes de organismos individuais. Isso levou à ampla, profunda e aguçada percepção segundo a qual a rede é um padrão comum para toda a vida. Onde quer que vejamos vida, vemos redes.

Características do Pensamento Sistêmico

Resumirei agora algumas das características de importância-chave do pensamento sistêmico. Os sistemas vivos são totalidades integradas e, portanto, o pensamento sistêmico implica uma mudança de perspectiva das partes para o todo. O todo é mais do que a soma de suas partes, e essa totalidade que vai além das partes são relações. Então, o pensamento sistêmico se processa com base em relações. A mudança das partes para o todo requer outra mudança de foco, de objetos para relações.

Compreender relações não é fácil para nós, porque é algo que se contrapõe ao empreendimento científico tradicional na cultura ocidental. Na ciência, sempre nos disseram que as coisas precisam ser medidas e pesadas. Mas relações não podem ser medidas nem pesadas; relações precisam ser mapeadas. Portanto, eis aqui outra mudança: da medição para o mapeamento.

Ao mapear relações, você encontrará certas configurações que ocorrem repetidamente. Isso é o que chamamos de padrão. Padrões são configurações de relações que aparecem repetidas vezes. O estudo das relações, então, leva ao estudo de padrões. O pensamento sistêmico envolve uma mudança de perspectiva: de conteúdos para padrões.

Além disso, mapear relações e estudar padrões não é uma abordagem quantitativa, mas qualitativa. Na verdade, na nova matemática da complexidade, a *análise qualitativa* agora é usada como um termo técnico. Assim, pensamento sistêmico implica mais uma mudança: da quantidade para a qualidade.

Finalmente, o estudo das relações diz respeito não apenas às relações entre os componentes do sistema, mas também entre aquelas que ocorrem entre o sistema como um todo e sistemas maiores que o circundam. Essas relações entre o sistema e seu ambiente é o que entendemos por contexto. A palavra *contexto*, que deriva do latim *contexere* – "entretecer" (tecer em conjunto) – também implica a ideia de rede e é talvez a mais apropriada para caracterizar o pensamento sistêmico como um todo. O pensamento sistêmico é "pensamento contextual".

Há outra importante linhagem do pensamento sistêmico, à qual retornarei mais tarde. É o pensamento que ocorre com base em processos, que historicamente surgiu um pouco mais tarde. O pensamento sistêmico significa pensamento contextual e pensamento processual.

Teorias Sistêmicas Clássicas

Os conceitos de importância-chave do pensamento sistêmico foram desenvolvidos durante as décadas de 1920 e de 1930. Na década de 1940, foram formuladas as atuais teorias sistêmicas. Isso significa que os conceitos sistêmicos integraram-se em arcabouços teóricos coerentes que descrevem os princípios organizacionais dos sistemas vivos. Essas teorias, que eu chamo de "teorias sistêmicas clássicas", incluem a teoria geral dos sistemas e a cibernética.

A teoria geral dos sistemas foi formulada na década de 1940 por Ludwig von Bertalanffy, biólogo austríaco que se propôs a substituir as fundações mecanicistas da ciência por uma visão holística.[4] Como outros biólogos organísmicos, Bertalanffy acreditava que os fenômenos biológicos exigiam uma nova maneira de pensar. Seu objetivo era construir uma "ciência geral da totalidade" como uma disciplina matemática formal.

A maior contribuição de Bertalanffy, a meu ver, foi sua introdução do conceito de "sistema aberto" como uma distinção-chave entre fenômenos biológicos e físicos. Sistemas vivos, ele reconheceu, são sistemas abertos, o que significa que eles precisam alimentar-se de um fluxo contínuo de matéria e energia extraídos de seu ambiente para permanecerem vivos.

Esses sistemas abertos mantêm-se em um estado balanceado, mas afastado do equilíbrio, e caracterizado por fluxo e mudança contínuos. Bertalanffy cunhou a expressão alemã *Fließgleichgewicht*, "equilíbrio fluido", para descrever tal estado de equilíbrio dinâmico. Ele reconheceu que esses sistemas abertos não podem ser descritos pela termodinâmica clássica, que era a teoria dos sistemas complexos disponíveis em sua época, e ele postulou que era necessário introduzir uma nova termodinâmica de sistemas abertos para descrever os sistemas vivos.

Os conceitos de Ludwig von Bertalanffy de um sistema aberto e de uma teoria geral dos sistemas estabeleceram o pensamento sistêmico como um movimento científico de grande importância. Além disso, sua ênfase no fluxo e no equilíbrio do fluir introduziu o pensamento processual como um aspecto novo e importante do pensamento sistêmico. Ele não conseguiu formular a nova termodinâmica dos sistemas abertos que estava procurando porque carecia da matemática apropriada a esse propósito. Trinta anos mais tarde, Ilya Prigogine realizou essa façanha, usando a matemática da complexidade que fora desenvolvida nesse meio-tempo.

A cibernética, a outra teoria sistêmica clássica, foi formulada por um grupo interdisciplinar de cientistas, que incluíam os matemáticos Norbert Wiener e John von Neumann, o neurocientista Warren McCulloch e os cientistas sociais Gregory Bateson e Margaret Mead.[5]

A cibernética logo se tornou um poderoso movimento intelectual, que se desenvolveu independentemente da biologia organísmica e da teoria geral dos sistemas. O foco central dos ciberneticistas era a atenção dedicada aos padrões de organização. Em particular, eles estavam interessados pelos padrões de comunicação, especialmente em circuitos (*loops*) fechados e em redes. Suas investigações os levaram aos conceitos de realimentação (*feedback*) e autorregulação e, posteriormente, ao de auto-organização.

O conceito de *feedback*, uma das maiores conquistas da cibernética, está intimamente conectado com o padrão de rede. Em uma rede, você tem ciclos e *loops* fechados, e esses *loops* podem se tornar *loops* de *feedback*, ou laços de realimentação. Um laço de realimentação é um arranjo circular de elementos conectados causalmente, no qual uma causa inicial se propaga em torno dos laços ou elos do *loop*, de modo que que cada elemento tem um efeito sobre o elemento seguinte, até que o último "alimenta de volta", ou realimenta, o efeito no primeiro elemento do ciclo.

Os ciberneticistas distinguiram entre dois tipos de realimentação: *balancing feedback* (ou realimentação "negativa") e *reforcing feedback* (ou realimentação de reforço, ou "positiva"). Exemplos desses últimos são os efeitos comumente conhecidos como efeitos de fuga (*runaway effects*), ou círculos viciosos, nos quais o efeito inicial continua e é amplificado à medida que viaja repetidamente ao redor do *loop*.

O fenômeno de realimentação é extremamente importante para os sistemas vivos. Por causa da realimentação, as redes vivas podem se autorregular e organizar a si mesmas. Uma comunidade, por exemplo, pode aprender com seus erros, porque esses erros viajarão e voltarão ao longo desses *loops* de realimentação. Por isso, a comunidade pode aprender e se organizar. Por causa da realimentação, uma comunidade tem sua própria inteligência, sua própria capacidade de aprendizagem.

Redes, realimentação e auto-organização são conceitos estreitamente ligados. Sistemas vivos são redes capazes de auto-organização.

A Nova Matemática da Complexidade

Chego agora ao ponto mais importante de minha breve revisão histórica. Há um divisor de águas no pensamento sistêmico entre as teorias sistêmicas clássicas da década de 1940 e as teorias dos sistemas vivos desenvolvidas durante os últimos 25 anos. A característica distintiva das novas teorias é uma nova linguagem matemática que permitiu aos cientistas, pela primeira vez, lidar matematicamente com a enorme complexidade dos sistemas vivos.[6]

Precisamos compreender que até mesmo o sistema vivo mais simples, uma célula bacteriana, é uma rede altamente complexa envolvendo, literalmente, milhares de reações químicas interdependentes. Um novo conjunto de conceitos e técnicas para lidar com essa enorme complexidade surgiu agora, e começa a formar um arcabouço matemático coerente. A teoria do caos e a geometria fractal são ramos importantes dessa nova matemática da complexidade.

A característica crucial da nova matemática está no fato de que ela é uma matemática não linear. Na ciência, até recentemente, sempre fomos ensinados a evitar equações não lineares, pois são muito difíceis de serem resolvidas. Por exemplo, o fluxo suave de água em um rio no qual não há obstáculos é descrito por uma equação linear. Mas quando há uma pedra no rio, a água começa a girar em redemoinho – torna-se turbulenta, há redemoinhos, há turbilhões e contracorrentes, há todo tipo de vórtices – e esse movimento complexo é descrito por equações não lineares. O movimento da água torna-se tão complicado que parece extremamente caótico.

Sempre que encontrávamos uma tal não linearidade na ciência, a principal tarefa era descobrir uma aproximação linear dessas equações não lineares. Assim, praticamente toda a ciência até a década de 1970 era formulada com base em equações lineares. Na década de 1970, os cientistas, pela primeira vez, passaram a trabalhar com computadores potentes de alta velocidade, que puderam ajudá-los a lidar com equações não lineares e a resolver essas equações. Ao fazer isso, desenvolveram várias técnicas, um novo tipo de linguagem matemática que revelou padrões muito surpreendentes por trás do comportamento aparentemente caótico de sistemas não lineares, uma ordem subjacente sob o caos aparente. De fato, a teoria do caos é realmente uma teoria da ordem, mas de um novo tipo de ordem, que não é visível a olho nu, mas é revelado por essa nova matemática. Quando você resolve uma equação não linear com essas novas técnicas, o resultado não é uma fórmula, mas uma forma visual, um padrão traçado pelo computador. Desse modo, a nova matemática é uma matemática de padrões, de relações. Os chamados atratores são exemplos desses padrões matemáticos. Eles representam a dinâmica de um sistema particular com base em formas visuais.

Durante a década de 1970, o vigoroso interesse por fenômenos não lineares gerou toda uma série de novas e poderosas teorias que aumentaram dramaticamente nossa compreensão de muitas características fundamentais da vida. Essas teorias, que discuto com alguns detalhes em *A Teia da Vida*, formam os componentes de minha própria síntese da nova concepção de vida.

Uma Nova Síntese

Acredito que a chave para uma teoria abrangente dos sistemas vivos reside na síntese de duas abordagens para a nossa compreensão da natureza, as quais estiveram em competição ao longo de nossa história científica: o estudo do padrão (ou relações, ordem, qualidade) e o estudo da estrutura (ou constituintes, matéria, quantidade).

A emergência e o refinamento do conceito de "padrão de organização" tem sido um tema central no pensamento sistêmico. Os primeiros pensadores sistêmicos definiam padrão como uma configuração de relações. Os ecologistas reconheceram a rede como o padrão geral da vida. Os ciberneticistas identificaram a realimentação como um padrão circular de laços causais, e a nova matemática da complexidade é uma matemática de padrões visuais.

Portanto, a compreensão do padrão é de importância crucial para a compreensão científica da vida. Mas isso não é suficiente. Também precisamos compreender a estrutura do sistema. Para lhe mostrar como a abordagem do padrão e a abordagem da estrutura podem ser integradas, vamos agora definir com mais precisão esses dois termos.

O padrão de organização de qualquer sistema, vivo ou não vivo, é a configuração de relações entre os componentes do sistema que determina as características essenciais do sistema. Em outras palavras, certas relações precisam estar presentes para que algo seja reconhecido como, digamos, uma cadeira, uma bicicleta ou uma árvore. Essa configuração de relações, que proporciona a um sistema suas catracterísticas essenciais, é o que eu entendo como seu padrão de organização.

Vamos ilustar isso com uma bicicleta. Se eu reunisse todas as peças de uma bicicleta – a sela, o guidão, o quadro, as rodas, e assim por diante – e as colocasse aqui na sua frente, todos vocês diriam: "Isto não é uma bicicleta; estas são as partes de uma bicicleta". Como faço para transformá-las em uma bicicleta? Colocando-as juntas em uma certa ordem! Essa ordem, essa configuração de relações entre as partes, é o que chamo de padrão de organização.

Para descrever o padrão de organização da bicicleta, posso usar uma linguagem abstrata de relações. Não preciso dizer a você se o quadro é feito de ferro pesado ou de alumínio leve, que tipo de borracha é usada nos pneus, e assim por diante. Em outras palavras, os materiais físicos não fazem parte da descrição do padrão de organização. Eles fazem parte da descrição da estrutura, que eu defino como a incorporação material do padrão de organização do sistema.

Enquanto a descrição do padrão de organização envolve um mapeamento abstrato de relações, a descrição da estrutura envolve a descrição dos componentes físicos reais do sistema – suas formas, composições químicas, e assim por diante.

Bem, tudo isso é muito simples quando se trata de uma bicicleta. Você pode visualizar seu padrão de organização, pode desenhar um esboço dela, pode obter os materiais reais e construir a bicicleta de acordo com seu esboço de planejamento, e então a bicicleta apenas ficará lá e não fará muito mais por conta própria.

Com um sistema vivo, a situação é muito diferente. Cada sistema vivo, como mencionei antes, envolve milhares de processos químicos interligados. Em um sistema vivo, há um fluxo incessante de matéria; há crescimento, desenvolvimento e evolução. Desde o início da biologia, a compreensão da estrutura viva tem sido inseparável da compreensão dos processos metabólicos e de desenvolvimento. Essa propriedade notável dos sistemas vivos sugere o processo como um terceiro critério para uma descrição abrangente da natureza da vida. O processo da vida é a atividade envolvida na incorporação contínua do padrão de organização do sistema. Assim, o critério do processo é a ligação entre padrão e estrutura.

O critério processual completa o arcabouço conceitual de minha síntese. Todos os três critérios são totalmente interdependentes. O padrão de organização só pode ser reconhecido se estiver incorporado em uma estrutura física, e em sistemas vivos essa incorporação é um processo em andamento. Pode-se dizer que os três critérios – padrão, estrutura e processo – são três perspectivas diferentes, sobre o fenômeno da vida. Eles formam as três dimensões conceituais da minha síntese.

O que isso significa é que, para definir um sistema vivo – em outras palavras, para responder à pergunta de Schrödinger: "O que é Vida?" – precisamos antes responder a três perguntas: "Qual é a estrutura de um sistema vivo? Qual é o seu padrão de organização? Qual é o processo da vida?". Responderei agora a essas perguntas nessa ordem.

Estruturas Dissipativas

A estrutura de um sistema vivo foi descrita em detalhes por Ilya Prigogine em sua teoria das estruturas dissipativas.[7] Como Ludwig von Bertalanffy, Prigogine reconheceu que os sistemas vivos são sistemas abertos capazes de manter seus processos de vida em condições de não equilíbrio. Um organismo vivo é caracterizado por fluxos e mudanças contínuas em seu metabolismo, envolvendo milhares de reações químicas. Equilíbrios químico e térmico existem quando todos esses processos são interrompidos. Em outras palavras, um organismo em equilíbrio é um organismo morto. Os organismos vivos se mantêm continuamente em um estado distante do equilíbrio, que é o estado da vida. Embora muito diferente do equilíbrio, esse estado é, no entanto, estável: a mesma estrutura geral é mantida apesar do fluxo e da mudança contínuos dos componentes.

Prigogine chamou os sistemas abertos descritos por sua teoria de "estruturas dissipativas" para enfatizar essa estreita interação entre a estrutura, por um lado, e o fluxo e a mudança (ou dissipação), por outro.

Acontece que nem todas as estruturas dissipativas são sistemas vivos, e para visualizar a coexistência de fluxo contínuo e estabilidade estrutural, é mais fácil voltarmo-nos para estruturas dissipativas simples, não vivas. Uma das estruturas mais simples desse tipo é um vórtice em água fluente, por exemplo, um redemoinho em uma banheira. Quando você deixa a água escapar de uma banheira, observa um turbilhão formando-se ao redor do orifício, uma forma característica de espirais e um estreitamento em funil. Essa forma característica do redemoinho permanece notavelmente estável, e ainda assim a água flui continuamente através dele.

Isso é o que Prigogine entende por estruturas dissipativas. Uma célula, ou qualquer outro sistema vivo, é uma estrutura estável com matéria e energia fluindo continuamente através dela, como em um redemoinho. No entanto, as forças e processos que estão operando em uma célula são muito diferentes e muito mais complexos. Em um redemoinho, a força dominante é a gravidade, e na célula há interações químicas; há uma rede química de processos metabólicos.

De acordo com a teoria de Prigogine, as estruturas dissipativas não apenas se mantêm em um estado estável afastado do equilíbrio, mas podem até mesmo evoluir. Quando o fluxo de energia e matéria através deles aumenta, eles podem passar por pontos de instabilidade e se transformar em novas estruturas de complexidade aumentada. Esse fenômeno – a emergência espontânea de ordem – também é conhecido como auto-organização. É a base do desenvolvimento, da aprendizagem e da evolução.

A análise detalhada por Prigogine desse notável fenômeno mostrou que, enquanto as estruturas dissipativas recebem sua energia de fora, as instabilidades e saltos para novas formas de organização resultam de flutuações amplificadas por *loops* de realimentação positiva. Desse modo, a amplificação do *feedback* "descontrolado", que sempre foi considerado destrutivo na cibernética, aparece como uma fonte de nova ordem e complexidade na teoria das estruturas dissipativas.

Autopoiese

Voltarei agora para a segunda perspectiva quanto à natureza da vida, a perspectiva do padrão. O padrão de organização de um sistema vivo é uma rede de relações nas quais a função de cada componente consiste em transformar e substituir outros componentes da rede. Esse padrão foi chamado de *autopoiese* por Humberto Maturana e Francisco Varela.[8] *Auto*, é claro, significa "de si mesmo" ou "por si mesmo" e *poiesis* – que é a mesma raiz grega da palavra *poesia* – significa "fazer". Portanto, autopoiese significa, literalmente, "fazer a si mesmo", isto é, "autocriação". A rede, continuamente, "faz a si mesma". É produzida por seus componentes e, por sua vez, produz esses componentes. Em uma célula, por exemplo, todas as estruturas biológicas – as proteínas, o DNA, a membrana celular, e assim por diante – são produzidos continuamente, reparados e regenerados pela rede celular. Da mesma maneira, no nível de um organismo multicelular, as células corporais são continuamente regeneradas e recicladas pela rede metabólica do organismo.

Cognição - O Processo da Vida

A terceira dimensão conceitual da minha síntese é a perspectiva processual. A compreensão do processo da vida é, talvez, o aspecto mais revolucionário da teoria emergente dos sistemas vivos, uma vez que implica uma nova concepção de mente ou cognição. Essa nova concepção foi proposta por Gregory Bateson e elaborada de maneira mais completa por Maturana e Varela, e agora é conhecida como teoria da cognição de Santiago.[9]

A percepção central da teoria de Santiago é a identificação da cognição, o processo de conhecer, com o processo da vida. A cognição, segundo Maturana e Varela, é a atividade envolvida na autogeração e na autoperpetuação de redes vivas. Em outras palavras, a cognição é o próprio processo da vida. "Sistemas vivos são sistemas cognitivos", escreve Maturana, "e viver como um processo é um processo de cognição."[10]

É óbvio que estamos lidando aqui com uma expansão radical do conceito de cognição e, implicitamente, com o conceito de mente. Nessa nova visão, a cognição envolve todo o processo da vida – incluindo percepção, emoção e comportamento – e não requer necessariamente um cérebro e um sistema nervoso. As plantas, por exemplo, e até as bactérias, nenhuma das quais tem sistema nervoso, estão constantemente envolvidas em atividades cognitivas envolvendo seus aparatos sensoriais e vários processos de auto-organização. No domínio humano, a cognição inclui linguagem, pensamento conceitual, autopercepção e todos os outros atributos da consciência humana.

A teoria da cognição de Santiago, acredito, é a primeira teoria científica que supera a divisão cartesiana de mente e matéria e, assim, terá as implicações de alcance mais longo. Mente e matéria não parecem mais pertencer a duas categorias separadas, mas podem ser consideradas representando dois aspectos complementares do fenômeno da vida – o aspecto processual e o aspecto estrutural. Em todos os níveis da vida, começando com a célula mais simples, mente e matéria, processo e estrutura, estão inseparavelmente conectados. A mente é imanente na matéria viva, como o processo de auto-organização. Pela primeira vez, temos uma teoria científica que unifica mente, matéria e vida.

Notas

Este ensaio é baseado na Palestra Erwin Schrödinger de 1997, proferida no Trinity College, em Dublin, 9 de setembro de 1997.

1. Schrödinger (1944).
2. Sidney Brenner, citado em Judson (1979), pp. 209-20.
3. Capra (1996).
4. Bertalanffy (1968).
5. Ver Capra (1996), pp. 51-71.
6. Ver, por exemplo, Mosekilde *et al.* (1988).
7. Prigogine (1980).
8. Maturana e Varela (1980).
9. *Ibid.*
10. Maturana (1970).

ENSAIO 20

Complexidade e Vida

2002

DURANTE AS DUAS ÚLTIMAS décadas do século XX, uma nova compreensão da vida emergiu na linha de frente da ciência. A tradição intelectual do pensamento sistêmico e os modelos de sistemas vivos desenvolvidos durante as primeiras décadas do século formam as raízes conceituais e históricas dessa nova compreensão científica da vida.

Pensamento sistêmico significa pensamento baseado em relações, padrões, processos e contexto. Ao longo dos últimos 25 anos, essa tradição científica foi elevada a um novo nível com o desenvolvimento da teoria da complexidade. Tecnicamente conhecida como dinâmica não linear, a teoria da complexidade é uma nova linguagem matemática e um novo conjunto de conceitos para descrever e modelar sistemas não lineares complexos. A teoria da complexidade agora oferece a instigante possibilidade de desenvolver uma visão unificada da vida, integrando as dimensões biológicas, cognitivas e sociais da vida.[1] Neste ensaio, farei uma revisão das atuais realizações e do atual *status* da teoria da complexidade da perspectiva da nova compreensão científica da vida biológica.

Metabolismo – A Essência da Vida

Vamos começar com a velha pergunta: "Qual é a natureza essencial da vida no reino das plantas, dos animais e dos microrganismos?". Para compreender a natureza da vida, não basta compreender o DNA, as proteínas e as outras estruturas moleculares que são os elementos constituintes dos organismos vivos, pois essas estruturas também existem em organismos mortos, por exemplo, em um pedaço de madeira ou em um osso.

A diferença entre um organismo vivo e um organismo morto está no processo básico da vida – no que os sábios e poetas ao longo dos tempos chamaram de "sopro da vida". Na linguagem científica moderna, esse processo é chamado de metabolismo. É o fluxo incessante de energia e matéria através de uma rede de reações químicas, a qual permite que um organismo vivo, continuamente, gere, conserte e perpetue a si mesmo.[2]

A compreensão do metabolismo inclui dois aspectos básicos. Um deles é o fluxo contínuo de energia e matéria. Todos os sistemas vivos precisam de energia e de alimento para se sustentarem, e todos os sistemas vivos produzem resíduos. Mas a vida evoluiu de maneira tal que os organismos formam comunidades – os ecossistemas – em que os resíduos de uma espécie são alimentos para a espécie seguinte, de modo que a matéria circula continuamente através do ecossistema.

O segundo aspecto do metabolismo é a rede de reações químicas que processa os alimentos e forma a base bioquímica de todas as estruturas biológicas, funções e comportamento. A ênfase aqui está na "rede". Uma das percepções mais importantes da nova compreensão científica da vida é o reconhecimento de que as redes constituem o padrão básico de organização dos sistemas vivos. Os ecossistemas são organizados com base em teias alimentares, ou seja, redes de organismos; organismos são redes de células, órgãos e sistemas de órgãos; e células são redes de moléculas. A rede é um padrão comum a todas as formas de vida. Onde quer que vejamos vida, vemos redes.

É importante perceber que essas redes vivas não são estruturas materiais, como uma rede de pesca ou uma teia de aranha. São redes funcionais, redes de relações entre vários processos. Em uma célula, por exemplo, esses processos são reações químicas entre as moléculas da célula. Em uma rede alimentar, os processos são processos de alimentação, de organismos que se alimentam de outros organismos. Em ambos os casos, a rede é um padrão não material de relações.

Um exame mais detalhado dessas redes vivas mostrou que sua característica-chave é que elas são autogeradoras.[3] Em uma célula, por exemplo, todas as estruturas biológicas – as proteínas, o DNA, a membrana celular, e assim por diante – são continuamente produzidas, consertadas e regeneradas pela rede celular. De maneira semelhante, no nível de um organismo multicelular, as células corporais são continuamente regeneradas e recicladas pela rede metabólica do organismo.

Redes vivas são autogeradoras. Elas continuamente criam, ou recriam, a si mesmas, transformando ou substituindo seus componentes. Dessa maneira, elas passam por mudanças estruturais contínuas, embora preservem seus padrões de organização semelhantes aos das redes.

Dinâmica Não Linear

O processo de metabolismo pode ser resumido nas quatro seguintes características-chave da vida biológica:

1. Um sistema vivo é materialmente e energeticamente aberto; precisa ingerir alimentos e excretar resíduos para permanecer vivo.
2. Ele opera afastado do equilíbrio; há um fluxo contínuo de energia e de matéria através do sistema.
3. Ele é organizacionalmente fechado – uma rede metabólica limitada por uma membrana.
4. Ele é autogerador; cada componente ajuda a transformar e a substituir outros componentes.

Todas essas quatro características têm uma coisa em comum: são características de um sistema cuja dinâmica e padrão de organização são não lineares. Os sistemas de não equilíbrio são descritos matematicamente por equações não lineares; as redes são padrões de organização não lineares e multidirecionais. É por isso que a teoria da complexidade é tão importante para a compreensão dos sistemas vivos. Como seu nome técnico "dinâmica não linear" indica, é uma teoria matemática não linear.

Equações não lineares têm propriedades muito diferentes daquelas das equações lineares comumente usadas na ciência. Em uma equação diferencial linear, pequenas mudanças produzem pequenos efeitos e grandes efeitos são obtidos adicionando-se muitas pequenas mudanças. Do ponto de vista da matemática, isso significa que a soma de duas soluções é novamente uma solução, o que torna as equações lineares relativamente fáceis de resolver. Elas são chamados de lineares porque podem ser representadas em um gráfico por uma linha reta. As equações não lineares, por outro lado, são representadas por gráficos que são curvas, são muito difíceis de resolver e exibem uma série de propriedades incomuns.

Na ciência, até recentemente sempre evitamos o estudo de sistemas não lineares por causa das dificuldades matemáticas envolvidas nas equações que os descrevem. Sempre que apareciam equações não lineares, eram substituídas por aproximações lineares. Em vez de descrever os fenômenos em toda a sua complexidade, as equações da ciência clássica lidam com *pequenas* oscilações, ondas *rasas*, *pequenas* mudanças de temperatura, e assim por diante, para as quais as equações lineares podem ser aplicadas. Isso se tornou um hábito tal que muitos cientistas e engenheiros vieram a acreditar que praticamente todos os fenômenos naturais podiam ser descritos por equações lineares.

A mudança decisiva que ocorreu ao longo dos últimos 25 anos foi a de reconhecer a importância de fenômenos não lineares e para desenvolver técnicas matemáticas para resolver equações não lineares. O uso de computadores desempenhou um papel crucial nesse desenvolvimento. Com a ajuda de computadores poderosos de alta velocidade, matemáticos agora são capazes de resolver equações complexas que antes eram intratáveis. Ao fazer isso, eles desenvolveram uma série de técnicas, um novo tipo de linguagem matemática que revelou padrões muito surpreendentes por baixo do comportamento aparentemente caótico de sistemas não lineares, uma ordem subjacente sob o caos aparente.[4]

Passarei agora a revisar algumas das principais características da dinâmica não linear, a teoria da complexidade.[5] Quando você resolve uma equação não linear com essas novas técnicas matemáticas, o resultado não é uma fórmula, mas uma forma visual, um padrão traçado pelo computador, conhecido como "atrator". Um atrator é uma figura geométrica em duas, três ou mais dimensões, que representam as variáveis necessárias para descrever o sistema. Essas dimensões formam um espaço matemático chamado *espaço de fase*. Cada ponto no espaço de fase é determinado pelos valores das variáveis do sistema, que, por sua vez, determinam completamente o estado do sistema.

Em outras palavras, cada ponto no espaço de fase representa o sistema em um determinado estado. Conforme o sistema muda, o ponto que o representa descreve uma trajetória que representa a dinâmica do sistema. O atrator, então, é o padrão dessa trajetória no espaço de fase. É chamado de "atrator" porque representa a dinâmica em longo prazo do sistema. Um sistema não linear normalmente se moverá de várias maneiras no início, dependendo de como foi iniciado, mas então se estabelecerá em um comportamento característico em longo prazo, representado pelo atrator. Metaforicamente falando, a trajetória é "atraída" para esse padrão, seja qual for o seu ponto de partida.

Nos últimos vinte anos, cientistas e matemáticos exploraram uma ampla variedade de sistemas complexos. Caso após caso, eles montariam equações não lineares e fariam com que os computadores rastreassem as soluções como trajetórias no espaço de fase. Para sua grande surpresa, esses pesquisadores descobriram que há um número muito limitado de atratores diferentes. Suas formas podem ser classificadas topologicamente, e as propriedades dinâmicas gerais de um sistema podem ser deduzidas da forma de seu atrator.

A análise de sistemas não lineares com base nas características topológicas de seus atratores é conhecida como "análise qualitativa". Um sistema não linear pode ter vários atratores, e eles podem ser de vários tipos diferentes. Todas as trajetórias, começando dentro de uma certa região do espaço de fase, levarão, mais cedo ou mais tarde, ao mesmo atrator. Essa região é chamada de "bacia de atração" desse atrator. Dese modo, o espaço de fase de um sistema não linear é dividido em várias bacias de atração, cada uma delas encaixando seu atrator separado.

Quando tentamos avaliar as realizações e o *status* atual da teoria da complexidade, precisamos nos lembrar, em primeiro lugar, de que a dinâmica não linear não é uma teoria científica, no sentido de uma análise de base empírica de fenômenos naturais ou sociais. É uma teoria *matemática*, ou seja, um corpo de conceitos e técnicas matemáticas apropriados à descrição de sistemas não lineares. A mais importante realização da dinâmica não linear, a meu ver, consiste em proporcionar a linguagem adequada para lidar com sistemas não lineares. Os conceitos-chave dessa linguagem – caos, atratores, fractais, análise qualitativa, e assim por diante – não existiam há 25 anos. Agora, sabemos que tipo de perguntas devemos fazer quando lidamos com sistemas não lineares.

Ter à nossa disposição a linguagem matemática apropriada não significa que sabemos como construir um modelo matemático em um caso particular. Precisamos simplificar um sistema altamente complexo, escolhendo algumas variáveis importantes, e então, precisamos montar as equações adequadas para interconectar essas variáveis. Essa é a interação entre ciência e matemática. Portanto, a criação de uma nova linguagem é, a meu ver, a realização plena da dinâmica não linear. E agora há conquistas parciais em vários campos; entre elas, devo agora concentrar-me nas conquistas que levaram a grandes avanços em nossa compreensão da vida biológica.

Teoria das Estruturas Dissipativas

O químico russo e ganhador do prêmio Nobel Ilya Prigogine foi um dos primeiros a usar a dinâmica não linear para explorar propriedades básicas dos sistemas vivos. O que mais intrigou Prigogine foi o fato de que os organismos vivos são capazes de manter seus processos de vida em condições de não equilíbrio. Durante a década de 1960, ele ficou fascinado por sistemas afastados do equilíbrio e começou uma investigação detalhada para descobrir exatamente em que condições as situações de não equilíbrio podem ser estáveis.

O avanço crucial ocorreu quando ele constatou que sistemas afastados do equilíbrio precisam ser descritos por equações não lineares. O claro reconhecimento dessa ligação entre "afastado do equilíbrio" e "não linearidade" abriu toda uma linha de pesquisa para Prigogine, a qual culminaria, uma década depois, em sua teoria das estruturas dissipativas, formulada na linguagem da dinâmica não linear.[6]

Um organismo vivo é um sistema aberto que se mantém em um estado afastado do equilíbrio, mas estável; a mesma estrutura global é mantida, apesar de um progressivo fluxo e mudança de componentes. Prigogine chamou de sistemas abertos os descritos por sua teoria das estruturas dissipativas a fim de enfatizar essa estreita interação entre estrutura, por um lado, e fluxo e mudança (ou dissipação), por outro. Quanto mais uma estrutura dissipativa está afastada do equilíbrio, maior é sua complexidade e o grau de não linearidade das equações matemáticas que a descrevem.

A dinâmica dessas estruturas dissipativas inclui especificamente a emergência espontânea de novas formas de ordem. Quando o fluxo de energia aumenta, o sistema pode encontrar um ponto de instabilidade, ou ponto de bifurcação, no qual ele pode ramificar-se para um estado inteiramente novo, onde novas estruturas e formas de ordem podem emergir.

Essa emergência espontânea de ordem em pontos críticos de instabilidade, muitas vezes simplesmente conhecida como "emergência", é um dos conceitos mais importantes da nova compreensão da vida. A emergência é um dos "selos de qualidade" da vida. Ela tem sido reconhecida como a origem dinâmica do desenvolvimento, da aprendizagem e da evolução. Em outras palavras, a criatividade – a geração de novas formas – é uma propriedade-chave de todos os sistemas vivos. E uma vez que a emergência é parte integrante da dinâmica dos sistemas abertos, isso significa que sistemas abertos se desenvolvem e evoluem. A vida constantemente busca a novidade.

A teoria das estruturas dissipativas explica não apenas a emergência espontânea da ordem, mas também nos ajuda a definir a complexidade. Considerando que, tradicionalmente, o estudo da complexidade tem sido um estudo de estruturas complexas, o foco está agora mudando das estruturas para os processos de sua emergência. Por exemplo, em vez de definir a complexidade de um organismo com base no número de seus diferentes tipos de células, como os biólogos costumam fazer, podemos defini-la como o número de bifurcações pelas quais o embrião passa no desenvolvimento do organismo. Assim, o biólogo britânico Brian Goodwin fala de "complexidade morfológica".[7]

Desenvolvimento Celular

A teoria da emergência, conhecida tecnicamente como teoria da bifurcação, foi extensamente estudada por matemáticos e cientistas, entre eles o biólogo norte-americano Stuart Kauffman. Kauffman usou a dinâmica não linear para construir modelos binários de redes genéticas e foi notavelmente bem-sucedido em predizer algumas características-chave da diferenciação celular.[8]

Uma rede binária, também conhecida como rede booleana, consiste em nodos capazes de apresentar dois valores distintos, convencionalmente rotulados como ON e OFF (isto é, LIGADO e DESLIGADO). Os nodos são acoplados uns aos outros de maneira tal que o valor de cada nodo é determinado pelos valores prévios de nodos vizinhos de acordo com alguma "regra de comutação".

Quando Kauffman estudou redes genéticas, ele percebeu que cada gene no genoma é diretamente regulado apenas por alguns outros genes, e ele também sabia que os genes são ligados e desligados em resposta a sinais específicos. Em outras palavras, os genes não agem simplesmente; eles precisam ser ativados. Biólogos moleculares falam em padrões de expressão gênica. Isso deu a Kauffman a ideia de modelar redes genéticas e padrões de expressão gênica com base em redes binárias com certas regras de comutação. A sucessão de estados ON-OFF nesses modelos está associada a uma trajetória no espaço de fase e é classificada com base em diferentes tipos de atratores.

Um exame extensivo de uma ampla variedade de redes binárias complexas mostrou que elas exibem três amplos regimes de comportamento: um regime ordenado com componentes congelados (ou seja, nodos que permanecem ON ou OFF), um regime caótico sem componentes congelados (ou seja, nodos que se alternam para a frente e para trás entre ON e OFF), e uma região limítrofe entre ordem e caos onde os componentes congelados apenas começam a mudar.

A hipótese central de Kauffman é a de que sistemas vivos existem nessa região fronteiriça próxima da chamada margem do caos. Ele acredita que a seleção natural pode favorecer e sustentar sistemas vivos na margem do caos porque eles podem ser mais capazes de coordenar um comportamento complexo e flexível. Para testar sua hipótese, Kauffman aplicou seu modelo às redes genéticas em organismos vivos e conseguiu derivar dele várias previsões surpreendentes e muito precisas.

No âmbito da teoria da complexidade, o desenvolvimento de um organismo é caracterizado por uma série de bifurcações, cada uma delas correspondendo a um novo tipo de célula. Cada tipo de célula corresponde a um padrão diferente de expressão gênica e, portanto, a um diferente atrator. O genoma humano contém entre trinta mil e cem mil genes. Em uma rede binária desse tamanho, as possibilidades de diferentes padrões de expressão gênica são astronômicas. No entanto, Kauffman pode mostrar que, na margem do caos, o número de atratores em tal rede é aproximadamente igual à raiz quadrada do número de seus elementos. Portanto, a rede humana de genes deve se expressar em aproximadamente 245 diferentes tipos de células. Esse número chega muito perto dos 254 tipos de células distintos identificados em seres humanos.

Kauffman também testou seu modelo de atrator com previsões do número de tipos de células para várias outras espécies e, novamente, a concordância com os números reais observados foram muito boas. Outra previsão do modelo de atrator de Kauffman diz respeito à estabilidade dos tipos de células. Uma vez que o núcleo congelado da rede binária é idêntico para todos os atratores, todos os tipos de células em um organismo devem expressar principalmente o mesmo conjunto de genes e deve diferir pelas expressões de apenas uma pequena porcentagem de genes. Esse é realmente o caso para todos os organismos vivos.

Tendo em vista o fato de que esses modelos binários de redes genéticas são muito crus, e que as previsões de Kauffman derivam das características muito gerais do modelo, a concordância com os dados observados precisa ser considerada como um sucesso notável da dinâmica não linear.

Morfologia

Uma área muito rica e promissora para a teoria da complexidade na biologia é o estudo da origem da forma biológica, conhecida como morfologia. Este é um campo de estudo que era muito ativo no século XVIII, mas depois foi eclipsado pela abordagem mecanicista da biologia, até retornar muito recentemente com a ênfase na dinâmica não linear em padrões e formas.

Uma percepção-chave da nova compreensão da vida tem sido a de que as formas biológicas não são determinadas por uma "planta genética", mas são propriedades emergentes de toda uma rede epigenética de processos metabólicos. Para compreender a emergência da forma biológica, precisamos compreender não apenas as estruturas genéticas e a bioquímica da célula, mas também a dinâmica complexa que se desdobra quando a rede epigenética encontra as restrições físicas e químicas de seu ambiente. Nesse encontro, as interações entre as variáveis físicas e químicas do organismo são altamente complexas e podem ser representadas em modelos simplificados por meio de equações não lineares. As soluções dessas equações, representadas por um número limitado de atratores, correspondem ao número limitado de formas biológicas possíveis. Essa técnica foi aplicada a várias formas biológicas, desde padrões de ramificação de plantas e colorização de conchas marinhas até a construção dos edifícios-ninhos de cupins.[9]

Um bom exemplo é o trabalho de Brian Goodwin, que usou a dinâmica não linear para modelar os estágios de desenvolvimento de uma alga unicelular do Mediterrâneo, chamada *Acetabularia*, a qual forma belas capinhas de "guarda-sol".[10] Como as células de todas as plantas e animais, a célula dessa alga é modelada e sustentada por seu citoesqueleto, uma estrutura complexa e intrincada de filamentos de proteína. O citoesqueleto está sujeito a várias tensões mecânicas e acontece que uma influência de importância-chave em seu estado mecânico – sua rigidez ou maciez – é a concentração de cálcio na célula. O citoesqueleto está ancorado na parede celular, e seu comportamento sob tensões mecânicas, portanto, dá origem à forma biológica da alga.

Uma vez que as propriedades mecânicas do citoesqueleto no nível molecular sejam complexas demais para que se consiga descrevê-las matematicamente, Goodwin e seus colaboradores as aproximaram por meio de um campo contínuo, conhecido em física como campo tensorial de tensões. Eles então conseguiram estabelecer equações não lineares que inter-relacionavam padrões de concentração de cálcio no fluido celular da alga com as propriedades mecânicas das paredes celulares.

Essas equações contêm numerosos parâmetros, como a constante de difusão para o cálcio, a resistência do citoesqueleto à deformação, e assim por diante. Na natureza, essas quantidades são determinadas geneticamente e mudam de espécie para espécie, de modo que diferentes espécies produzem diferentes formas biológicas.

Goodwin e seus colegas testaram vários parâmetros em simulações de computador para explorar os tipos de forma que uma alga em desenvolvimento pode produzir. Eles conseguiram simular toda uma sequência de estruturas que aparecem no desenvolvimento do caule e do guarda-sol característicos da alga.

Essas formas emergiram como bifurcações sucessivas dos atratores que representam a interação entre padrões de cálcio e deformações mecânicas.

A lição a ser aprendida a partir desses modelos de morfologia vegetal é a de que a forma biológica emerge da dinâmica não linear da rede epigenética do organismo à medida que interage com as restrições físicas de sua estruturas moleculares. Os genes não fornecem uma planta para as formas biológicas. Eles fornecem as condições iniciais que determinam que tipo de dinâmica – ou, matematicamente, que tipo de atratores – aparecerá em uma determinada espécie. Dessa maneira, os genes estabilizam a emergência da forma biológica.

Estabilidade do Desenvolvimento

Da origem da forma biológica, passarei agora a examinar o desenvolvimento de um embrião.[11] A teoria da complexidade pode lançar uma nova luz sobre uma propriedade intrigante do desenvolvimento biológico, a qual foi descoberta há quase cem anos pelo embriologista alemão Hans Driesch. Com uma série de experimentos cuidadosos com ovos de ouriço do mar, Driesch mostrou que poderia destruir várias células nos estágios bem iniciais do embrião, sem que isso impedisse que o ouriço se desenvolvesse e crescesse até se tornar um ouriço do mar maduro. Da mesma maneira, experimentos genéticos mais recentes mostraram que "nocautear" genes isolados, mesmo quando fossem considerados essenciais, tinha muito pouco efeito no funcionamento do organismo.

Essa extremamente notável estabilidade e robustez do desenvolvimento biológico significa que um embrião pode começar em diferentes estágios iniciais – por exemplo, se genes isolados ou células inteiras são destruídos acidentalmente – mas, mesmo assim, atingir a mesma forma madura que é característica de sua espécie. A questão é: "O que mantém o desenvolvimento no caminho certo?".

Há um consenso emergente entre os pesquisadores genéticos segundo o qual essa robustez indica uma redundância nas vias genéticas e metabólicas. Parece que as células mantêm muitos caminhos para a produção de estruturas celulares essenciais e para o suporte de processos metabólicos essenciais. Essa redundância garante não apenas a notável estabilidade do desenvolvimento biológico, mas também a grande flexibilidade e a adaptabilidade a mudanças ambientais inesperadas. A redundância genética e metabólica pode ser considerada, talvez, como o equivalente da biodiversidade nos ecossistemas. Parece que a vida desenvolveu ampla diversidade e redundância em todos os níveis de complexidade.

A observação da redundância genética está em total contradição com o determinismo genético, e, em particular, com a metáfora do "gene egoísta" proposta pelo biólogo britânico Richard Dawkins.[12] De acordo com Dawkins, os genes comportam-se como se fossem egoístas, competindo constantemente, por meio dos organismos que eles produzem, para deixar mais cópias de si mesmos.[13] Dessa perspectiva reducionista, a existência generalizada de genes redundantes não faz sentido evolutivo algum. Em contrapartida, de um ponto de vista sistêmico reconhecemos que a seleção natural não opera sobre genes individuais, mas, isto sim, nos padrões de auto-organização do organismo. Em outras palavras, o que é selecionado pela natureza não é o gene individual, mas a resistência do ciclo vital do organismo.

A existência de múltiplas vias é uma propriedade essencial de todas as redes; pode até mesmo ser considerada como a característica que define uma rede. Portanto, não é surpreendente o fato de que a teoria da complexidade, que é eminentemente adequada para a análise de redes, deve contribuir com percepções importantes quanto à natureza da estabilidade do desenvolvimento.

Na linguagem da dinâmica não linear, o processo de desenvolvimento biológico é considerado como um desdobramento contínuo de um sistema não linear à medida que o embrião se forma a partir de um domínio extenso de células.[14] Essa "extensa superfície de células" tem certas propriedades dinâmicas que dão origem a uma sequência de deformações e dobramentos que ocorrem à medida que o embrião emerge. Todo o processo pode ser representado matematicamente por uma trajetória no espaço de fase movendo-se dentro de uma bacia de atração em direção a um atrator que descreve o funcionamento do organismo em sua forma adulta estável.

Uma propriedade característica de sistemas não lineares complexos é o fato de eles exibirem uma certa "estabilidade estrutural". Uma bacia de atração pode ser perturbada ou deformada sem que haja alteração das características básicas do sistema. No caso de um embrião em desenvolvimento, isso significa que as condições iniciais do processo podem ser alteradas até certo ponto sem que isso perturbe seriamente o desenvolvimento como um todo. Desse modo, a estabilidade do desenvolvimento, que parece muito misteriosa da perspectiva do determinismo genético, é reconhecida como uma consequência de uma propriedade básica de sistemas não lineares complexos.

Origem da Vida

O último exemplo da minha revisão das aplicações da teoria da complexidade a problemas de biologia não se refere a uma conquista real, mas ao potencial para um grande avanço revolucionário na resolução de um velho quebra-cabeça científico – a questão da origem da vida na Terra.[15]

Desde Darwin, os cientistas têm debatido a probabilidade de a vida ter emergido de uma "sopa química" primordial que se formou há quatro bilhões de anos, quando o planeta esfriou e os oceanos primitivos se expandiram. A ideia de que pequenas moléculas devem ter se reunido espontaneamente em estruturas de complexidade cada vez maior vai contra toda experiência convencional com sistemas químicos simples. Por isso, muitos cientistas argumentaram que as probabilidades de que tenha ocorrido uma tal evolução pré-biótica são imensamente pequenas, ou, alternativamente, que deve ter havido um evento desencadeante extraordinário, como uma semeadura da Terra por macromoléculas vindas em meteoritos.

Hoje, nossa posição inicial para resolver esse quebra-cabeça é radicalmente diferente. Os cientistas que trabalham nesse campo chegaram a reconhecer que a falha do argumento convencional reside na ideia de que a vida deve ter surgido de uma sopa química por meio de um aumento progressivo da complexidade molecular. O novo pensamento parte da hipótese de que muito cedo, *antes* do aumento da complexidade molecular, certas moléculas se reuniram em membranas primitivas que, espontaneamente, formaram bolhas fechadas, e que a evolução da complexidade molecular ocorreu dentro dessas bolhas, e não em uma sopa química sem estrutura.

Acontece que pequenas bolhas, conhecidas pelos químicos como vesículas, formam-se espontaneamente quando há uma mistura de óleo e água, como podemos facilmente observar quando colocamos óleo e água juntos e agitamos a mistura. Na verdade, o bioquímico italiano Pier Luigi Luisi e seus colaboradores do Instituto Federal Suíço de Tecnologia prepararam repetidamente ambientes adequados de "água e sabão" nos quais vesículas com membranas primitivas, feitas de substâncias gordurosas conhecidas como lipídios, formaram-se espontaneamente.[16]

O biólogo Harold Morowitz desenvolveu um cenário detalhado para a evolução pré-biótica ao longo dessas linhas.[17] Ele aponta para o fato de que a formação de vesículas limitadas por membranas nos oceanos primitivos criou dois diferentes ambientes – um externo e um interno – nos quais diferenças de composição poderiam se desenvolver. O volume interno de uma vesícula fornece um microambiente fechado no qual reações químicas dirigidas podem ocorrer. Isso significa que moléculas que normalmente são raras podem se formar aí em grandes quantidades. Essas moléculas incluem, em particular, os elementos constituintes da própria membrana, que se incorporam à membrana existente, de modo que toda a área da membrana aumenta. Em algum ponto desse processo de crescimento, as forças estabilizantes não são mais capazes de manter a integridade da membrana, e a vesícula se rompe em duas ou mais bolhas menores.

Esses processos de crescimento e replicação ocorrerão apenas se houver um fluxo de energia e matéria através da membrana. Morowitz descreve um cenário plausível de como isso poderia ter acontecido. As membranas das vesículas são semipermeáveis, e, assim, várias pequenas moléculas podem entrar nas bolhas ou ser incorporadas na membrana. Entre eles estarão os chamados cromóforos, moléculas que absorvem a luz solar. A presença deles cria potenciais elétricos através da membrana, e assim a vesícula torna-se um dispositivo que converte energia luminosa em energia potencial elétrica. Uma vez que esse sistema de conversão de energia passa a operar, torna-se possível que um fluxo contínuo de energia dirija os processos químicos dentro da vesícula.

Nesse ponto, vemos que duas características definidoras da vida celular manifestam-se sob forma rudimentar nessas bolhas primitivas limitadas por uma membrana. As vesículas são sistemas abertos sujeitos a fluxos contínuos de energia e matéria, enquanto seus interiores são espaços relativamente fechados nos quais redes de reações químicas podem se desenvolver. Podemos reconhecer essas duas propriedades como as raízes das redes vivas e de suas estruturas dissipativas.

Então, o palco está armado para a evolução pré-biótica. Em uma grande população de vesículas haverá muitas diferenças em suas propriedades químicas e seus componentes estruturais. Se essas diferenças persistirem quando as bolhas se dividem, podemos falar de "espécies" de vesículas, e uma vez que essas espécies competirão por energia e por várias moléculas de seu ambiente, uma espécie de dinâmica darwiniana de competição e de seleção natural ocorrerá, na qual acidentes moleculares poderão ser amplificados e selecionados em vista de suas vantagens "evolutivas".

Assim, vemos que vários mecanismos puramente físicos e químicos fornecem as vesículas limitadas por membranas com o potencial de "evoluir", por meio de seleção natural, em estruturas complexas de autoprodução sem enzimas ou genes nesses estágios iniciais. Um aumento dramático na complexidade molecular deve ter ocorrido quando catalisadores, baseados no nitrogênio, entraram no sistema, pois os catalisadores criam redes químicas complexas ao interligar diferentes reações. Uma vez que isso aconteça, toda a dinâmica não linear das redes, inclusive a emergência espontânea de novas formas de ordem, entra em jogo.

A etapa final na emergência da vida foi a evolução de proteínas, ácidos nucleicos e o código genético. Atualmente, os detalhes dessa fase ainda são muito misteriosos. No entanto, devemos nos lembrar de que a evolução de redes catalíticas dentro dos espaços fechados das protocélulas criou um novo tipo de química de rede que ainda é muito mal compreendida. É aqui que a teoria da complexidade poderia gerar novas percepções que nos permitirão reconhecimentos decisivos. Podemos esperar que a aplicação da dinâmica não linear a essas redes químicas complexas lançará uma luz considerável sobre a última fase da evolução pré-biótica.

Na verdade, Morowitz aponta para o fato de que a análise das vias químicas, desde as pequenas moléculas até os aminoácidos, revela um conjunto extraordinário de correlações que parecem sugerir, como ele afirma, uma "lógica de rede profunda" no desenvolvimento do código genético. A futura compreensão dessa lógica de rede pode se tornar uma das maiores conquistas da teoria da complexidade na biologia.

Notas

Este ensaio baseia-se em uma palestra proferida na Complejidad 2002, "International Seminar on the Philosophical, Epistemological, and Methodological Implications of Complexity Theory" [Seminário Internacional sobre as Implicações Filosóficas, Epistemológicas e Metodológicas da Teoria da Complexidade], Havana, Cuba, janeiro de 2002. Foi publicado em *Theory Culture & Society*, *22* (5), outubro de 2005, pp. 33-44, edição especial sobre complexidade, John Urry, org.

1. Capra (2002).
2. Veja Margulis (1998), p. 63
3. Veja Capra (1996), pp. 95ss.
4. Veja Stewart (1989).
5. Veja Capra (1996), pp. 112; Mosekilde *et al.* (1998).
6. Prigogine e Glansdorff (1971); veja também Capra (1996), pp. 172ss.
7. Brian Goodwin, comunicação pessoal, 1998.
8. Kauffman (1991, 1993); veja também Capra (1996), pp. 194ss.
9. Veja Solé e Goodwin (2000), Stewart (1998).
10. Goodwin (1994), pp. 77ss.
11. Veja Capra (2002), pp. 152-53.
12. Dawkins (1976).
13. Veja Goodwin (1994), pp. 29, para uma discussão crítica sobre a metáfora do "gene egoísta".
14. Brian Goodwin, comunicação pessoal, 1998.
15. Veja Capra (2002), pp. 17ss.
16. Luisi (1996).
17. Morowitz (1992).

ENSAIO 21

Arcadia e a Ciência da Complexidade

2013

O Dilema da Ciência do Século XIX

As ideias científicas subjacentes à peça *Arcadia* referem-se a um dilema fundamental que surgiu na ciência no século XIX e só foi resolvido durante os últimos quarenta anos. Na peça, uma jovem gênia, Thomasina, é creditada tanto por causa da descoberta do dilema como por por ter descoberto alguns aspectos-chave da solução.[1]

Para compreender o dilema, precisamos examiná-lo no contexto da ciência newtoniana clássica. A mecânica newtoniana era uma ciência das bolas de bilhar, de forças e trajetórias, na qual o mundo era entendido como completamente causal e determinado. Tudo o que aconteceu teve uma causa definida e deu origem a um efeito definido. O futuro de qualquer parte do sistema, assim como seu passado, poderia, em princípio, ser conhecido com certeza absoluta se o seu estado em qualquer dado instante fosse conhecido em todos os detalhes.

Na peça, Valentine nos diz:

> Houve alguém, não importa o seu nome, na década de 1820, o qual indicara que, a partir das leis de Newton, você poderia prever tudo o que viria a acontecer – quero dizer, você precisaria de um computador tão grande quanto o universo, mas a fórmula existiria.

Esse "alguém" era Pierre Simon de Laplace. Ele é parafraseado por Thomasina:

> Se você pudesse parar cada átomo em sua posição...

A passagem original de Laplace é uma das citações mais famosas da ciência:

> Um intelecto que em um dado instante conhecesse todas as forças atuantes na natureza, e a posição de todas as coisas nas quais o mundo consiste – supondo que o referido intelecto fosse vasto o suficiente para submeter esses dados à análise –, abraçaria na mesma fórmula os movimentos dos maiores corpos no universo e os dos menores átomos; nada seria incerto para ele, e o futuro, assim como o passado, estaria presente aos seus olhos.[2]

Nesse determinismo laplaciano, não há diferença entre o passado e o futuro. Ambos estão implícitos no estado atual do mundo e nas equações newtonianas do movimento. Todos os processos são estritamente reversíveis. Futuro e passado são intercambiáveis; não há espaço para a história, a novidade ou a criatividade.

Ora, observou-se na própria física newtoniana clássica que há efeitos irreversíveis na natureza, como o atrito. Em qualquer máquina, há atrito entre as partes móveis, o que envolve uma dissipação de energia em calor. Esse calor não pode ser recuperado. O processo não pode ser revertido. No entanto, na física clássica, essas perdas de calor eram consideradas muito pequenas e eram simplesmente negligenciadas. No século XIX, essa situação mudou dramaticamente. Com a invenção das máquinas térmicas (ou motores térmicos), a irreversibilidade das perdas de calor – isto é, da dissipação de energia – tornou-se o foco central da nova ciência da termodinâmica.

Thomasina diz na peça:

> Diz respeito à sua máquina térmica. Melhore-a quanto quiser, você nunca conseguirá tirar dela o que você nela colocou. Ela reembolsará, no máximo, onze centavos por real.*

A irreversibilidade da dissipação de energia significa que os processos naturais sempre se dirigem para uma certa direção, no sentido de uma quantidade cada vez maior de dissipação de energia. Essa é a famosa segunda lei da termodinâmica, a lei da dissipação da energia. Ela diz que há nos fenômenos físicos uma tendência da ordem para a desordem. Há duas referências a isso na peça. Ela é mencionada pela primeira vez por Thomasina:

> Se você mexer a geleia no sentido inverso, ela não se reunirá novamente [consigo mesma, recuperando a integridade original] [...]

A segunda referência ocorre em uma conversa entre Valentine e Hannah:

> Seu chá esfria por si mesmo, ele não esquenta por si mesmo. [...]

Com a segunda lei, a termodinâmica introduziu na ciência a ideia de uma "seta do tempo". De acordo com a segunda lei, alguma energia mecânica sempre se dissipa em calor que não pode ser completamente recuperado. Como explica Thomasina,

> As equações de Newton vão para a frente e para trás, elas não se importam com qual caminho tomar. Mas a equação térmica se preocupa muito com isso, ela segue apenas por um caminho.

---

* No original: "onze pence por xelim". (N. do T.)

Isso é posteriormente elaborado no diálogo entre Hannah e Valentine:

> O que ela viu? – Que você não pode rodar o filme para trás...

As consequências da segunda lei da termodinâmica, de acordo com seus intérpretes do século XIX, afirmam que toda a máquina do mundo está esgotando sua energia e acabará parando. Na peça, Hannah fala sobre a

> certeza melancólica de um mundo sem luz nem vida [...] como um fogão de madeira que precisa consumir a si mesmo até que as cinzas e o fogão sejam um só, e o calor desapareça da terra.

No entanto, físicos e engenheiros não foram os únicos que pensaram sobre a seta do tempo no século XIX. Foi nessa época que os geólogos, biólogos, filósofos e poetas começaram, todos eles, a pensar sobre mudança, crescimento, desenvolvimento e evolução. O pensamento do século XIX estava profundamente preocupado com a natureza do vir a ser.

E aqui apareceu o dilema fundamental. A figura sombria da evolução cósmica pintada pelos físicos – um motor que lentamente se desacelera e acaba parando – estava em nítido contraste com o pensamento evolutivo dos biólogos, os quais observaram que o universo vivo evolui da desordem para a ordem, em direção a estados de complexidade cada vez maior.

No fim do século XIX, então, a mecânica newtoniana, a ciência das trajetórias eternas e reversíveis, foi suplementada por duas visões diametralmente opostas da mudança evolutiva – a de um mundo vivo se desdobrando em direção à ordem e à complexidade crescentes, e a de um motor parando, um mundo em que a desordem é cada vez maior. Quem estava certo, os físicos ou os biólogos?

A Nova Matemática da Complexidade

No século XX, os cientistas perceberam que o pensamento evolutivo – o pensamento baseado na mudança, no crescimento e no desenvolvimento – exigia uma nova ciência da complexidade. Foram feitas tentativas para formular essa nova ciência durante a primeira metade do século, mas o avanço desbravador ocorreu apenas nas décadas de 1960 e 1970, quando foi desenvolvida uma nova matemática que poderia lidar com a complexidade exibida pelos sistemas em desenvolvimento e evolução.[3]

Na peça, o dilema das duas visões da evolução nunca é totalmente declarado, e a propriedade-chave da matemática necessária para resolvê-lo não é explicada. Mas tudo isso é sugerido; tudo está implícito nos diálogos. *Arcadia* é uma peça tão instigante para um cientista porque todas as referências à nova matemática e às ciências da complexidade estão absolutamente corretas. Até onde eu posso ver, não há erros conceituais.

Para compreender o significado da nova matemática da complexidade, precisamos examinar brevemente a história da matemática. No século XVII, os cientistas tinham duas linguagens matemáticas diferentes à sua disposição para resolver problemas e formular teorias. Uma delas era a geometria, desenvolvida pelos gregos; a outra era a álgebra, inventada na Índia e desenvolvida posteriormente por matemáticos islâmicos na Pérsia.

A álgebra elementar envolve equações em que as letras – por convenção, tiradas do início do alfabeto – representam vários números constantes. Um exemplo bem conhecido, que você deve se lembrar de seus anos de escola, é a equação

$$(a + b)^2 = a^2 + 2ab + b^2$$

A álgebra superior envolve relações, chamadas funções, entre números variáveis desconhecidos, ou variáveis, que são indicados por letras tomadas, por convenção, do fim do alfabeto. Por exemplo, na equação

$$y = x + 1$$

a variável y é considerada "uma função de x".

Então, na época do Galileu, havia duas abordagens diferentes para resolver problemas matemáticos – geometria e álgebra – que vieram de diferentes culturas.

Essas duas abordagens foram unificadas por René Descartes, que é geralmente considerado o fundador da filosofia moderna e que também foi um matemático brilhante. Descartes inventou um método para tornar as fórmulas algébricas e as equações visíveis como formas geométricas. O método é hoje conhecido como geometria analítica. Envolve as chamadas coordenadas cartesianas, o sistema de coordenadas inventado por Descartes e batizado com seu nome. Por exemplo, quando a relação entre as duas variáveis *x* e *y* em nosso exemplo anterior, isto é, a equação $y = x + 1$, é representada em um gráfico com coordenadas cartesianas, ela se parece com isto:

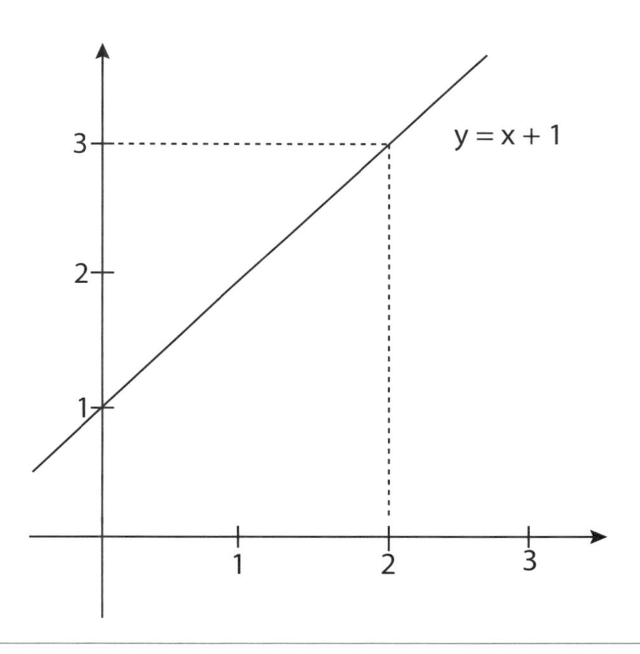

Figura 10. Gráfico correspondente à equação $y = x + 1$.

Para qualquer ponto da linha reta, o valor da coordenada *y* é sempre uma unidade a mais do que a coordenada *x*. Vemos que a equação corresponde a uma linha reta. É por isso que as equações desse tipo são chamadas de equações lineares.

De maneira semelhante, a equação $y = x^2$ é representada por uma parábola:

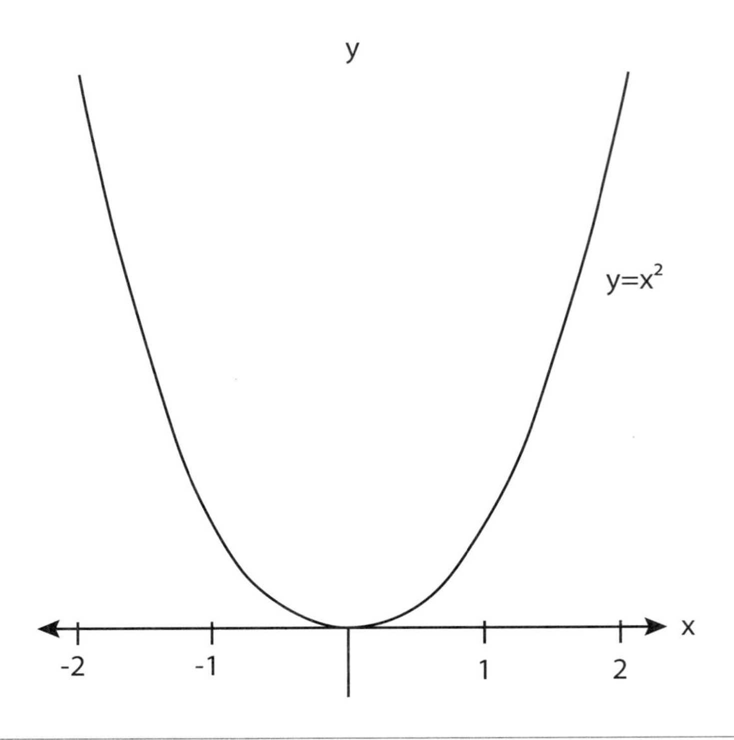

Figura 11. Gráfico correspondente à equação $y = x^2$.

Para qualquer ponto da parábola, a coordenada *y* é igual ao quadrado da coordenada *x*. Equações desse tipo, correspondentes a curvas na grade cartesiana, são chamadas de equações não lineares. Elas têm a característica distintiva de que uma ou várias de suas variáveis são elevadas ao quadrado ou elevadas a potências superiores.

Com o novo método de Descartes, as leis da física poderiam ser expressas tanto na forma algébrica, como equações, como na forma geométrica, como formas visuais. Essa tarefa foi completada por Isaac Newton, que descreveu todos os movimentos possíveis de corpos sólidos com base em um conjunto de equações, que são conhecidas como "equações do movimento de Newton". Essas equações formam o fundamento matemático da física clássica.

As equações de Newton foram um sucesso triunfante. Na prática, no entanto, as limitações da modelagem da natureza por meio dessas equações de movimento logo se tornaram evidentes. *Montar* as equações é uma coisa; *resolvê-las* é outra, totalmente diferente. Soluções exatas eram restritas a alguns fenômenos simples e regulares, enquanto a complexidade de enormes áreas da natureza parecia se esquivar de todas as modelagens matemáticas. Por exemplo, o movimento relativo de dois corpos sob a ação da força da gravidade poderia ser calculado com precisão; mas o movimento de três corpos já era difícil demais para uma solução exata, e quando se tratava de gases com milhões de partículas, a situação parecia desesperadora.

Em particular, os cientistas logo descobriram que fenômenos complexos demais para poderem ser estudados e esclarecidos por meio de soluções matemáticas exatas correspondiam a equações de movimento não lineares. Uma vez que essas equações eram complexas demais para serem resolvidas, e por causa da natureza aparentemente caótica dos fenômenos físicos associados – como fluxos turbulentos de água e ar – os cientistas geralmente evitavam o estudo de sistemas não lineares.

Assim, sempre que apareciam equações não lineares, elas eram imediatamente "linearizadas", isto é, substituídas por aproximações lineares. Desse modo, em vez de descrever os fenômenos em sua plena complexidade, as equações da ciência clássica lidam com *pequenas* oscilações, ondas *rasas*, *pequenas* mudanças de temperatura, e assim por diante, situações para as quais equações lineares podem ser formuladas. Isso se tornou um hábito tal que a maioria dos cientistas e engenheiros passaram a acreditar que praticamente todos os fenômenos naturais poderiam ser descritos por equações lineares.

A mudança decisiva nas últimas três décadas consistiu em reconhecer a importância dos fenômenos não lineares e desenvolver técnicas matemáticas para resolver equações não lineares. O uso de grandes computadores de alta velocidade desempenhou um papel de importância crucial no novo domínio da complexidade. Como Valentine se expressa na peça:

> A calculadora eletrônica era o que o telescópio foi para Galileu.

Com a ajuda de computadores poderosos de alta velocidade, os matemáticos são agora capazes de resolver equações complexas que antes eram praticamente impossíveis de se lidar e traçar com precisão as soluções como curvas em um gráfico. Dessa maneira, eles descobriram novos padrões qualitativos de comportamento desses sistemas complexos, um novo nível de ordem subjacente ao caos aparente.

Na peça, Valentine descreve a situação da seguinte maneira:

> Então as matemáticas deixaram o mundo real para trás .[...]

Há dois ramos principais dessa nova matemática da complexidade: a teoria do caos e a geometria fractal. Elas foram descobertas e desenvolvidas de maneira independente, mas agora sabemos que estão intimamente relacionadas. As estruturas matemáticas da teoria do caos ("atratores estranhos") exibem uma geometria fractal. Na peça, a ênfase principal está na geometria fractal, mas há também algumas referências à teoria do caos.

Iterações

Uma propriedade importante de muitas equações não lineares são processos de realimentação que se autorreforçam, nos quais o resultado de uma operação é realimentado na equação e executa novamente a operação. Os matemáticos chamam tal processo circular de iteração, que é a palavra latina para "repetição". É definido como uma função que opera repetidamente sobre si mesma.

Por exemplo, se a função consiste em multiplicar a variável *x* por 3, por exemplo,

$$y = 3x$$

a iteração consiste em multiplicações repetidas. Em "taquigrafia" matemática, isso é escrito como

$$x \rightarrow 3x$$
$$3x \rightarrow 9x$$
$$9x \rightarrow 27x$$
etc.

Eis como Valentine descreve esse procedimento na peça:

> O que ela está fazendo é isto: toda vez que ela obtém um valor para *y*, ela usa *esse* valor como seu próximo valor para *x* . [...]

Em matemática, qualquer regra ou procedimento para resolver um problema é chamado de algoritmo. Assim como *álgebra*, *algoritmo* é uma palavra árabe, na verdade derivada do nome de um matemático árabe. Portanto, o procedimento de iteração é um algoritmo. Como diz Valentine, de maneira um tanto fantasiosa: "É um algoritmo iterado".

Uma iteração encontrada com muita frequência em sistemas não lineares, que é muito simples e, no entanto, produz toda uma riqueza de complexidade, é a seguinte:

$$x \rightarrow kx\,(1\text{-}x)$$

O procedimento é o mesmo de antes, exceto que, além de multiplicar a variável *x* por *k*, você precisa multiplicar o resultado por (1-x) antes de repetir o processo. Essa iteração tem muitas aplicações importantes. É usada por ecologistas para descrever o crescimento de uma população sob tendências opostas – uma elevada taxa de natalidade combinada com uma elevada taxa de mortalidade – e, por isso, também é conhecida como "equação de crescimento". Eis como Valentine a descreve:

> É como você vê as mudanças populacionais na biologia. Peixe dourado em uma lagoa, digamos. [...]

Geometria Fractal

Os procedimentos iterativos constituem um aspecto crucial da geometria fractal. Ela é um novo tipo de geometria, inventada pelo matemático francês Benoît Mandelbrot para descrever vários fenômenos naturais irregulares. Na peça, essa é a grande descoberta de Thomasina:

> Eu, Thomasina Cloverly, descobri um método verdadeiramente maravilhoso. [...]

Eis como Mandelbrot descreve essa nova geometria de formas irregulares:

> A maior parte da natureza é muito, muito complicada. Como alguém poderia descrever uma nuvem? Uma nuvem não é uma esfera. [...] É como uma bola, mas muito irregular. Uma montanha? Uma montanha não é um cone. [...] Se você quiser falar de nuvens, de montanhas, de rios, de relâmpagos, a linguagem geométrica da escola é inadequada.[4]

Compare isso com duas outras passagens da peça:

> THOMASINA: [...] As montanhas não são pirâmides e as árvores não são cones. [...] Há outra geometria que estou empenhada em descobrir.

> VALENTINE: [...] Em um oceano de cinzas, ilhas de ordem. Padrões que constroem a si mesmos do nada.

Também posso ouvir muito de Mandelbrot no discurso animado de Valentine, em que ele diz:

> As coisas de tamanho normal que são nossas vidas, as coisas sobre as quais as pessoas escrevem poesia: nuvens, narcisos, cachoeiras. [...]

Para modelar as formas fractais que ocorrem na natureza, pode-se construir figuras geométricas que exibem autossimilaridade precisa. A principal técnica para construir esses fractais matemáticos é a iteração, ou seja, a repetição incessante de uma certa operação geométrica. Com a ajuda de computadores, isso pode ser feito facilmente milhares de vezes em escalas diferentes para produzir as chamadas ficções fractais – modelos, gerados por computador, de plantas, árvores, montanhas, linhas litorâneas etc., as quais apresentam uma semelhança surpreendente com as formas reais encontradas na natureza. É a isso que Hannah se refere quando pergunta:

> Então você não poderia fazer uma imagem desta folha iterando "aquela coisa que eu esqueci o nome"?

Então Valentine fica realmente animado:

> Se você conhecesse o algoritmo e o realimentasse. [...]

Números complexos

O ponto culminante da geometria fractal foi a descoberta por Mandelbrot de uma estrutura matemática que é de uma incrível complexidade e ainda assim pode ser gerada por meio de um procedimento iterativo muito simples. Para compreender essa incrível figura fractal, conhecida como conjunto de Mandelbrot, precisamos primeiro nos familiarizar com o conceito de números complexos. Você provavelmente se lembrará de que todos os números inteiros, positivos e negativos, podem ser representados como pontos em uma "reta numérica":

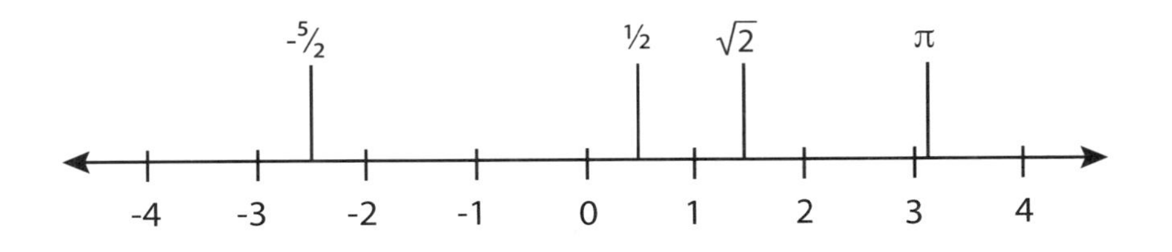

Figura 12. A reta numérica.

Frações (por exemplo, 3/2) e números irracionais (por exemplo, $\sqrt{2}$) ocupam pontos entre os números inteiros na mesma reta numérica. Portanto, essa reta numérica é muito densamente povoada – na verdade, infinitamente e densamente povoada – com números inteiros, frações e números irracionais.

No passado, os matemáticos pensavam que isso abrangia todos os números possíveis, mas então perceberam que algo como $\sqrt{-4}$ não podia ser colocado em lugar algum da reta numérica. Sabemos que $2 \times 2 = 4$, e por isso $\sqrt{4} = 2$. Também sabemos que $(-2) \times (-2) = 4$; e por isso $\sqrt{4}$ também é igual a -2. Mas o que é $\sqrt{-4}$? Não é nem +2 nem -2. Que tipo de número é?

Uma vez que a raiz quadrada de um número negativo não pode ser colocada em qualquer lugar na reta numérica, os matemáticos até o século XIX não atribuíam qualquer sentido de realidade a essas quantidades. Descartes as chamou de números imaginários; outros matemáticos usaram palavras como *fictício*, *sofisticado* ou *impossível* para rotular essas quantidades. Hoje, seguindo Descartes, ainda chamamos as raízes quadradas de números negativos de números imaginários, enquanto todos os outros números são chamados de números reais.

No século XIX, Carl Friedrich Gauss, um dos maiores matemáticos de todos os tempos, finalmente resolveu o problema. Ele percebeu que não havia espaço para números imaginários em qualquer lugar da reta numérica, e então, em um salto corajoso, ele os colocou em um eixo perpendicular que atravessava o ponto zero, criando assim um sistema de coordenadas cartesianas. Nesse sistema, todos os números reais são colocados no "eixo real" e todos os números imaginários no "eixo imaginário".

A raiz quadrada de -1 é chamada de "unidade imaginária" e recebe o símbolo *i*. Todos os números imaginários podem ser colocados no eixo imaginário como múltiplos de *i*. Com esse dispositivo engenhoso, Gauss "criou um lar" não apenas para números imaginários, mas também para todas as combinações possíveis de números reais e imaginários, como (2 + i), (3-i) e assim por diante. Essas combinações são chamadas de números complexos e são representadas por pontos no plano mapeado pelos eixos real e imaginário, que é chamado de plano complexo. É a isso que Valentine se refere quando murmura algo sobre "o conjunto de pontos em um plano complexo feito por..."

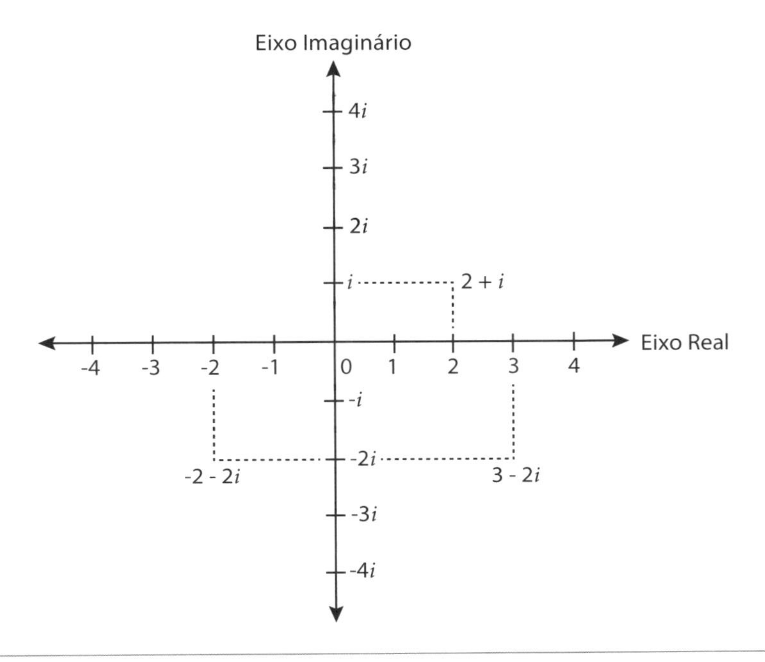

Figura 13. O plano complexo.

Em geral, qualquer número complexo pode ser escrito como

$$z = x + iy$$

em que x é chamado de parte real e y de parte imaginária.

O Conjunto Mandelbrot

Agora, vamos voltar para Mandelbrot. O que ele descobriu foi que as mais incríveis formas fractais podem ser geradas por meio de procedimentos iterativos muito simples no plano complexo. Na verdade, essas formas foram descobertas por outro matemático francês, Gaston Julia, meio século antes, e são conhecidos como conjuntos de Julia. Mas eles logo caíram na obscuridade, pois os desenhos de Julia eram muito primitivos, carecendo da ajuda de um computador.

A redescoberta das formas fractais de Julia por Mandelbrot é, na peça, o modelo para a redescoberta dos fractais de Thomasina por Valentine:

> É Thomasina. Eu apenas empurrei suas equações através do computador alguns milhões de vezes mais do que ela conseguiu fazer com seu lápis.

Isso é exatamente o que Mandelbrot fez com os conjuntos Julia. E, por isso, Valentine chama um desses conjuntos com os quais está brincando de conjunto Coverly.

Há um número infinito de conjuntos de Julia. Sua rica variedade de formas, muitas das quais são uma reminiscência de coisas vivas, é incrível o suficiente. Mas a verdadeira magia começa quando amplificamos o contorno de qualquer parte de um conjunto de Julia. Como no caso de uma nuvem ou de uma linha litorânea, a mesma riqueza é exibida ao longo de todas as escalas. Com o aumento da resolução, mais e mais detalhes do contorno do fractal aparecem, revelando uma fantástica sequência de padrões dentro de padrões – todos eles semelhantes sem nunca serem idênticos.

Quando Mandelbrot analisou diferentes representações matemáticas dos conjuntos de Julia no fim da década de 1970, e tentou classificar sua imensa variedade, ele descobriu uma maneira muito simples de criar uma única imagem no plano complexo, a qual serviria como um catálogo de todos os conjuntos de Julia possíveis. Essa imagem, que desde essa época se tornou o principal símbolo visual da nova matemática da complexidade, é o conjunto de Mandelbrot.

Embora haja um número infinito de conjuntos de Julia, o conjunto de Mandelbrot é único. Essa estranha figura é o objeto matemático mais complexo já inventado. Embora as regras para sua construção sejam muito simples, a variedade e a complexidade que ele revela, depois de uma estreita inspeção, é inacreditável. Uma viagem visual no conjunto de Mandelbrot é uma experiência inesquecível.

A peça de Stoppard, *Arcadia*, é engraçada, comovente e instigante em muitos níveis. Espero ter conseguido mostrar a vocês que a excitação emocional dos personagens muitas vezes reflete a empolgação que os cientistas sentiram desde a descoberta da teoria da complexidade. A nova matemática da complexidade está fazendo um número cada vez maior de pessoas perceberem que a matemática é muito mais do que fórmulas secas, que a compreensão do padrão é de importância crucial para se compreender o mundo vivo ao nosso redor, e que todas as questões envolvendo padrão, ordem e complexidade são essencialmente matemáticas.

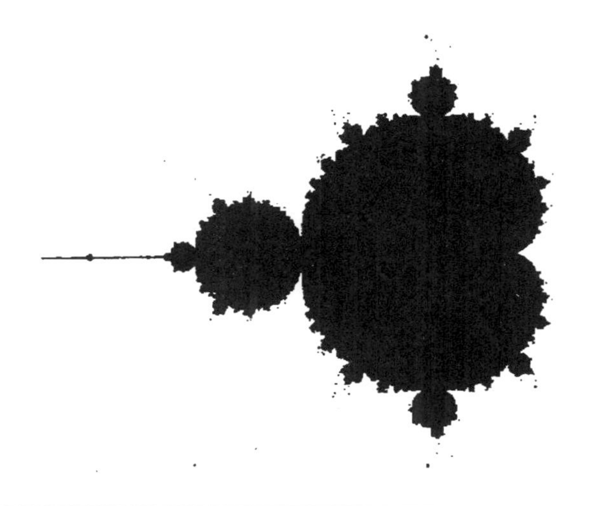

Figura 14. O conjunto de Mandelbrot.

Notas

Este ensaio é baseado em um seminário realizado para o elenco de *Arcadia*, do American Conservatory Theatre, San Francisco, 18 de abril de 2013.

1. Stoppard (1993).
2. Citado em Capra (1975), p. 57
3. Ver Capra (1996), pp. 112ss.
4. Citado em *ibid.*, p. 138

CAPÍTULO 8

A Síntese Completa

Depois da publicação de *A Teia da Vida*, em 1996, passei a ser convidado, com frequência cada vez maior, para falar a gerentes e outros executivos de negócios interessados em aplicar uma perspectiva sistêmica a organizações comerciais. Isso me levou a estender a visão sistêmica da vida ao domínio social, que ainda estava ausente de minha síntese. O arcabouço conceitual apresentado em *A Teia da Vida* inclui dimensões biológicas, cognitivas e ecológicas da vida, mas não inclui a dimensão social.

Acrescentar a dimensão social e integrá-la com as outras três exigiu um esforço considerável e envolveu inúmeras discussões com cientistas sociais e teóricos organizacionais durante o fim da década de 1990. Entre estes, amplas e extensas discussões com a teórica organizacional Margaret Wheatley e com o sociólogo Manuel Castells exerceram grande influência no meu pensamento.

Enquanto eu explorava meu propósito de estender a visão sistêmica da vida ao domínio social, também aprofundei minha compreensão da dimensão biológica da vida, em particular da ordem da vida na Terra. Minha introdução a esse assunto fascinante foi o livro *Beginnings of Cellular Life* [Começos da Vida Celular], de Harold Morowitz, que me foi recomendado por Lynn Margulis.[1]

Nesse livrinho maravilhoso, Morowitz propõe um cenário radicalmente novo para a origem da vida. Ele sugere que a vida celular está arraigada em uma física e uma química universais, que existiam muito antes da evolução das primeiras células vivas, e que o aumento da complexidade molecular não ocorreu em uma "sopa química" sem estrutura, mas, em vez disso, desenvolveu-se dentro de bolhas fechadas, formadas por membranas primitivas (veja meu resumo desse cenário no Ensaio 20).

Minha compreensão do cenário de Morowitz para a evolução "pré-biótica" aprofundou-se consideravelmente quando conheci um dos maiores especialistas do mundo no tema da origem da vida, o bioquímico Pier Luigi Luisi. Fui apresentado a Luisi em 1997 por nosso amigo comum, Francisco Varela. Um dia, quando perguntei a Varela a respeito de quem mais, além de Maturana e dele mesmo, estava trabalhando sobre a autopoiese, ele me disse: "Há esse bioquímico, Luisi, da Escola Politécnica Suíça, em Zurique, que não só trabalha com a teoria, mas na verdade cria sistemas químicos autopoiéticos no laboratório. Você deveria conhecê-lo".

Então, escrevi para Luisi, que respondeu muito gentilmente, e durante os meses seguintes, nos empenhamos em uma correspondência longa e estimulante (muitas vezes por meio de uma enxurrada de faxes), discutindo várias ideias sobre autopoiese, cognição, origem da vida e outros aspectos da emergente visão sistêmica da vida. Ao longo dos anos, Luisi e eu nos encontramos com frequência em Zurique, Roma e em outros lugares, e formamos uma estreita amizade, e muitos anos depois, coescrevemos *A Visão Sistêmica da Vida*, que dedicamos à memória de Francisco Varela, que inspirou a nós dois "com sua visão sistêmica e sua orientação espiritual".[2] Juntamente com Maturana, Varela e Margulis, Pier Luigi Luisi foi a mais importante influência no meu pensamento sobre a dimensão biológica da vida.

Em minhas discussões com cientistas sociais sobre uma concepção sistêmica da vida no domínio social, logo encontrei dois problemas principais. O primeiro foi o de que os sistemas sociais vivos, mesmo sendo redes, são redes de comunicações, existindo não apenas no domínio físico, mas também em um domínio social simbólico. Há todo um "mundo interior" de conceitos, ideias e símbolos que surge com a consciência, linguagem e cultura humanas. Dada a simultânea existência de sistemas sociais nesses dois domínios, o físico e o social, surge a questão: "É significativo aplicar o conceito de autopoiese a todos eles, e, em caso afirmativo, em que domínio deve ser aplicado?".

Depois de vários anos de discussões com cientistas sociais, descobri uma maneira de integrar a compreensão sistêmica das redes sociais à minha síntese. A chave era perceber que a maioria dos fenômenos sociais – regras de comportamento, valores, objetivos, relações de poder e assim por diante – baseia-se, em última análise, na capacidade da consciência humana para formar imagens mentais abstratas. Essas imagens mentais tornam-se os símbolos, ideias, valores e objetivos de nosso mundo interior. Esse *insight* me levou a acrescentar uma quarta perspectiva de vida à minha síntese, a perspectiva do significado, usando "significado" como uma notação abreviada, uma "anotação taquigráfica" para o nosso mundo interior de consciência reflexiva e de cultura.

Minhas discussões com cientistas sociais revelaram um segundo problema de natureza mais técnica. Acontece que os teóricos sociais tradicionalmente usaram a palavra *estrutura* em um sentido muito diferente daquele nas ciências naturais. No passado, a *estrutura social* era usada, de alguma maneira, como eu uso o *padrão de organização*, e hoje os sociólogos geralmente definem a estrutura social como um conjunto de regras decretadas em práticas sociais.

Depois de um longo período de confusão, resolvi esse problema modificando ligeiramente minha terminologia. Em vez de falar de padrão e estrutura, agora uso os conceitos mais gerais de forma e matéria. Então, uma compreensão plena dos fenômenos sociais precisa envolver a integração de quatro perspectivas – forma, matéria, processo e significado. Esta é a essência do arcabouço conceitual de minha síntese completa, que publiquei em 2002 em meu livro *As Conexões Ocultas*.[3] Nesse livro, também discuto muitas implicações sociais e políticas da visão sistêmica da vida. Na verdade, apenas um terço do livro é teoria. Dois terços são dedicados a extensas discussões a respeito de implicações sociais, tecnológicas e políticas – gestão, biotecnologia, capitalismo global, sustentabilidade, ecoplanejamento, e assim por diante. Os dois primeiros ensaios neste capítulo são exemplos representativos dessas discussões.

O Ensaio 22, baseado em dois artigos publicados em 2003 e 2004, apresenta um resumo conciso de minha síntese completa, conforme publicada em *As Conexões Ocultas*. Começando com a biologia, identifico o metabolismo como uma característica central da vida, e discuto o papel crucial das membranas celulares como limites – ou fronteiras – de identidade. Em seguida, volto-me para os dois aspectos fundamentais do metabolismo – redes e fluxos – descrevendo as primeiras com base nas teorias da autopoiese e da cognição, e os segundos em função da teoria das estruturas dissipativas. Mostro como minha síntese, essencialmente, equivale a uma integração dessas duas teorias.

Por fim, mostro como esse quadro conceitual integrado pode ser estendido para a dimensão social, acrescentando a perspectiva de significado às três perspectivas de forma, matéria e processo. Termino o ensaio com uma análise detalhada das semelhanças e diferenças entre redes biológicas e sociais, e concluo que uma estrutura conceitual unificada para a compreensão das estruturas materiais e sociais, como a que estou propondo, serão essenciais para a construção de comunidades ecologicamente sustentáveis.

No Ensaio 23, baseado em uma palestra e um artigo para o movimento Slow Food italiano, discuto a importância vital dos alimentos e da água para a vida biológica. Identifico o metabolismo como a característica central da vida e aponto para o fato de que, por definição, o metabolismo envolve a ingestão, digestão e transformação de alimentos. Mostro como nos microrganismos, a identidade celular é moldada e sustentada pela ingestão de alimentos, e como os organismos multicelulares são classificados de acordo com seus métodos de adquirir alimentos. Com a evolução humana, o alimento ganhou uma dimensão cultural em ambos os sentidos da palavra *cultura*. Começou a ser cultivado, e era compartilhado em rituais e cerimônias culturais.

Minhas discussões sobre água e vida incluem o significado simbólico da água como meio de transporte da vida espiritual. Termino com uma nota política, argumentando que o acesso à água limpa e segura é parte integrante do primeiro e mais básico direito humano à "vida, liberdade e segurança pessoal".

O último ensaio deste capítulo, o Ensaio 24, é uma resenha de um filme documentário maravilhoso, de Thomas Riedelsheimer, sobre a obra do escultor escocês Andy Goldsworthy.[4] Em toda a minha vida, sempre busquei a companhia de artistas. Percebi logo no início que dificilmente há algo mais eficaz do que as artes para desenvolver e refinar nossa habilidade natural de reconhecer e expressar padrões. Assim, minhas explorações dos padrões e processos da vida, do caos e da criatividade, envolveram diálogos inspiradores não apenas com cientistas e filósofos, mas também com pintores, poetas, dançarinos, músicos e atores – incluindo artistas famosos como Ali Akbar Khan, Gordon Onslow Ford, Liv Ullmann, Terrence Stamp, Alarmel Valli e Lawrence Ferlinghetti.

Andy Goldsworthy é um dos meus artistas visuais favoritos. Ele trabalha com pedra, galhos, folhas, gelo e outros materiais naturais para criar obras de uma beleza de tirar o fôlego. Conheci Goldsworthy em 1998, quando ele proferiu uma palestra como convidado em um de meus cursos no Schumacher College, e, desde essa ocasião, temos mantido contato de vez em quando. A imagem de uma de suas obras icônicas enfeita a capa do meu livro *A Visão Sistêmica da Vida*.*

Na minha resenha do filme, mostro como as esculturas do artista, sempre em admirável harmonia com o meio ambiente, expressa sua compreensão intuitiva da dinâmica essencial da vida. Como as próprias formas da natureza, as esculturas de Goldsworthy são transitórias, sujeitas a mudança, transformação e decadência contínuas. De fato, sua principal preocupação é com o crescimento, o tempo, a mudança e a ideia de fluxo na natureza. Revendo o filme em detalhes, mostro como a arte de Goldsworthy é uma profunda e intensa declaração a respeito das qualidades dinâmicas da vida.

Notas

1. Morowitz (1992).
2. Capra e Luisi (2014).
3. Capra (2002).
4. Riedelsheimer (2001).

* A imagem a que o autor se refere é da edição em inglês do livro. (Ver p. 311.) (N. do P.)

ENSAIO 22

A Natureza da Vida

A Integração das Dimensões Biológica, Cognitiva e Social

2004

ESTE ENSAIO É UM resumo de minha síntese de uma nova concepção sistêmica da vida, concepção esta que agora está emergindo na linha de frente da ciência – um arcabouço conceitual integrado para a compreensão das dimensões biológica, cognitiva e social da vida, que propus em meu livro recente *As Conexões Ocultas*.[1]

Metabolismo – o "Sopro da Vida"

Vamos começar com a biologia e perguntar: "Qual é a natureza essencial da vida no reino das plantas, dos animais e dos microrganismos?". Para compreender a natureza da vida, não basta compreender o DNA, os genes, as proteínas e outras estruturas moleculares que são os elementos constituintes dos organismos vivos, pois essas estruturas também existem em organismos mortos, por exemplo, em um pedaço de madeira ou osso.

A diferença entre um organismo vivo e um organismo morto está no processo básico da vida – que os sábios e poetas ao longo dos tempos têm chamado de sopro da vida. Em linguagem científica moderna, esse processo da vida é chamado de metabolismo. É o fluxo incessante de energia e matéria que percorre toda uma rede de reações químicas, permitindo a um organismo vivo gerar, consertar e perpetuar continuamente a si mesmo.

A fim de se manterem efetivamente, os organismos vivos precisam conseguir discriminar entre o sistema – o "eu", por assim dizer – e seu ambiente. É por isso que todos os organismos vivos têm uma fronteira física. As células, por exemplo, são envolvidas por membranas e os animais vertebrados por peles. Muitas células, além disso, têm outras fronteiras além das membranas, como paredes celulares rígidas ou cápsulas, mas apenas as membranas têm uma característica universal da vida celular. Dentro da membrana, há uma rede de reações metabólicas pelas quais o sistema se sustenta.

Desde o seu início, a vida na Terra esteve associada à água. Bactérias movem-se na água, e o metabolismo dentro de suas membranas ocorre em um ambiente aquoso. Em tal ambiente fluido, uma célula nunca poderia persistir como uma entidade distinta sem uma barreira física que impeça a difusão livre. Portanto, a existência de membranas é uma condição essencial para a vida celular.

Uma membrana celular está sempre ativa, abrindo e fechando continuamente, mantendo certas substâncias do lado de fora e deixando outras entrarem. Em particular, as reações metabólicas da célula envolvem vários íons, e a membrana, por ser semipermeável, controla suas proporções e as mantêm em equilíbrio. Outra atividade de importância crucial da membrana é a de bombear continuamente o excesso de resíduos de cálcio, de modo que o cálcio remanescente dentro da célula seja mantido no nível preciso, muito baixo, necessário para o desempenho de suas funções metabólicas. Todas essas atividades ajudam a manter a rede celular como uma entidade distinta e a protegê-la de influências ambientais danosas. Desse modo, as fronteiras das redes vivas não são fronteiras de separação, mas fronteiras de identidade.

Redes e fluxos

A compreensão do metabolismo inclui dois aspectos básicos. Um deles é o contínuo fluxo de energia e matéria. Todos os sistemas vivos precisam de energia e alimento para se sustentarem, e todos os sistemas vivos produzem resíduos. Mas a vida evoluiu de maneira tal que os organismos formam comunidades ecológicas, ou ecossistemas, nas quais o resíduo de uma espécie é alimento para outra, de modo que a matéria circula continuamente ao longo das teias alimentares do ecossistema.

O segundo aspecto do metabolismo é a rede de reações químicas que processam os alimentos e formam a base bioquímica de todas as estruturas, funções e comportamentos biológicos. A ênfase aqui está na "rede". Uma das percepções mais importantes da nova compreensão da vida que está emergindo atualmente na linha de frente da ciência é o reconhecimento de que a rede é um padrão que é comum a toda a vida. Onde quer que vejamos vida, vemos redes. A "teia da vida" é, naturalmente, uma ideia antiga, que tem sido usada por poetas e filósofos ao longo das eras para transmitir seu sentido do entrelaçamento e interdependência de todos os fenômenos.

Na ciência, o foco em redes começou na década de 1920, quando ecologistas concebiam os ecossistemas como comunidades de organismos, ligados ao modo de rede por meio de relações de alimentação, e usavam o conceito de teias alimentares para descrever essas comunidades ecológicas. À medida que o conceito de rede tornou-se mais e mais proeminente na ecologia, pensadores sistêmicos começaram a usar modelos de rede em todos os níveis dos sistemas, concebendo os organismos como redes de células e as células como redes de moléculas, assim como os ecossistemas são compreendidos como redes de organismos individuais. Os fluxos de matéria e energia que percorrem os ecossistemas, em correspondência, eram percebidos como a continuação das vias metabólicas através dos organismos.

Autogeração

As redes celulares, em particular, foram estudadas de perto durante os últimos 25 anos. Esses estudos mostraram que a rede metabólica de uma célula representa dinâmicas muito especiais, que diferem notavelmente do ambiente sem vida da célula. Absorvendo nutrientes do mundo exterior, a célula se sustenta por meio de uma rede de reações químicas que ocorrem dentro da fronteira e produzem todos os componentes da célula, incluindo aqueles que compõem seu próprio limite. A função de cada componente dessa rede consiste em transformar ou substituir outros componentes, de modo que toda a rede gere continuamente a si mesma.

Essa dinâmica de autogeração foi identificada como uma característica-chave da vida pelos biólogos Humberto Maturana e Francisco Varela, que deram a ela o nome de "autopoiese".[2] *Auto*, é claro, significa "si mesmo", e *poiesis* (que também é a raiz grega de "poesia") significa "fazer". Portanto, *autopoiese* significa "autocriação" ou "autogeração". Em uma célula, todas as estruturas biológicas – as proteínas, o DNA, a membrana celular, e assim por diante – são continuamente produzidas, reparadas e regeneradas pela rede celular. De maneira semelhante, no nível de um organismo multicelular, as células corporais são continuamente regeneradas e recicladas pela rede metabólica do organismo.

Redes vivas, portanto, são autogeradoras. Elas continuamente criam, ou recriam, a si mesmas transformando ou repondo seus componentes. Dessa maneira, elas passam por mudanças estruturais contínuas, enquanto preservam seus padrões de organização semelhantes a teias. Essa coexistência de estabilidade e mudança é, na verdade, uma das características-chave da vida.

Emergência

A teoria da autopoiese define a vida biológica como um padrão particular de organização, uma rede autogeradora. No entanto, ela não fornece uma descrição detalhada da física e da química que estão envolvidas nessas redes. Para isso, precisamos nos voltar para o primeiro aspecto do metabolismo – o fluxo de energia e matéria que percorre a rede. O ponto de partida para descrever esse fluxo é a observação de que todas as estruturas celulares existem afastadas do equilíbrio termodinâmico. Elas logo decairiam em direção ao estado de equilíbrio – em outras palavras, a célula morreria – se o metabolismo celular não usasse um fluxo contínuo de energia para restaurar estruturas tão rapidamente quanto elas estão decaindo. Isso significa que precisamos descrever a célula como um sistema aberto.

Os sistemas vivos são organizacionalmente fechados – são redes autogeradoras –, mas material e energeticamente abertos. Eles precisam se alimentar continuamente de fluxos de matéria e energia extraídas de seu ambiente para permanecerem vivos. Estudos detalhados dos fluxos de matéria e energia que percorrem tais sistemas abertos resultaram na teoria das estruturas dissipativas desenvolvida por Ilya Prigogine e seus colaboradores.[3] Uma estrutura dissipativa é um sistema que se mantém em um estado afastado do equilíbrio. Embora muito diferente do equilíbrio, esse estado é, no entanto, estável; a mesma estrutura global é mantida, apesar de um fluxo e uma mudança contínuos de componentes.

Sistemas próximos do equilíbrio são descritos matematicamente pelas equações lineares da termodinâmica clássica. A teoria das estruturas dissipativas de Prigogine, em contraste com essa situação, aplica-se a sistemas afastados do equilíbrio, que são descritos por equações não lineares. Especificamente, essas são equações diferenciais não lineares acopladas a equações conhecidas como equações de reação-difusão, que permitem uma surpreendente gama de comportamentos. Por exemplo, quando o fluxo de energia aumenta, o sistema pode encontrar um ponto de instabilidade, conhecido como ponto de bifurcação, no qual ele pode se ramificar em um estado inteiramente novo, de onde novas estruturas e novas formas de ordem podem emergir.

Tal emergência espontânea de uma nova ordem em pontos críticos de instabilidade, ao qual muitas vezes os cientistas se referem apenas pela expressão "emergência", é um dos "selos de qualidade" da vida. Tem sido reconhecida como a origem dinâmica do desenvolvimento e da evolução. Em outras palavras, a criatividade – a geração de formas que são constantemente novas – é uma propriedade-chave de todos os sistemas vivos. E uma vez que a emergência é parte integrante da dinâmica dos sistemas abertos, chegamos à importante conclusão de que sistemas abertos se desenvolvem e evoluem. A vida constantemente busca a novidade.

A Integração do Estudo da Matéria e do Estudo da Forma

Vamos fazer uma pausa por um momento e revisar as características definidoras dos sistemas vivos que identifiquei em minha discussão sobre a vida celular. Nós aprendemos que uma célula é uma rede metabólica organizacionalmente fechada, limitada por uma membrana, e autogeradora; que é material e energeticamente aberta, usando um fluxo constante de matéria e energia para se produzir, se consertar e se perpetuar; que opera afastada do equilíbrio, e onde novas estruturas e novas formas de ordem podem emergir de maneira espontânea, levando assim ao desenvolvimento e à evolução.

Essas características são descritas por duas teorias diferentes: a teoria das estruturas dissipativas e a teoria da autopoiese. Elas representam duas diferentes abordagens para a compreensão da vida, e podemos chamá-las, respectivamente, de estudo da matéria e de estudo da forma. Quando descrevemos uma célula viva como uma estrutura dissipativa, usamos os conceitos de física e química, como energia, entropia e reação química. Quando a descrevemos como um sistema autopoiético, usamos conceitos topológicos, como padrão de organização, rede e fronteira.

Para integrar essas duas abordagens, podemos notar que ambas lidam com processos metabólicos. Uma rede autopoiética é um padrão de relações entre reações químicas que são processos de produção. Uma estrutura dissipativa envolve fluxos contínuos de matéria e energia. Podemos, portanto, introduzir a perspectiva do processo como um terceiro critério para a compreensão sistêmica da vida, além da perspectiva da matéria e da perspectiva da forma. Então, para uma plena compreensão da vida biológica, precisamos estudá-la a partir de três perspectivas integradas: a perspectiva da forma, ou padrão de organização (a configuração de relações que determinam as propriedades essenciais de um sistema); a perspectiva da matéria (a incorporação do padrão de organização do sistema em estruturas físicas e químicas); e a perspectiva do processo (o processo contínuo dessa incorporação).

A Mente é um Processo!

O estudo dos sistemas vivos da perspectiva processual levou a uma das percepções mais radicais da concepção sistêmica da vida – uma nova concepção da mente e da consciência que supera a divisão cartesiana entre mente e matéria. O avanço decisivo foi obtido ao se abandonar a visão cartesiana da mente como uma coisa (*res cogitans*) em favor da visão da mente e da consciência como parte do processo da vida. Esse novo conceito de mente foi desenvolvido durante a década de 1960 por Gregory Bateson, que usou a expressão *processo mental*, e independentemente por Humberto Maturana, que se concentrou na cognição, no processo de conhecer. Na década de 1970, Maturana e Francisco Varela expandiram o trabalho inicial de Maturana em uma teoria completa, que se tornou conhecida como a teoria da cognição de Santiago.[4] Durante os últimos 25 anos, o estudo da mente dessa perspectiva sistêmica floresceu em um rico campo interdisciplinar, conhecido como ciência cognitiva, que transcende os arcabouços tradicionais da biologia, da psicologia e da epistemologia.

A percepção central da teoria de Santiago é a identificação da cognição, o processo de conhecer, com o processo da vida. A cognição, segundo Maturana e Varela, é a atividade envolvida na autogeração e na autoperpetuação das redes vivas. Em outras palavras, a cognição é o próprio processo da vida. A atividade organizadora dos sistemas vivos, em todos os níveis da vida, é atividade mental. Desse modo, vida e cognição tornam-se inseparavelmente conectadas. A mente – ou, de maneira mais precisa, a atividade mental – é imanente à matéria em todos os níveis da vida.

Com essa nova concepção de mente, a divisão cartesiana é finalmente superada. Mente e matéria não parecem mais pertencer a duas categorias separadas, mas podem ser entendidas como representando dois aspectos complementares do fenômeno da vida – o aspecto processual e o aspecto estrutural. Em todos os níveis da vida, começando com a célula mais simples, mente e matéria, processo e estrutura, estão inseparavelmente conectados. Pela primeira vez, temos uma teoria científica que unifica mente, matéria e vida.

Cognição e Consciência

A cognição, tal como é compreendida na teoria de Santiago, está associada com todos os níveis da vida, e é, portanto, um fenômeno muito mais amplo do que a consciência. A consciência – isto é, a experiência consciente e vivida – se desdobra em certos níveis de complexidade cognitiva que requerem um cérebro e um sistema nervoso superior. Em outras palavras, a consciência é um tipo especial de processo cognitivo que emerge quando a cognição atinge um certo nível de complexidade.

Os cientistas cognitivos distinguem atualmente entre dois tipos de consciência – em outras palavras, dois tipos de experiências cognitivas – os quais emergem em diferentes níveis de complexidade neural. O primeiro tipo, conhecido como consciência primária, surge quando os processos cognitivos são acompanhados por experiências perceptivas, sensoriais e emocionais básicas. A consciência primária, ao que tudo indica, é experimentada pela maioria dos mamíferos, e talvez por alguns pássaros e outros vertebrados.

O segundo tipo de consciência, às vezes chamada de consciência reflexiva, envolve a autopercepção – um conceito de eu, sustentado por um sujeito que pensa e reflete. Essa experiência de autopercepção emergiu durante a evolução dos grandes macacos, ou hominídeos, juntamente com a linguagem, o pensamento conceitual e todas as outras características que se desdobraram plenamente na consciência humana.

A consciência reflexiva envolve um nível de abstração cognitiva que inclui a capacidade para manter imagens mentais, a qual nos permite formular valores, crenças, objetivos e estratégias. Esse estágio evolutivo é de importâcia central para a tarefa de integrar as dimensões sociais da vida com suas dimensões biológicas e cognitivas, pois, com a evolução da linguagem, surgiu não apenas o mundo interior dos conceitos e ideias, mas também o mundo social das relações organizadas e da cultura.

A Vida no Domínio Social

Minha síntese da concepção sistêmica da vida baseia-se na distinção entre duas perspectivas quanto à natureza dos sistemas vivos, o estudo da forma (ou padrão de organização) e o estudo da matéria (ou estrutura material), e na sua integração por meio de uma terceira perspectiva, o estudo do processo da vida. Quando estudamos os sistemas vivos da perspectiva da forma, descobrimos que o seu padrão de organização é o de uma rede autogeradora. Da perspectiva da matéria, a estrutura material de um sistema vivo é descrita como uma estrutura dissipativa, ou seja, um sistema aberto operando afastado do equilíbrio.

E, finalmente, da perspectiva processual os sistemas vivos são sistemas cognitivos, sendo o processo de cognição identificado com o processo da vida.

Quando tentamos estender essa nova concepção da vida ao domínio social, precisamos ser capazes de lidar com uma multidão de fenômenos – incluindo valores, intenções, objetivos e relações de poder – que não desempenham nenhum papel na maior parte do mundo não humano, mas são essenciais para a vida social humana.

Todas essas diversas características da realidade social surgem de nosso mundo interior de conceitos e ideias, imagens e símbolos, que é uma dimensão crucial da realidade social. Os cientistas sociais se referem a ela como a dimensão hermenêutica, expressando com isso a visão de que a linguagem humana, por ser de natureza simbólica, envolve centralmente a comunicação de significado, e que a ação humana flui do significado que atribuímos ao que nos cerca.

Em conformidade com isso, devo postular que a concepção sistêmica da vida pode ser estendida ao domínio social acrescentando-se a perspectiva de significado às outras três perspectivas quanto à vida. Ao fazer isso, estou usando a palavra *significado* como uma notação abreviada, taquigráfica, para me referir ao mundo interior da consciência reflexiva, que contém uma multidão de características inter-relacionadas. Uma compreensão plena dos fenômenos sociais, então, precisa envolver a integração de quatro perspectivas – forma, matéria, processo e significado.

Minha proposta de um arcabouço conceitual integrado para a compreensão das dimensões biológica, cognitiva e social da vida baseia-se na suposição de que há uma unidade fundamental para a vida, de que diferentes sistemas vivos exibem padrões de organização semelhantes. Essa suposição é sustentada pela observação de que a evolução tem ocorrido ao longo de bilhões de anos usando repetidamente os mesmos padrões. Conforme a vida evolui, esses padrões tendem a se tornar cada vez mais elaborados, mas são sempre variações dos mesmos temas básicos.

O padrão de rede, em particular, é um dos mais básicos de organização em todos os sistemas vivos. Em todos os níveis de vida, os componentes e os processos dos sistemas vivos estão interligados em rede. Por isso, estender a concepção sistêmica de vida ao domínio social significa aplicar nosso conhecimento dos padrões básicos de vida e dos seus princípios de organização, e, especificamente, nossa compreensão das redes vivas, à realidade social.

No entanto, embora o conhecimento que obtivemos a respeito da organização das redes biológicas possa nos ajudar a compreender as redes sociais, não devemos esperar transferir o que viemos a compreender sobre as estruturas materiais das redes do domínio biológico para o domínio social. As redes sociais são, antes de qualquer coisa, redes de comunicação envolvendo linguagem simbólica, restrições culturais, relações de poder, e assim por diante. Para compreender as estruturas dessas redes, precisamos usar percepções que nos revelaram fatos importantes extraídos da teoria social, da filosofia, da ciência cognitiva, da antropologia e de outras disciplinas. Um arcabouço sistêmico unificado para a compreensão de fenômenos biológicos e sociais emergirá quando os conceitos da teoria da complexidade forem combinados com percepções vindas desses outros campos de estudo.

Redes de Comunicações

O conceito de autopoiese foi estendido ao domínio social pelo sociólogo alemão Niklas Luhmann em sua teoria da autopoiese social.[5] De acordo com Luhmann, redes vivas na sociedade humana são redes de comunicações. Como as redes biológicas, elas são autogeradoras, mas o que elas geram é principalmente não material. Cada comunicação cria pensamentos e significado, que dão origem a novas comunicações e, portanto, toda a rede gera a si mesma.

A dimensão do significado é fundamental para se compreender as redes sociais. Até mesmo quando elas geram estruturas materiais – como bens materiais, artefatos ou obras de arte – essas estruturas materiais são muito diferentes das produzidas por redes biológicas. Elas são geralmente produzidas para uma finalidade, de acordo com algum planejamento, e incorporam algum significado.

À medida que as comunicações continuam em uma rede social, elas formam laços de realimentação múltiplos que, mais dia, menos dia, produzem um sistema compartilhado de crenças, de explicações e de valores – um contexto comum de significado, também conhecido como cultura, que é continuamente sustentado por novas comunicações. Por meio dessa cultura, os indivíduos adquirem identidades como membros da rede social e, dessa maneira, a rede gera sua própria fronteira. Não é uma fronteira física, mas uma fronteira de expectativas, de confidência e de lealdade, que é com frequência mantida e renegociada pela rede de comunicações.

A cultura, então, surge de uma rede de comunicações entre indivíduos, e, à medida que emerge, produz restrições às suas ações. Em outras palavras, as regras de comportamento que restringem as ações dos indivíduos são produzidas e continuamente reforçadas por sua própria rede de comunicações. A rede social também produz um corpo compartilhado de conhecimento – incluindo informações, ideias e habilidades – que moldam o modo de vida que caracteriza a cultura, além de seus valores e crenças. Além disso, os valores e crenças da cultura também afetam seu corpo do conhecimento. Eles fazem parte da lente através da qual vemos o mundo.

A "Sociedade em Rede"

Sistemas sociais vivos são, portanto, redes de comunicação autogeradoras. Nos últimos anos, as redes sociais se tornaram um dos principais focos de atenção da ciência, do mundo dos negócios e da sociedade, e por meio de toda uma cultura global recém-emergente. Em alguns anos, a internet tornou-se uma poderosa rede global de comunicações. A maioria das grandes corporações existe atualmente como redes descentralizadas de unidades menores, e existem redes semelhantes entre organizações sem fins lucrativos e ONGs.

Na verdade, o trabalho em rede tem sido uma das principais atividades das organizações de base de natureza política por muitos anos. O movimento ambientalista, o movimento pelos direitos humanos, o movimento feminista, o movimento pela paz e muitos outros movimentos políticos e culturais de base organizaram-se como redes que transcendem fronteiras nacionais.

Com as novas tecnologias da informação e da comunicação, as redes tornaram-se um dos fenômenos sociais mais proeminentes do nosso tempo. O sociólogo Manuel Castells argumenta que a revolução da tecnologia da informação deu origem a uma nova economia, estruturada em torno de fluxos de informação, de poder e de riqueza em redes financeiras globais. Castells também observa que em toda a sociedade, o trabalho em rede emergiu como uma nova forma de organização da atividade humana; além disso, ele cunhou a expressão *sociedade em rede* para descrever e analisar essa nova estrutura social.[6]

Redes Biológicas e Sociais

Vamos agora justapor redes biológicas e sociais e destacar algumas das suas semelhanças e diferenças. Sistemas biológicos trocam moléculas em redes de reações químicas; sistemas sociais trocam informações e ideias em redes de comunicações. Desse modo, as redes biológicas operam no domínio da matéria, enquanto as redes sociais operam no domínio do significado.

Ambos os tipos de redes produzem estruturas materiais. A rede metabólica de uma célula, por exemplo, produz os componentes estruturais da célula, e também gera moléculas que são intercambiadas entre os nodos da rede como portadoras de energia ou informação, ou como catalisadoras de processos metabólicos. As redes sociais também geram estruturas materiais – por exemplo, edifícios, estradas e tecnologias –, que se tornam componentes estruturais da rede, e também produzem bens materiais e artefatos que são intercambiados entre os nodos da rede.

Além disso, os sistemas sociais produzem estruturas não materiais. Seus processos de comunicação geram regras compartilhadas de comportamento e um corpo compartilhado de conhecimento. As regras de comportamento, sejam elas formais ou informais, são conhecidas como estruturas sociais e são o foco principal da ciência social. As ideias, valores, crenças e outras formas de conhecimento geradas por sistemas sociais constituem estruturas de significado, que podemos chamar de estruturas semânticas.

Nas sociedades modernas, as estruturas semânticas da cultura são documentadas – isto é, são materialmente incorporadas – em textos escritos e digitais. Eles também são incorporados em artefatos, obras de arte e outras estruturas materiais, assim como também são em culturas tradicionais não letradas. Na verdade, as atividades dos indivíduos em redes sociais incluem especificamente a produção organizada de bens materiais. Todas essas estruturas materiais – textos, obras de arte, tecnologias e bens materiais – são criadas para um propósito e de acordo com algum planejamento. Elas são incorporações do significado compartilhado gerado pelas redes de comunicações da sociedade.

Por fim, sistemas biológicos e sociais geram suas próprias fronteiras. Uma célula, por exemplo, produz e sustenta uma membrana, que impõe restrições à química que ocorre dentro dela. Uma rede social, ou comunidade, produz e sustenta uma fronteira cultural não material, que impõe restrições ao comportamento de seus membros.

Inclusão do Mundo Material

A extensão da concepção sistêmica da vida ao domínio social discutida neste ensaio inclui explicitamente o mundo material. Para cientistas sociais, isso pode ser incomum, pois, tradicionalmente, as ciências sociais não estiveram muito interessadas no mundo da matéria. Nossas disciplinas acadêmicas têm sido organizadas de maneira tal que as ciências naturais lidam com as estruturas materiais, enquanto as ciências sociais lidam com estruturas sociais, que são compreendidas como sendo, em essência, regras de comportamento.

No futuro, essa divisão estrita não será mais possível porque o desafio-chave do nosso novo século – para cientistas sociais, cientistas naturais e todas as pessoas – será o de construir comunidades ecologicamente sustentáveis. Uma comunidade sustentável é planejada de maneira tal que suas tecnologias e instituições sociais – suas estruturas materiais e sociais – não interferem com a capacidade inerente da natureza para sustentar a vida. Em outras palavras, os princípios de planejamento de nossas futuras instituições sociais precisam ser consistentes com os princípios de organização que a natureza desenvolveu para sustentar a teia da vida. Um arcabouço conceitual unificado para a compreensão das estruturas materiais e sociais, como aquele oferecido neste ensaio, será essencial para essa tarefa.

Notas

Este ensaio baseia-se em um artigo publicado no livro *Network Logic*, organizado por Helen McCarthy, Paul Miller e Paul Skidmore, publicado em 2004 por Demos, Londres, pp. 25-34.

1. Capra (2002).
2. Maturana e Varela (1980).
3. Prigogine e Glansdorff (1971).
4. Bateson (1979); Maturana (1970); Maturana e Varela (1980).
5. Luhmann (1984).
6. Castells (1996).

ENSAIO 23

Alimento, Água e Vida

2007

Um dos desafios cruciais da nossa época – talvez *o* desafio crucial – seja o de construir, nutrir e cuidar de comunidades sustentáveis. Para fazer isso, não precisamos inventar comunidades humanas sustentáveis a partir do zero, mas podemos aprender lições valiosas do estudo de ecossistemas, que *são* comunidades sustentáveis de plantas, animais e microrganismos. A característica proeminente da nossa biosfera é que ela tem sustentado a vida por mais de três bilhões de anos. Portanto, criar comunidades humanas sustentáveis significa, antes de qualquer coisa, compreender essa capacidade inerente da natureza para sustentar a vida e, em seguida, redesenhar nossas estruturas físicas, tecnologias e instituições sociais em conformidade com essa capacidade da natureza.

Portanto, a busca pela sustentabilidade ecológica leva naturalmente às questões: "Como a natureza sustenta a vida? Como funcionam os ecossistemas? Como eles se organizam para sustentar seus processos de vida ao longo do tempo?". E quando estudamos ecossistemas, logo descobrimos que essas questões levam a uma pergunta mais geral: "Como os sistemas vivos – organismos, ecossistemas e sistemas sociais – se organizam?". Em outras palavras, somos levados à velha questão: "Qual é a natureza da vida?".

No contexto da ciência, essa questão pode ser reformulada assim: "Quais são as características essenciais dos sistemas vivos?". Em outras palavras: "Qual é a diferença entre uma rocha e uma planta, ou entre uma rocha e um animal, ou microrganismo?". Como dito anteriormente, "para compreender a natureza da vida, não basta compreender o DNA, as proteínas e outras estruturas moleculares que são os elementos constituintes dos organismos vivos, pois essas estruturas também existem em organismos mortos, por exemplo, em um pedaço de madeira ou em um osso.

A diferença entre um organismo vivo e um organismo morto está no processo básico da vida – naquilo que os sábios e poetas ao longo dos tempos têm chamado de "sopro da vida". Na linguagem científica moderna, esse processo da vida é chamado de metabolismo. É o fluxo incessante de energia e matéria ao longo de uma rede de reações químicas, que permite a um organismo vivo gerar, reparar e perpetuar continuamente a si mesmo.[1] Em outras palavras, o metabolismo envolve a ingestão, a digestão e a transformação de alimentos.

Uma vez que o metabolismo é a característica central da vida biológica, compreender a produção, a preparação e o consumo de alimentos nos conecta diretamente com a própria essência da vida. Mostrarei agora, com alguns exemplos, quão estreitamente o alimento está ligado à vida em todos os níveis. A categoria biológica mais ampla de organismos vivos é a do reino. Há cinco reinos da vida: bactérias (microrganismos sem núcleos celulares), protistas (microrganismos com células nucleadas), plantas, fungos e animais.

Os microrganismos consistem em células únicas (ou em grupos de algumas células), e nessas células, a membrana celular controla o ingresso de nutrientes e a excreção de resíduos do organismo. Ao manter certas substâncias do lado de fora e permitir que outras entrem, a membrana regula a composição molecular da célula e, desse modo, preserva sua identidade. Em outras palavras, a identidade celular é moldada e sustentada pelo ingresso de alimentos.

Os organismos multicelulares – plantas, fungos e animais – são classificados de acordo com seus métodos de aquisição de nutrientes. As plantas absorvem alimentos por meio da fotossíntese – esse processo maravilhoso no qual a energia solar é convertida em energia química, o CO_2 é "aprisionado" nas substâncias orgânicas, e o oxigênio é liberado no ar, para ser absorvido por outras plantas e por animais no processo da respiração.

Os fungos são semelhantes a plantas e, no entanto, tão diferentes delas que são classificados como um reino separado, que exibe várias propriedades fascinantes. Eles carecem da clorofila verde para a fotossíntese, e não digerem internamente seu alimento. Em vez disso, eles secretam enzimas para fora de seus corpos e, em seguida, absorvem os nutrientes digeridos externamente. Os animais, é claro, ingerem seu alimento e, em seguida, o digerem. Em cada caso, a maneira de introduzir alimentos em seus corpos define um organismo multicelular como membro de um dos três reinos – plantas, fungos ou animais.

E quanto aos seres humanos? Do ponto de vista da biologia, somos animais, mas a vida humana também inclui outras dimensões, em particular a dimensão cultural. O mesmo é verdadeiro quanto à maneira como adquirimos nossos alimentos. Ela também inclui uma importante dimensão cultural. Na verdade, em seu significado original, a palavra *cultura* referia-se ao cultivo de plantações e à criação de animais. A partir daí, foi estendida metaforicamente ao cultivo da mente humana, antes de adquirir o significado de um modo de vida distinto de um povo.[2] No entanto, o significado biológico original de *cultura* como cultivo ainda está presente em nossa palavra *agricultura*.

As conexões etimológicas entre a agricultura, uma pessoa culta e a cultura de uma comunidade abrem uma perspectiva fascinante sobre a própria essência da natureza humana. Há cerca de quatro milhões de anos, um extraordinário nexo ocorreu na evolução da vida, quando os primeiros macacos que caminhavam eretos desenvolveram as habilidades de movimentos manuais precisos e a capacidade para fazer ferramentas, que podem ter levado ao rápido crescimento do cérebro e à evolução da linguagem, da consciência reflexiva e das relações sociais organizadas que marcam a emergência da espécie humana.

Com a evolução humana, os alimentos adquiriram sua dimensão cultural em ambos os sentidos da palavra *cultura*. Eles começaram a ser cultivados e preparados com a ajuda de várias tecnologias, e eram compartilhados entre os seres humanos em rituais e cerimônias culturais. Assim, enquanto os processos biológicos de ingestão alimentar nos permitem distinguir plantas de fungos e animais, as dimensões culturais de produzir, preparar e consumir alimentos são características humanas distintivas.

Ao longo de toda a história da humanidade, filósofos e cientistas também reconheceram que a água é essencial para a vida. Na Grécia antiga, Tales, para quem todo o cosmos estava vivo, declarou que a água é a substância original de que tudo é feito. Durante o Renascimento, Leonardo da Vinci chamou a água de "a extensão e o fluido nutritivo de todos os corpos vivos", e Paracelso a chamou de "a matriz do mundo e de todas as suas criaturas".[3]

Essas primeiras intuições são totalmente corroboradas pela ciência moderna. Hoje, sabemos não apenas que todos os organismos vivos precisam da água para transportar nutrientes aos seus tecidos, mas também que a vida na Terra começou na água. As primeiras células vivas se originaram nos oceanos primitivos, há mais de três bilhões de anos, e sempre, desde essa era, todas as células que compõem os organismos vivos continuaram a florescer e evoluir em ambientes aquosos. Na verdade, como Leonardo e Paracelso reconheceram, a água é a portadora e a matriz da vida.

A importância vital da água foi compreendida não apenas pelos filósofos e cientistas, mas também pelas tradições religiosas da humanidade, nas quais a água é, com frequência, considerada o símbolo da vida. Na tradição cristã, os fiéis recebem uma nova vida espiritual no sacramento do batismo, e a água é o meio que transmite esse sacramento. De maneira semelhante, a água é usada para purificação moral simbólica em batismos e cerimônias de iniciação em outras tradições espirituais em todo o mundo. Em todas essas tradições, a água é considerada como o meio que veicula vida espiritual.

Muitas pessoas – talvez a maioria – compartilham memórias e experiências intensas e profundas desencadeadas pela água. Na minha própria história pessoal, muitas das minhas memórias mais profundas e experiências meditativas mais intensas e profundas foram associadas a ambientes moldados pela água. Passei o início de minha infância no sudeste da Áustria, uma região conhecida como Kärnten (Caríntia), que é famosa por seus belos lagos. Eu tinha parentes que moravam junto a um desses lagos, e durante o verão, meus irmãos e eu passávamos muitas semanas de férias na região daquele lago. Dia após dia, nadávamos no lago, remávamos, observávamos os pescadores, e comíamos as deliciosas carpas e outros peixes de água doce que pescavam. Depois de nadarmos durante horas, nos secávamos deitados nas pranchas de madeira do convés da casa à beira do lago do meu tio, e ainda posso me lembrar vividamente do cheiro daquela madeira molhada em dias quentes de sol. É uma das memórias sensoriais mais vigorosas da minha infância. Igualmente vigorosa é a memória física que tenho das chuvas quentes de verão, outro fenômeno envolvendo água, que foi uma característica extraordinária do meu ambiente sensorial durante minha infância e juventude.

Durante a adolescência, minha família mudou-se para Innsbruck, uma bela cidade nos Alpes tiroleses. Lá, o ambiente dominante relacionado à água era a neve e o gelo das montanhas. Tornei-me um esquiador consumado, e algumas de minhas experiências meditativas mais profundas ocorreram durante uma corrida de esqui perfeita, quando meu corpo e minha mente, os esquis e o declive, fundiam-se em uma experiência única de ritmo e movimento.

Muitos anos depois, quando trabalhava como físico teórico na Universidade da Califórnia, tive uma experiência intensa e profunda em uma praia do Oceano Pacífico que me colocou em um caminho que levou-me a escrever meu primeiro livro, *O Tao da Física*.[4] Sentado naquela praia, observando as ondas rolando e sentindo o ritmo da minha respiração, tomei consciência de que todo o meu ambiente estava envolvido em uma gigantesca dança cósmica. "Vi" os átomos das ondas de água e da neblina, da areia e do meu corpo participando dessa dança cósmica de energia, e percebi que essa era a Dança de Shiva, o Senhor dos Dançarinos cultuado no hinduísmo.

Acredito que essas experiências intensas e profundas, desencadeadas pela água, estão arraigadas na conexão fundamental entre água e vida. Quando os cientistas procuram por vida em outros planetas, a primeira coisa que procuram é a água. O ciclo da água, o ciclo ecológico mais básico, mostra-nos que a água é um elemento insubstituível e limitado, que é compartilhado por todas as criaturas vivas. Portanto, a água também é um patrimônio comum da humanidade, que não deveria ser transformado em mercadoria, mas que precisa estar disponível gratuitamente como um direito humano fundamental.

Na verdade, o primeiro direito humano mencionado na Declaração Universal dos Direitos Humanos das Nações Unidas é "o direito à vida, à liberdade e à segurança pessoal". E, uma vez que nenhuma vida ou segurança pessoal é possível sem o acesso à água limpa e segura, esse acesso está implícito na Declaração das Nações Unidas como o primeiro e mais básico dos direitos humanos.

Notas

Este ensaio baseia-se em uma palestra e um artigo para o Slow Food Movement: "Sustainability, Food and Life", Università degli Studi di Scienze Gastronomiche, Turim, Itália, 12 e 13 de junho de 2007; e "Water and Life", *Slow Food*, Turim, Itália, julho de 2007.

1. Ver Margulis (1998), p. 63
2. Ver Williams (1981).
3. Citado em Capra (2013), p. 18.
4. Capra (1975).

ENSAIO 24

O Fluxo de Vida na Arte de Andy Goldsworthy

2003

ANDY GOLDSWORTHY, UM ESCULTOR internacionalmente aclamado, que vive hoje na Escócia, trabalha com pedra, galhos, folhas, gelo e outros materiais naturais para criar obras de uma beleza de tirar o fôlego. Suas esculturas integram-se em grande harmonia com o meio ambiente e expressam a compreensão intuitiva do artista da natureza fundamental da vida.

Como as próprias formas da natureza, as esculturas de Goldsworthy são transitórias, sujeitas a mudanças contínuas, transformação e decadência ou decomposição. Por isso, o artista faz uso extensivo da fotografia para registrar seu trabalho. Com o documentário *Rivers and Tides* [Rios e Marés], Thomas Riedelsheimer apresenta o cinema como o meio mais adequado para colocar em foco um aspecto particular do trabalho do escultor: sua preocupação com "o crescimento, o tempo, a mudança e a ideia de fluxo na natureza". O cineasta conseguiu tornar visíveis e trazer à vida muitas qualidades sutis das esculturas de Goldsworthy, que não ficam evidentes em diapositivos (*slides*) e livros. *Rivers and Tides* é uma homenagem magnífica à mente do artista e à sua obra.[1] Neste ensaio, tentarei mostrar como o escultor e o cineasta, ambos "trabalhando com o tempo", produziram declarações intensas e profundas sobre qualidades dinâmicas da vida.

Muitos dos efeitos intrigantes e surpreendentes das esculturas de Goldsworthy surgem de seu uso de matéria não viva para transmitir as qualidades da

Figura 15. Escultura de Andy Goldsworthy na capa da edição original de *A Visão Sistêmica da Vida* (*bem cedo na manhã tranquila / talos de sanguinária / empurrados para o fundo do lago / suas próprias reflexões completam a imagem*, Derwent Water, Cumbria, 20 de fevereiro de 1988).

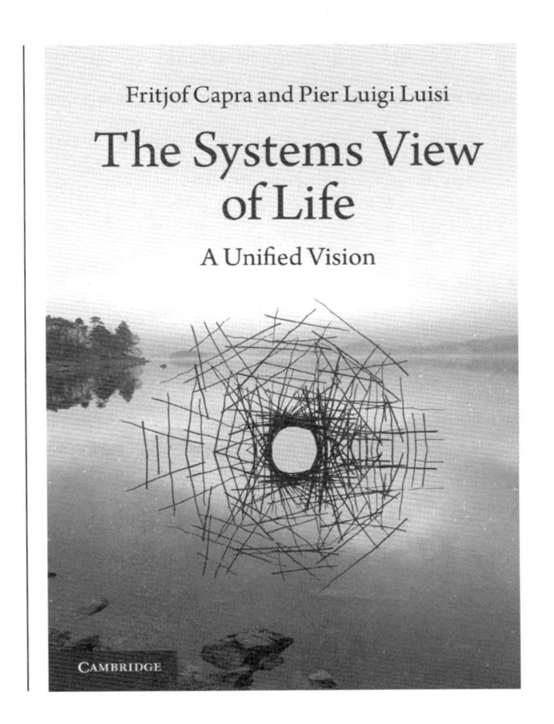

vida. Ele justapõe formas estáticas com forças dinâmicas da vida das maneiras mais surpreendentes, muitas vezes fazendo com que o material não vivo assuma a forma da matéria viva, formas que ela não assumiria naturalmente. Isso requer muita paciência e conhecimento íntimo das propriedades do material.

Em uma costa marítima da Nova Escócia, Goldsworthy faz uma escultura com pingentes de gelo em temperatura abaixo de zero, juntando pequenos pedaços, mergulhando-os em água e os deixando congelar para ficarem conjuntamente grudados. É um processo delicado, em que ocorrem muitas falhas. Ele, repetidamente, morde pedaços de pingentes e os segura, mantendo-os juntos com seus dedos desprotegidos, enquanto eles congelam.

> Eu tenho de trabalhar com minhas próprias mãos porque minhas luvas grudam e não tenho sensibilidade para fazer isso com elas. Sempre gosto de tocar no material. Você nunca aperta a mão de alguém usando uma luva.

Quando a câmera inverte o *zoom*, ela revela um fio de gelo que parece serpentear para a frente e para trás ao longo de uma rocha em forma de espinho gigante. Alguns momentos depois, o sol nascente ilumina o gelo e o faz cintilar. Agora a escultura parece um raio atingindo a pedra.

> *É* difícil, difícil de manter, e às vezes *esfria* as mãos, e eu *de fato* me levanto muito cedo, e todo esse esforço é, em última análise, para tentar fazer algo que pareça fácil.

Em outro dia na mesma praia, Goldsworthy construiu uma escultura com placas de ardósia. Conforme ele as empilha e a escultura cresce, ele percebe que ela é instável. Ele tenta estabilizá-la, mas durante essa tentativa toda a estrutura colapsa. A decepção do artista é palpável. "Esta é a minha obra", ele comenta exasperado. "Desconhecidos em demasia."

Goldsworthy reorganiza cuidadosamente as placas na praia e começa a reconstruir a estrutura. "Creio que suas chances de sobrevivência são um pouco pequenas", ele comenta ironicamente. De fato, depois que mais algumas placas são adicionadas, toda a estrutura colapsa novamente.

> Cada vez que algo colapsa, é extremamente decepcionante. Esta é a quarta vez que ela cai, e cada vez eu conheço a pedra um pouquinho mais. Ela ficava cada vez mais alta; crescia em proporção à minha compreensão da pedra. Essa é realmente uma das coisas que minha arte está tentando fazer – tentando compreender a pedra. Eu, sem dúvida, ainda não a compreendo bem o bastante.

O Rio da Vida

No centro da exploração do tempo por Goldsworthy encontra-se a tensão entre estabilidade e fluxo. De acordo com a ciência contemporânea, essa tensão é de fato uma característica fundamental da vida. Os organismos vivos precisam se alimentar de fluxos contínuos de energia e matéria extraídas de seu ambiente para permanecer vivos, e ainda assim eles conseguem manter estruturas estáveis apesar desse crescimento, desse fluxo e dessa mudança contínuos. Os cientistas falam em estruturas dissipativas para destacar a estreita interação entre estrutura, por um lado, e fluxo e dissipação, por outro.[2] Um redemoinho é o exemplo mais simples de uma estrutura dissipativa; a água flui de maneira contínua por meio dele, e no entanto a forma característica do vórtice permanece notavelmente estável.

Na obra de Goldsworthy, encontramos repetidamente uma forma que ele parece usar como um símbolo arquetípico do fluxo da vida: uma linha serpenteante, sinuosa, que se desdobra em meandros. "Há sempre essas formas obsessivas das quais você não consegue se livrar", ele pondera, enquanto desenha uma linha sinuosa ao longo da neve espalhada sobre o gelo de um rio congelado.

Vimos a mesma linha serpenteante na escultura de gelo, e a reconhecemos novamente na longa linha curvilínea, semelhante a um anel de cabelo, de uma gavinha verde, arranjada pelo artista conforme a câmera segue seu caminho sinuoso ao longo e ao redor de grandes folhas, percorrendo um labirinto de raízes ao pé de uma árvore e subindo pelo seu tronco.

Para Andy Goldsworthy, a imagem arquetípica que simboliza o fluxo de vida não é a serpente, mas o rio: "O rio é um rio de pedra, um rio de animais, um rio do vento, um rio da água, um rio de muitas coisas. O rio não depende da água; estamos falando sobre o fluxo". Em conformidade com essa visão, Goldsworthy esculpe rios de pedra, rios de folhas e rios de gelo, que transmitem a ideia de fluxo, crescimento e mudança na natureza: "Há um rio de crescimento que flui em meio às árvores e à terra".

Na parte rasa de um rio, o artista alinhou rochas coloridas para formar uma faixa de "pedras fluentes". As cores vão do vermelho-marrom ao amarelo, ao branco, ao azul. Sob a água ondulante, os contornos das pedras mudam continuamente, dando a impressão de uma sequência de cor líquida pura.

> Atribuímos muita importância à nossa ideia de estabilidade da pedra. Quando descobrimos que a própria pedra é de fato fluida e líquida, isso realmente solapa nosso sentido do que está aqui para ficar e do que não está.

O mais espetacular dos "rios de pedra" de Goldsworthy é um muro expansivo construído por uma equipe de pedreiros britânicos sob a supervisão do artista em um parque de escultura de mais 2 milhões de metros quadrados [500 acres] no interior do Estado de Nova York. Enquanto os observamos montando habilmente as rochas e placas de pedra em uma estrutura lisa e elegante, Goldsworthy explica que respeita o trabalho dos "*wallers*" [os "criadores de muros"] e permite que *eles* construam o muro:

> Meu papel é encontrar a linha do muro. Eu trabalho o espaço. O diálogo deles com a pedra é o que faz o muro. É a fluidez de trabalhar que confere à escultura um sentido de movimento e energia.

O muro acabado serpenteia pela floresta, ao redor das árvores, na agora familiar linha meândrica que simboliza o fluxo da vida: "O movimento do muro é o rio de pedra que corre ao redor das árvores, o rio do crescimento que é a floresta".

A câmera segue o movimento aparentemente infinito, à medida que o muro deixa a floresta, atravessa um campo, entra em uma lagoa, aparentemente continua debaixo d'água, e sai do outro lado. Por fim, refazemos nossos passos e seguimos o muro de volta através da floresta até que o perdemos de vista, à medida que, aparentemente, ele desaparece no chão como um rio que se origina em uma nascente.

Um Sentido de Lugar

Em toda a sua obra, Andy Goldsworthy utiliza materiais naturais, tirados do ambiente no qual ele cria suas esculturas de acordo com a estação do ano em que se encontra e com o que se acha disponível naquele dia em particular. Sem ideias preconcebidas do que irá criar, ele passa um tempo considerável andando, deixando o lugar inspirá-lo: "Eu quero compreender a energia que tenho em mim, e que também sinto nas plantas e na terra".

Os resultados desse processo são obras que quase parecem ter crescido por si próprias para fora de seu ambiente. E no entanto, seu vigoroso caráter simbólico torna evidente que são obras de arte.

No litoral da Nova Escócia, Goldsworthy fica às margens de uma pequena baía.

> Minha primeira visão da praia foi um rio e um tanque que foi virado pelo rio. Estou tentando compreender esse movimento, o encontro do rio com o mar [...] o encontro dessas duas águas.

Ele constrói uma cúpula de madeira flutuante com um buraco no topo. As linhas circulares dessa madeira flutuante cinzenta de alguma maneira fazem a escultura assemelhar-se a um redemoinho. Quando a maré sobe, ela envolve a cúpula até que ela flutue suavemente para longe rio adentro, girando lentamente, e, pouco a pouco, se desintegrando em torno de sua periferia. Começando por simbolizar um redemoinho – o exemplo clássico da interação entre estabilidade e fluxo, característico de toda vida – a cúpula de madeira flutuante tornou-se parte de um redemoinho real, lentamente girando no espaço onde o rio encontra o mar. O efeito desse processo sobre o espectador é extraordinário.

> Você se sente como se tocasse o coração do lugar. Essa é uma maneira de compreender – ver alguma coisa que você nunca viu antes, que estava sempre lá, mas você era cego para ela.

Ao inserir suas esculturas em seu ambiente de maneira tal que as mudanças diárias e sazonais as afetem, Goldsworthy torna essas mudanças visíveis, mesmo quando são tão sutis que normalmente não estaríamos cientes delas. Em outras partes do filme, vemos uma longa fileira de folhas interconectadas flutuando lentamente rio abaixo, torcendo-se e girando com as correntes da água; uma delicada tela de caules secos, costurados com espinhos, trêmulos ao embalo do vento; neve seca projetada no ar, formando nuvens finas que se dissipam nas correntes de ar. Todas essas esculturas, delicadas e efêmeras, nos fazem ver padrões e processos na natureza que normalmente não notaríamos.

O sentido de lugar em Goldsworthy se estende à história da terra e de suas interações com as criaturas que vivem nela – animais e seres humanos, passados e presentes. Vemos o artista em uma paisagem montanhosa, entrelaçada com muros de pedra, com ovelhas pastando ao fundo. Ele cobre o topo de um muro de pedra com lã de ovelha, que se torna uma linha sinuosa correndo ao longo do topo do muro longo e desigual, delineando sua borda com uma camada fofa de brancura cintilante.

> A razão pela qual esta paisagem é assim é por causa das ovelhas. As ovelhas têm exercido um impacto muito profundo na terra. [...] Ovelhas foram responsáveis por convulsões sociais e políticas, por espaços abertos nas terras altas, quando os proprietários colocavam ovelhas nesse lugar e dele afastavam as pessoas. E eles deixaram sua história para trás delas. Isso está escrito nesse lugar, na paisagem.

A intensa e profunda compreensão do artista sobre como as criaturas vivas modelam seu ambiente lhe permite ler suas histórias na paisagem e, em seguida, usar os materiais da terra – as pedras, samambaias, folhas e lã de ovelha – para esculpir símbolos de vida.

À medida que a câmera faz um movimento panorâmico pela encosta, uma rocha imponente aparece no primeiro plano. Na próxima imagem, vemos a rocha coberta com a branca lã de ovelha, parecendo o dorso de algum animal mítico. A rocha se tornou um símbolo das ovelhas, do seu domínio e do seu impacto na paisagem. Um sentido de magia e de mito surge da imagem da luxuriante capa da rocha, feita de lã de ovelha, um lembrete dos muitos papéis que as ovelhas desempenharam na mitologia humana.

Símbolos da Vida

Em sua maioria, as esculturas de Goldsworthy são símbolos da vida, seja por meio das formas que elas incorporam seja através dos padrões e processos dos quais elas se tornam parte. Tendo observado o artista construir uma escultura de pedra na praia e repetidamente não conseguindo estabilizá-lo, finalmente o vemos completar a estrutura. Agora nós percebemos por que foi tão difícil construí-la. A escultura parece uma pinha gigante repousando sobre uma pequena base circular.

> Gosto da conexão que a forma tem com a semente, muito cheia e madura. [...] Olhar para a pedra e encontrar crescimento, conforme isso se expressa na semente, dentro da pedra é uma imagem muito poderosa para mim.

Uma pinha, uma semente, cheia e madura – são poderosos símbolos de vida. O cineasta nos mostra uma sequência de cones de ardósia em vários ambientes: em um espaço interior, em uma praia congelada, em uma clareira de floresta, e outra que se ergue sob uma saliência de rocha ao longo de uma estrada: "Essa forma também tem a qualidade de uma guardiã. Parece estar protegendo algo". Talvez a escultura seja um silencioso lembrete de nossa obrigação de respeitar a vida em todas as suas manifestações.

A água é o meio em que a vida se originou e evoluiu; sem água não há vida. Por isso, Goldsworthy costuma usar água como um meio para transportar, transformar ou (no caso de neve e gelo) constituir suas esculturas. Sua escultura de gelo é um símbolo da vida em um duplo sentido, por causa da forma de seu movimento e porque é feita de água, o *medium* da vida: "É água – o rio e o mar solidificados".

Em organismos superiores, o fluxo da vida é mediado não apenas pela água, mas também pelo sangue, que carrega nutrientes para todas as células e leva embora os resíduos. O sangue é um dos símbolos mais poderosos da vida, e não é surpreendente o fato de que Andy Goldsworthy usou a associação de sangue com vida em seu trabalho.

Vemos o artista coletar pequenos pedaços de pedra vermelha, provavelmente hematita, em um leito do rio perto de sua casa na Escócia. Ele esfrega uma peça contra uma rocha para criar um líquido vermelho espesso. Em seguida, quebra as pedras e as tritura em um pó vermelho: "A razão pela qual a pedra é vermelha está em seu conteúdo de ferro, e essa também é a razão pela qual nosso sangue é vermelho".

Vemos respingos do líquido vermelho espesso em uma rocha, que de fato se parecem com respingos de sangue.

> Sinto que há uma energia especial no vermelho, provavelmente por causa de sua relação com o sangue. Acredito que a cor é uma expressão

> de vida. [...] A percepção de que a cor também está em mim me dá a sensação de cor e da energia fluindo por todas as coisas.

Uma pequena cachoeira está caindo em uma lagoa. Enquanto observamos, a água de repente fica vermelha. Sabemos que isso acontece porque Goldsworthy soltou o pó vermelho na água rio acima. No entanto, o momento é emocionalmente, e intensamente, carregado.

> É um verdadeiro choque ver essa cor, algo muito estranho ao rio, mas que de fato está muito arraigado nele e tem muito a ver com aquele lugar.

O Ciclo da Vida

As esculturas de Goldsworthy estão encaixadas não apenas em seu ambiente, mas também em processos de mudança e transformação típicos dos sistemas vivos. Em particular, o artista está aguçadamente ciente dos ciclos de nascimento e morte que são uma parte essencial da vida. Quando o sol se ergue e seu brilho ilumina a escultura de gelo, ele se maravilha com sua boa sorte, mas imediatamente aponta para o fato de que o sol que ilumina o gelo também o fará derreter. A morte é uma parte intrínseca da vida: "Em tantas obras que fiz, a própria coisa que dá vida à obra é a coisa que causará sua morte".

O cone de ardósia na mesma praia é completado no exato instante em que a maré alta atinge sua base. Observamos a água envolver lentamente a escultura e, em seguida, a visão muda para o cone na clareira da floresta, onde a samambaia agora está crescendo em torno dele. A câmera se move para a frente e para trás entre as duas esculturas. À medida que a maré cobre o cone na beira do mar, de modo que a samambaia em crescimento (mostrada em fotografia com lapso de tempo) cobre o cone na floresta até que ambos desapareçam completamente de vista.

Então, à medida que a maré baixa, vemos o cone ressurgir até ficar novamente perto da margem marítima. O cone da floresta também ressurgiu, agora coberto de neve. A samambaia ao redor dele está morta, e a imagem definha para ser substituída por uma visão do cone na primavera, com o chão ao seu redor novamente descoberto.

Quando vistas em contraposição às mudanças das marés e das estações, as esculturas de pedra de Goldsworthy tornam-se símbolos do ciclo da vida. Assim como o cone de ardósia desaparece e reaparece no ciclo das marés e das estações, um cone de pinheiro desaparece quando suas sementes são espalhadas e reaparece na estação seguinte, ou mesmo em uma nova árvore cultivada a partir de uma dessas sementes.

Ficamos com o cone de ardósia na clareira da floresta, circundado por samambaias mortas, perto da casa de Goldsworthy na Escócia. Quando o artista puxa cuidadosamente caules marrons de samambaia da terra, vemos que as partes que estavam no subsolo são negras. Ele corta os caules em pedaços de diferentes comprimentos e os distribui em um padrão marrom e preto.

> A cor preta dos caules é resultado da troca de energia que ocorreu entre a planta e a terra. Por meio desse processo, houve uma troca de calor.

Mesmo que os caules das samambaias estejam mortos, eles permanecem conectados com o ciclo maior da vida, da morte e do renascimento, por meio dos sinais reveladores de suas "trocas de energia" – as reações químicas envolvidas nos processos básicos da vida.

Quando a câmera se afasta, vemos uma árvore em flor e olhando através de seus ramos, notamos caules castanhos-claros de samambaias ao redor do tronco da árvore como um elegante piso de madeira. Afastando-se ainda mais, a câmera revela um caminho de "piso de samambaia" que se afasta da árvore, e no meio dela um círculo negro, aparentemente queimado na própria samambaia. Nós o reconhecemos como o padrão castanho-e-negro que o artista arranjou cuidadosamente.

A justaposição da árvore que se ergue no caminho das samambaias, por um lado, e do buraco negro – uma "árvore que está ausente" – por outro lado, é típica da qualidade cativante e extraordinária da arte de Goldsworthy. Quase como uma fórmula, ele nos mostra como o crescimento e a decadência são fases do ciclo da vida.

> No dia seguinte à morte da esposa do meu irmão mais novo, fui até uma árvore – parecia o lugar certo para ir – e fiz uma obra com um furo na árvore. Ele se torna uma entrada visual na terra, na árvore, na pedra, uma entrada entre a qual a vida reflui e flui.

Nus e retorcidos, vemos os galhos e raízes de várias árvores. Na maior dessas árvore há um buraco negro, esculpido em forma de uma lente longa entre duas raízes gigantescas. A borda do buraco tem duas camadas e lembra uma yoni, o antigo símbolo hinduísta de procriação. Como no padrão da samambaia, vemos um dramática justaposição de nascimento e morte, ambos parte do fluxo da vida.

A Complexidade da Forma Viva

A geração e manutenção de formas biológicas estáveis é um processo tremendamente complexo, envolvendo milhares de reações químicas interligadas até mesmo na mais simples célula viva. Durante os últimos vinte anos, cientistas conseguiram usar poderosos computadores de alta velocidade para desenvolver uma nova linguagem matemática, conhecida como teoria da complexidade, que nos permite, pela primeira vez, lidar matematicamente com a enorme complexidade dos sistemas vivos.[3]

Uma percepção-chave da teoria da complexidade foi a de que as formas biológicas não são simplesmente determinadas por cópias genéticas, mas emergem de uma rede complexa de processos químicos, sujeitos a restrições físicas impostas pelo meio ambiente. O encontro da complexidade dos processos da vida com as restrições físicas resulta em um número limitado de formas biológicas possíveis. Cada uma delas é caracterizada por um delicado equilíbrio entre estabilidade e fluxo, entre ordem e caos. As leis da física e da química fornecem um rigoroso arcabouço de restrições, mas há grande incerteza e imprevisibilidade no que diz respeito às formas vivas reais.

Parece que a obra de Andy Goldsworthy reflete alguns aspectos-chave da nova compreensão científica da complexidade da vida. As obras que ele produz estão sempre sujeitas a restrições físicas rigorosas. A escultura de gelo precisa estar completada antes do nascer do sol, ou derreterá antes de terminar; a cúpula de madeira flutuante precisa ser concluída antes que a maré suba; cobrir uma rocha com lã de ovelhas é uma ação que só pode ser feita em um dia seco e sem vento. Muitas vezes, Goldsworthy trabalha em uma escultura por muitas horas apenas para ser forçado a abandonar o trabalho por causa de mudanças nas condições da luz e da meteorologia.

Como resultado dessas restrições, o artista trabalha apenas com um número limitado de formas, que ele produz repetidamente em testes e variações incessantes. Ao longo do tempo, essas formas evoluem com seu crescente conhecimento dos materiais e das condições, e de suas contínuas inovações criativas. Muitas das esculturas de Goldsworthy são delicadas e efêmeras, existindo no delicado equilíbrio de ordem e caos que também é característico das formas vivas: "Quando faço uma obra, muitas vezes eu a levo até a beira de seu colapso. É um equilíbrio muito belo".

No filme, nós o observamos, em um *close-up*, enquanto ele constrói cuidadosamente uma tela irregular a partir de caules de juncos secos, costurados entre si com espinhos.

> Estou ciente de que o vento acaba de ficar um pouco mais forte, e embora eu pareça tão calmo quanto estava alguns segundos atrás, há esses pequenos sinos de advertência entrando em minha cabeça.

Quando a câmera se afasta, vemos a delicada tela de talos pendurada nos ramos de uma árvore. Tem um círculo vazio no centro, e o artista está trabalhando para completar as partes ao redor do círculo. Uma pequena rajada de vento faz com que a tela se agite e Goldsworthy ansiosamente a toca com a mão espalmada para tentar estabilizá-la. Depois de um tempo, ele retira a mão cuidadosamente, mas assim que o faz, a tela inteira desaba sobre ele. Ele olha para a pilha de talos no chão e suspira.

Quando a obra é bem-sucedida, ela é abençoada pela elegância e pela aparente ausência de esforço que também é característica de flores, folhas de grama e outras obras-primas criadas pela própria natureza durante bilhões de anos de evolução.

Como formas biológicas, muitas das esculturas de Goldsworthy se movem e mudam em constante interação com suas vizinhanças. Uma longa fileira de folhas verdes interconectadas, costuradas com hastes de grama, são enroladas em uma espiral em uma pequena lagoa lateral do rio. À medida que a água da lagoa gira lentamente, a espiral se desenrola e a fileira de folhas passa a flutuar rio abaixo. Às vezes, ela se move em linha reta, em outras ocasiões, ela se contorce, gira e serpenteia, seguindo as correntes da água.

A fileira de folhas parece quase viva em seu movimento pela água; mas é claro, sabemos que ela simplesmente segue a complexidade das correntes de água. O mesmo pode ser dito dos organismos vivos. Eles são cadeias de moléculas que seguem as "correntes" da física e da química, mas trazendo formas vivas de complexidade progressivamente maior.

O Planeta Vivo

De volta ao rio, Andy Goldsworthy passa muitas horas procurando por mais hematita e moendo-a em pó: "Essas pequenas pedras vermelhas de ferro estão bem escondidas no rio. É surpreendente que algo tão dramático, tão intenso, possa estar tão escondido, tão debaixo da pele da Terra".

Nós o vemos com uma pequena pilha de pó vermelho.

> Aqui estou eu trabalhando com a pedra, triturando-a por várias horas para fazer uma pequena pilha de pigmento que transformarei em uma bola e jogarei no rio, e haverá uma porção de água espirrada. Isso é apenas um instante nesse ciclo da pedra à medida que ela passa por seus processos de solidificação, de se tornar fluida novamente e, em seguida, de se tornar sólida mais uma vez.

A intuição do artista do "ciclo da pedra" é completamente consistente com o pensamento científico contemporâneo. As rochas do planeta passam por ciclos gigantescos, nos quais a crosta da Terra é continuamente erodida, arrastada para os oceanos, sugada para o interior do planeta e, por fim, reconstruída em rochas que retornam à superfície por meio de erupções de vulcões ou de colisões de placas tectônicas que causam o surgimento de montanhas massivas.[4]

Enquanto Goldsworthy joga uma bola de pigmento vermelho em uma parte calma do rio, vemos uma porção da água espirrando e, depois de subir, vemos a cor se espalhando através da água em formas irregulares que lembram uma nuvem vermelha. O jorro de pigmento vermelho parece imitar rocha derretida subindo para a superfície da Terra e se espalhando como lava.

> Claro que parece vivo! Se é alguma coisa, é uma expressão da pedra viva, quase de volta à sua origem no vulcão. É evidência visível do movimento e da erupção da pedra. Essa sensação de energia dentro dela, isso é vida.

Na escala do espaço planetário e do tempo geológico, a pedra, de fato, está "viva". É parte de Gaia, o planeta vivo.

Em seguida, vemos Goldsworthy lançar o pigmento para o ar, onde ele forma nuvens de poeira vermelha que se dissipam com as correntes de vento. Nessa sequência, o artista mudou da pedra como líquido para a pedra como nuvens de poeira – sua manifestação mais efêmera. A sequência é seguida por outra mostrando Goldsworthy jogando neve seca para o alto. A neve forma padrões muito semelhantes aos da poeira vermelha.

Nesse caso, o artista explora as conexões entre pedra e água, dois materiais com que ele trabalha muito. Água, a mediadora da vida, causa erosão nas rochas, e carrega a pedra dissolvida para o oceano, fazendo assim com que a pedra torne-se líquida. E, como a água, a pedra pode aparecer não apenas sob a forma de um líquido, mas também como uma nuvem. Ela segue as correntes da água e as correntes do ar. A pedra também faz parte do planeta vivo, de seus rios e de suas marés.

Notas

Uma versão resumida deste ensaio foi publicada em *Resurgence*, de setembro--outubro de 2003, como resenha do filme documentário *Rivers and Tides*, de Thomas Riedelsheimer.

1. Riedelsheimer (2001).
2. Veja Capra (2002).
3. Veja Capra (1996).
4. *Ibid.*

CAPÍTULO 9

Problemas Sistêmicos - Soluções Sistêmicas

COM A PUBLICAÇÃO DE minha síntese completa da visão sistêmica da vida em *As Conexões Ocultas*, senti que havia alcançado um patamar em minha pesquisa teórica, e que a validade desse livro permaneceria vigorosa por um longo tempo.[1] Percebi que muitas partes do arcabouço conceitual que eu havia delineado precisariam ser robustecidos com mais detalhes, mas estava confiante em que o arcabouço da própria síntese suportaria o teste do tempo. Mais que isso, eu acreditava firmemente que o pensamento sistêmico e a visão sistêmica da vida em particular poderiam oferecer meios para solucionar nossos mais importantes problemas globais. Durante as duas décadas passadas, incontáveis soluções sistêmicas bem detalhadas, desenvolvidas e testadas por estudiosos e ativistas ao redor do mundo mostraram que minha confiança era plenamente justificada. Voltarei a essas soluções no Epílogo deste livro.

Durante os primeiros anos do novo século, voltei a um assunto que me fascinara por muitos anos: a síntese única de arte e ciência desenvolvida por Leonardo da Vinci. Ao longo dos anos, visitei várias exposições de desenhos de Leonardo e havia lido uma excelente biografia; além disso, desde cedo, tive a intuição de que o grande gênio da Renascença era um pensador sistêmico.

Por fim, em 2003, comecei a estudar os famosos cadernos de Leonardo, empenhando-me na leitura da abundante literatura sobre sua arte e sua engenharia, bem como livros sobre a arte e a cultura da Renascença em geral. Para minha grande surpresa, descobri que, entre as centenas de livros acadêmicos e populares sobre Leonardo da Vinci, é surpreendentemente pequeno o número de livros sobre sua ciência, embora ele tenha deixado volumosos cadernos cheios de descrições detalhadas de seus experimentos, magníficos desenhos e longas análises de suas descobertas.

Além disso, descobri que a maioria dos autores que discutiram a obra científica de Leonardo a examinou através de lentes newtonianas. Isso muitas vezes os impediu de compreender sua natureza essencial, que eu reconheci como uma ciência de formas orgânicas, de padrões e processos interconectados, radicalmente diferente da ciência mecanicista de Galileu, Descartes e Newton.

Acabei por passar dez anos estudando os escritos, desenhos e pinturas de Leonardo, e escrevi vários livros sobre ele.[2] Minhas pesquisas não apenas confirmaram minha intuição inicial de Leonardo da Vinci como pensador sistêmico como também descobri, para minha grande surpresa, Leonardo o ecologista e pioneiro do ecoplanejamento e da biomimética. No nível mais fundamental, ele sempre procurou compreender a natureza da vida, e o fez estudando os padrões de organização da vida e seus processos fundamentais de metabolismo e crescimento. Na verdade, acredito que a ênfase sempre presente em relações, padrões, qualidades e transformações nos escritos, desenhos e pinturas de Leonardo – as características-chave do pensamento sistêmico – foi o que inicialmente me atraiu para a sua obra e me manteve fascinado por tantos anos.

Enquanto realizava minhas pesquisas sobre Leonardo, continuava a explorar as aplicações da visão sistêmica da vida aos nossos problemas atuais. Eu nunca fui um teórico puro; a mudança social sempre fez parte das minhas preocupações. Desde a década de 1960, fiz parte de uma comunidade global alternativa, ativista. Como expliquei no Ensaio 3, vi a emergência de uma nova sociedade civil global na década de 1990 como o legado mais importante da contracultura da década de 1960.

Durante os últimos vinte anos, mantive estreito contato com os institutos de pesquisa e os centros de aprendizagem dessa sociedade civil global, e, em minhas palestras, seminários e publicações, discuti e defendi muitas das soluções sistêmicas que eles desenvolveram. Os três ensaios deste capítulo são exemplos representativos dessas atividades.

O primeiro ensaio baseia-se em uma palestra que proferi em 1999 no simpósio "Forum 2000" em Praga, a convite do presidente Václav Havel, que reuniu trezentos cientistas, filósofos, líderes religiosos e políticos, artistas e ativistas em sua residência, o Castelo de Praga, para discutir os desafios que a humanidade estava enfrentando no limiar de um novo milênio.

No ensaio, avalio o estado do mundo no final do século XX de uma perspectiva sistêmica. Afirmo desde o início que o grande desafio do nosso tempo é o de construir, manter e nutrir comunidades sustentáveis. Seguindo Lester Brown, defino uma comunidade sustentável como aquela planejada de maneira tal que seus modos de vida não interfiram com a capacidade inerente da natureza para sustentar a vida. Para isso, destaco que devemos nos tornar ecologicamente alfabetizados e aprender a pensar de maneira sistêmica. No corpo principal do ensaio, projeto dois cenários para o futuro – a ascensão do capitalismo global e a expansão do ecoplanejamento. Ambos envolvem redes complexas e novas tecnologias, e os dois cenários estão agora em rota de colisão. Concluo que o desafio que teremos de enfrentar no século XXI será o de mudar os valores do capitalismo global de modo a torná-lo compatível com as exigências da dignidade humana e da sustentabilidade ecológica.

O segundo ensaio é uma homenagem a Lester Brown, fundador do Worldwatch Institute e um dos mais competentes pensadores ambientalistas, por ocasião do seu 80º aniversário. Nele, reviso como Brown documentou, com grandes detalhes ao longo de tantos anos, a natureza sistêmica de nossos problemas globais, e argumento que uma plena compreensão dessas questões requer uma concepção sistêmica radicalmente nova da vida.

Depois de resumir a visão sistêmica da vida e de revisar as características-chave do pensamento sistêmico, apresento e discuto um mapa conceitual detalhado da interconectividade de nossos problemas globais, baseando-me no livro *Plan B*³ de Lester Brown. Esse mapa conceitual é uma versão mais elaborada de outro mapa, que eu planejei 25 anos antes, baseando-me em *State of the World: 1988* [O Estado do Mundo: 1988] (veja o Ensaio 14).

Concluo afirmando que as soluções sistêmicas propostas em *Plan B* de Brown evidenciam o fato de que temos o conhecimento, as tecnologias e os meios financeiros para salvar a civilização e construir um futuro sustentável. O que necessitamos é de vontade política e liderança.

Seis anos depois, em 2020, essa afirmação adquiriu uma nova urgência com a eclosão da pandemia de Covid-19. Durante o primeiro semestre do ano, embora me mantivesse rigorosamente abrigado em casa, participei de uma série de *webinars*, isto é, "seminários realizados *on-line* em vídeo gravado ou ao vivo" e postei vários artigos *on-line* nos quais apresentei a Covid-19 como um problema sistêmico que requer soluções sistêmicas correspondentes. O Ensaio 27 baseia-se nessas apresentações. Argumento que o coronavírus deve ser reconhecido como uma resposta biológica de Gaia, nosso planeta vivo, para a emergência ecológica e social que a humanidade produziu sobre si mesma, ao provovar uma crise em Gaia.

Mostro como essa resposta surgiu de um desequilíbrio ecológico e como muitas de suas consequências dramáticas foram exacerbadas por desequilíbrios sociais e econômicos. Concluo discutindo as valiosas lições que salvam vidas e que Gaia nos ofereceu com essa pandemia, e a necessidade urgente de também aplicar essas lições à crise climática.

Notas

1. Capra (2002).
2. Capra (2007, 2009, 2013).
3. Brown (2008).

ENSAIO 25

O Desafio do Século XXI

1999

À MEDIDA QUE NOSSO século chega ao fim, passamos a enfrentar toda uma série de problemas globais que estão prejudicando a biosfera e a vida humana. São ameaças cada vez mais alarmantes, que poderão se tornar irreversíveis em breve. A preocupação com o meio ambiente não é mais uma das muitas "questões isoladas"; ela é o contexto de todo o restante, de todas as questões – de nossas vidas, nossos negócios, nossa política. O grande desafio que se impõe ao nosso tempo é o de construir comunidades sustentáveis e cuidar delas – ambientes sociais, culturais e físicos nos quais possamos satisfazer nossas necessidades e aspirações sem diminuir as chances das gerações futuras.

Desde a sua introdução, no início da década de 1980, o conceito de sustentabilidade foi muitas vezes distorcido, cooptado e até mesmo banalizado, pois seu uso também passou a ocorrer independentemente do contexto ecológico que lhe confere o significado adequado. O que se sustenta em uma comunidade sustentável não é o crescimento ou o desenvolvimento econômico, mas toda a teia da vida da qual depende nossa sobrevivência em longo prazo. Em outras palavras, uma comunidade sustentável é projetada de maneira tal que seus modos de vida, negócios, economia, estruturas físicas e tecnologias não interfiram na capacidade inerente da natureza para sustentar a vida.

É natural que o primeiro passo nesse empreendimento requer que as pessoas se tornem ecologicamente alfabetizadas, isto é, compreendam os princípios de organização que os ecossistemas desenvolveram para sustentar a teia da vida.[1] No próximo século, a alfabetização ecológica será uma habilidade crucial para políticos, líderes empresariais e profissionais de todas as esferas. Mais que isso, será fundamental para a sobrevivência da humanidade como um todo e, portanto, será a parte mais importante da educação em todos os níveis – de instituições de ensino fundamental e médio a faculdades e universidades, bem como à educação continuada e à capacitação de profissionais.

Para nos tornarmos ecologicamente alfabetizados, precisamos aprender a pensar de maneira sistêmica – baseando nossa abordagem nos estados de conexão, contexto e processos. Quando o pensamento sistêmico é aplicado ao estudo do Lar da Terra – que é o significado literal da palavra *ecologia* – descobrimos que os princípios de organização dos ecossistemas são os princípios básicos de organização de todos os sistemas vivos, os padrões básicos da vida.

Por exemplo, observamos que um ecossistema não gera lixo, sendo os resíduos de uma espécie alimento para outra espécie; que a matéria circula continuamente pela teia da vida; que a energia que impulsiona esses ciclos ecológicos flui vinda do sol; que a diversidade aumenta a resiliência; que a vida, desde seu início há mais de três bilhões de anos, não dominou o planeta por meio de combate, mas por cooperação, parceria e trabalho em rede.

A principal tarefa no próximo século consistirá em aplicar nosso conhecimento ecológico e nosso pensamento sistêmico ao replanejamento fundamental de nossas tecnologias e instituições sociais, de modo a preencher a lacuna atual entre o planejamento humano e os sistemas ecologicamente sustentáveis da natureza. Felizmente, isso já está acontecendo. Nos últimos anos, houve uma explosão de otimismo em resposta a um aumento intenso e significativo do número de práticas de planejamento ecologicamente orientadas, todas as quais encontram-se agora bem documentadas (veja, por exemplo, *Natural Capitalism** de Paul Hawken, Amory Lovins e Hunter Lovins).[2]

O planejamento, no sentido mais amplo, consiste em modelar fluxos de energia e de materiais para fins humanos. O *ecodesign* [ou ecoplanejamento,

* *Capitalismo Natural – Criando a Próxima Revolução Industrial.* São Paulo: Cultrix, 2000.

planejamento ecológico] é um processo de planejamento no qual nossos propósitos humanos são cuidadosamente mesclados com os padrões e fluxos mais amplos do mundo natural.[3] Em outras palavras, os princípios do ecoplanejamento refletem os princípios de organização que a natureza desenvolveu para sustentar a teia da vida.

Por exemplo, o princípio "resíduo é igual a alimento" significa que todos os produtos e materiais fabricados pela indústria, bem como os resíduos gerados nos processos de fabricação, devem acabar fornecendo alimento para algo novo. Uma organização de negócios sustentável estaria encaixada em uma "ecologia de organizações", na qual o desperdício de qualquer organização seria um recurso para outra. Em tal sistema industrial sustentável, o fluxo total de saída (*outflow*) de cada organização – seus produtos e resíduos – seria reconhecido e tratado como recursos circulando pelo sistema. Esses "aglomerados (*clusters*) ecológicos" de indústrias foram recentemente introduzidos em várias partes do mundo por uma organização chamada Zero Emissions Research Initiatives [Iniciativas de Pesquisa sobre Emissões Zero].[4]

Os ecoplanejadores William McDonough e Michael Braungart referem-se a dois tipos de metabolismo: um metabolismo biológico e um metabolismo técnico.[5] Coisas que fazem parte do metabolismo biológico – agricultura e sistemas de produção de alimentos, roupas, cosméticos, e assim por diante – não devem conter substâncias tóxicas persistentes. Coisas que entram no metabolismo técnico – máquinas, estruturas físicas, e assim por diante – devem ser mantidas bem afastadas do metabolismo biológico.

Por fim, todos os produtos, materiais e resíduos serão nutrientes biológicos ou técnicos. Nutrientes biológicos serão planejados para retornar aos ciclos ecológicos – para serem literalmente consumidos por microrganismos e outras criaturas no solo. Nutrientes técnicos serão planejados para voltar aos ciclos técnicos. Isso significa que os clientes não serão proprietários desses produtos, mas apenas que comprarão seus serviços. Quando eles terminarem com os produtos, o fabricante os tomará de volta, os quebrará e usará seus materiais complexos em novos produtos.

Hoje, os obstáculos que impedem a sustentabilidade ecológica não são mais conceituais nem técnicos. Eles estão nos valores dominantes de nossa sociedade e, em particular, nos valores corporativos dominantes. Os valores e as escolhas corporativos são determinados, em grande medida, pelos fluxos de informação, poder e riqueza nas redes financeiras globais que moldam as sociedades atuais.

Durante as últimas três décadas, a revolução da tecnologia da informação deu origem a um novo tipo de capitalismo global, estruturado em torno de redes de fluxos financeiros. Manuel Castells, professor de sociologia da Universidade da Califórnia em Berkeley, analisou e documentou extensivamente esse novo sistema econômico em uma obra em três volumes intitulada *The Information Age: Economy, Society, and Culture* (A Era da Informação: Economia, Sociedade e Cultura).[6]

Por causa da capacidade do capital financeiro para varrer incansavelmente todo o planeta em busca de oportunidades de investimento e passar de uma opção para outra em uma questão de segundos, as margens de lucro são geralmente muito mais altas nos mercados financeiros globais do que na maioria dos investimentos diretos. E, portanto, os lucros vindos de todas as fontes acabam convergindo na metarrede de fluxos financeiros. Os movimentos desse cassino global operado eletronicamente não seguem uma lógica de mercado. O mercado é distorcido, manipulado e transformado por uma combinação de manobras estratégicas desenvolvidas por computador e turbulências inesperadas cujas causas são interações complexas entre fluxos de capital em um sistema altamente não linear.

A tecnologia da informação desempenhou um papel decisivo na ascensão das redes (*networking*) como uma nova forma de organização da atividade humana, que vai muito além da economia. Em nossa "sociedade em rede", como Castells a chama, os processos centrais de geração de conhecimento, produtividade econômica, poder político e militar e comunicação da mídia foram profundamente transformados pela tecnologia da informação e estão conectados a redes globais de riqueza e poder. As funções e processos sociais dominantes estão cada vez mais organizados em torno de redes. A presença ou ausência na rede é uma fonte crucial de poder.

Nas redes globais de fluxos financeiros, o dinheiro é quase inteiramente independente da produção e dos serviços. Assim, a mão de obra desagregou-se em seu desempenho, fragmentou-se em sua organização e dividiu-se em sua ação coletiva. Consequentemente, a ascensão desse "capitalismo informacional" está entrelaçada com o aumento da desigualdade social, com a intensificação da polarização e com a exclusão social cada vez mais acentuada.

Como seria de se esperar, o novo capitalismo global desencadeou uma grande resistência em todo o mundo. Essa resistência está tomando a forma de uma nova política de identidade, que, segundo Castells, representa a tendência social e política característica da década de 1990. A ação social e a política estão sendo construídas em torno de identidades primárias, "sejam elas enraizadas na história e na geografia, ou recém-construídas em uma busca ansiosa por significado e espiritualidade".[7] Há uma busca por novas conexões em torno da identidade compartilhada e reconstruída.

As mais poderosas mudanças de identidade foram iniciadas pelos movimentos feminista e ambientalista, o primeiro envolvendo uma redefinição das relações de gênero, o segundo uma redefinição das relações entre seres humanos e natureza. Castells também observa que grande parte do sucesso do movimento ambientalista vem do fato de que, mais do que qualquer outra força social, ele foi capaz de se adaptar melhor às condições de comunicação e de mobilização no novo paradigma tecnológico.

Por um lado, o movimento conta com organizações de base (ou seja, em redes humanas vivas); por outro lado, esteve na linha de frente de novas tecnologias de comunicação (ou seja, redes eletrônicas) como ferramentas organizadoras e mobilizadoras. Dessa maneira, o movimento ambientalista criou um elo único entre as redes eletrônicas e ecológicas.

De fato, o trabalho em rede foi uma das principais atividades das organizações políticas de base por muitos anos. O movimento ambientalista, o movimento dos direitos humanos, o movimento feminista, o movimento pela paz e muitos outros movimentos políticos e culturais de base organizaram-se como redes flexíveis que transcendem as fronteiras nacionais. Em 1998, muitas dessas organizações de base interligaram-se eletronicamente durante vários meses a fim de se prepararem para ações conjuntas de protesto na reunião da OMC em Seattle.[8] A "coalizão de Seattle" foi extremamente bem-sucedida em atrapalhar a reunião da OMC e em divulgar suas opiniões para o mundo. Suas ações concertadas podem ter mudado de modo permanente o clima político em torno da questão da globalização econômica.

Então, à medida que avançamos para o novo século, podemos observar dois desenvolvimentos que terão enorme impacto no bem-estar e nos modos de vida da humanidade. Ambos os desenvolvimentos têm a ver com redes, e ambos envolvem tecnologias radicalmente novas. Uma delas é a ascensão do capitalismo global e da sociedade em rede; a outra é a criação de comunidades sustentáveis, envolvendo práticas de ecoalfabetização e de ecoplanejamento.

Enquanto o capitalismo global se preocupa com redes eletrônicas de fluxos financeiros e informacionais, a ecoalfabetização e o ecoplanejamento se preocupam com redes ecológicas de fluxos de energia e de materiais. O objetivo da economia global é maximizar a riqueza e o poder das elites na sociedade em rede; o objetivo do ecoplanejamento é maximizar a sustentabilidade da teia da vida.

Esses dois cenários – cada um deles envolvendo redes complexas e tecnologias especiais avançadas – estão atualmente em rota de colisão. A sociedade em rede é destrutiva das comunidades locais e, portanto, é inerentemente insustentável. Tem por base o valor central do capitalismo – ganhar dinheiro pelo bem de ganhar dinheiro – com exclusão de outros valores. No entanto, os valores humanos podem mudar; eles não são leis naturais. As mesmas redes eletrônicas de fluxos financeiros e informacionais *poderiam* ter outros valores nelas embutidos. O desafio do século XXI será o de mudar o sistema de valores do capitalismo global, de modo a torná-lo compatível com as exigências da dignidade humana e da sustentabilidade ecológica.

Notas

Este ensaio tem por base uma palestra proferida no *Forum 2000*, Praga, 11 a 13 de outubro de 1999, publicada em *Tikkun*, 15(1), janeiro de 2000, pp. 49-50; e em *Resurgence*, novembro/dezembro de 2000.

1. Ver Orr (1992).
2. Hawken, Lovins e Lovins (1999).
3. Ver Orr (2002), p. 27.
4. Veja www.zeri.org.
5. McDonough e Braungart (1998).
6. Castells (1996, 1997, 1998).
7. Castells (1996), p. 22.
8. Ver Hawken (2000).

ENSAIO 26

O Pensamento Sistêmico e o Estado do Mundo

2014

O 80º ANIVERSÁRIO DE Lester Brown coincide com o 40º aniversário dos relatórios *State of the World* [O Estado do Mundo], a avaliação anual, pelo Worldwatch Institute, dos principais problemas de nosso tempo e de novas ideias inovadoras para resolvê-los.[1] A característica marcante desses relatórios, assim como a de outros escritos de Lester e seus colaboradores, é a percepção fundamental de que nenhum de nossos principais problemas pode ser compreendido isoladamente. São problemas sistêmicos, o que significa que estão todos interconectados e são interdependentes e, portanto, requerem soluções sistêmicas.

De fato, Lester Brown é um pensador sistêmico por excelência. Em seu livro recente, *Plan B*, ele fornece uma das documentações mais detalhadas e magistrais da interconexão fundamental de todos os problemas globais.[2] Ele demonstra com clareza impecável como o círculo vicioso da pressão demográfica e da pobreza leva ao esgotamento de recursos – redução da quantidade de água dos lençóis freáticos, florestas cada vez menores, colapso na indústria da pesca, erosão dos solos, e assim por diante – e como esse esgotamento de recursos, exacerbado pelas mudanças climáticas, produz estados deficientes, cujos governos não podem mais fornecer segurança para seus cidadãos, alguns dos quais, em total desespero, voltam-se para o terrorismo.

Todos esses problemas, em última análise, devem ser considerados apenas como diferentes facetas de uma única crise, que é em grande parte uma crise de percepção.[3] Ela deriva do fato de que a maioria das pessoas em nossa sociedade, e especialmente nossas grandes instituições sociais, aprovam e adotam os conceitos de uma visão de mundo ultrapassada, uma percepção da realidade inadequada para lidar com nosso mundo superpovoado e globalmente interconectado.

A principal mensagem do livro de Lester é a de que *há* soluções para os grandes problemas do nosso tempo; algumas delas até simples. Mas elas exigem uma mudança radical em nossas percepções, nosso pensamento, nossos valores. E, de fato, estamos agora no início dessa mudança fundamental de visão de mundo na ciência e na sociedade, uma mudança de paradigma tão radical quanto a Revolução Copernicana.

Infelizmente, essa percepção ainda não despontou na maioria de nossos líderes políticos. O reconhecimento de que uma profunda e intensa mudança de percepção e de pensamento é necessária se quisermos sobreviver também não chegou aos nossos líderes corporativos. A maioria de nossos líderes é incapaz de ligar os pontos, para usar uma expressão popular; eles não conseguem perceber como os principais problemas do nosso tempo estão todos inter-relacionados. Além disso, eles se recusam a reconhecer como suas chamadas soluções afetam as gerações futuras. Do ponto de vista sistêmico, as únicas soluções viáveis são as soluções sustentáveis.

Ao longo dos últimos trinta anos, tornou-se claro que uma compreensão completa dessas questões requer nada menos que uma concepção radicalmente nova da vida. E, de fato, essa nova compreensão está emergindo nos dias de hoje.[4] Na linha de frente da ciência contemporânea, o universo não é mais reconhecido como uma máquina composta de componentes elementares. Descobrimos que o mundo material, em última análise, é uma rede de padrões de relações inseparáveis; que o planeta como um todo é um sistema vivo e autorregulador. A visão do corpo humano como uma máquina e da mente como uma entidade separada está sendo substituída por outra, para a qual não apenas o cérebro, mas também o sistema imunológico, os tecidos corporais e até mesmo cada célula como um sistema vivo, e cognitivo. A evolução não é mais reconhecida como uma luta competitiva pela existência, mas, em vez disso, é vista como uma dança cooperativa na qual a criatividade e a constante emergência de novidades são as forças motrizes. E com a nova ênfase na complexidade, nas redes e nos padrões de organização, uma nova ciência das qualidades está emergindo lentamente.

A nova concepção de vida envolve um novo tipo de pensamento – pensar com base em relações, padrões e contexto. Na ciência, essa maneira de pensar é conhecida como "pensamento sistêmico" ou "pensamento [no nível] de sistemas". Surgiu nas décadas de 1920 e 1930 a partir de uma série de diálogos interdisciplinares entre biólogos, psicólogos e ecologistas.[5] Em todos esses campos, os cientistas perceberam que um sistema vivo – um organismo, ecossistema ou sistema social – é uma totalidade integrada cujas propriedades não podem ser reduzidas às de partes menores. As propriedades sistêmicas são propriedades do todo, que nenhuma de suas partes possui. Assim, o pensamento sistêmico envolve uma mudança de perspectiva das partes para o todo. Os primeiros pensadores sistêmicos cunharam a frase: "O todo é mais do que a soma de suas partes".

O que exatamente isso significa? Em que sentido o todo é mais do que a soma de suas partes? A resposta é: nas relações. Todas as propriedades essenciais de um sistema vivo dependem das relações entre os componentes do sistema. Pensamento sistêmico significa pensar com base em relações. Compreender a vida requer uma mudança de perspectiva, não apenas das partes para o todo, mas também de objetos para relações. Essas relações incluem as relações entre os componentes do sistema e também aquelas que existem entre o sistema como um todo e sistemas maiores que o envolvem. Essas relações entre o sistema e seu ambiente são o que entendemos por contexto. O pensamento sistêmico é sempre o pensamento contextual.

Compreender relações não é tão fácil para nós, pois é algo que se contrapõe ao empreendimento científico tradicional na cultura ocidental. Na ciência, nos ensinaram que as coisas precisam ser medidas e pesadas. Mas as relações não podem ser medidas e pesadas; relações devem ser mapeadas. Portanto, há outra mudança de perspectiva: da medição para o mapeamento, da quantidade para a qualidade. Quando mapeamos relações, encontramos certas configurações que ocorrem repetidamente. Isso é o que chamamos de padrão. Redes, ciclos, laços de realimentação (*feedback loops*) são exemplos de padrões de organização característicos da vida.

Quando aplicamos a nova concepção de vida ao estudo das estruturas, processos metabólicos e evolução das miríades de espécies do planeta, notamos imediatamente que a característica marcante de nossa biosfera é o fato de que ela sustentou a vida por bilhões de anos. Como a Terra faz isso?

Para compreender como a natureza sustenta a vida, devemos passar da biologia para a ecologia, pois o sustento da vida é uma propriedade de um ecossistema e não de um único organismo ou espécie. Ao longo de bilhões de anos de evolução, os ecossistemas da Terra desenvolveram certos princípios de organização para sustentar a teia da vida. O conhecimento desses princípios de organização, ou princípios de ecologia, é o que ficou conhecido como alfabetização ecológica.[6]

Uma vez que nos tornemos ecologicamente alfabetizados, uma vez que compreendamos os processos e padrões de relações que permitem aos ecossistemas sustentarem a vida, também compreenderemos as muitas maneiras pelas quais nossa civilização humana, especialmente desde a Revolução Industrial, ignorou esses padrões e processos ecológicos e interferiu neles. E perceberemos que essas interferências são as causas fundamentais de muitos dos problemas do planeta nos dias atuais. Pensando sistemicamente, reconheceremos os principais problemas do nosso tempo como problemas sistêmicos – todos eles interconectados e interdependentes. Esta é a mensagem fundamental da primeira parte do livro de Lester, *Plan B*, no qual ele oferece uma análise sistêmica detalhada para documentar a interconectividade fundamental dos problemas atuais do nosso mundo.

Para resumir a análise de Lester, desenhei um mapa conceitual que mostra como os principais problemas de nosso tempo estão interligados. É evidente que essas interconexões são muito intrincadas, e que todo o mapa conceitual é simplesmente esmagador. Então, vamos examiná-lo pedaço por pedaço.

Pelo que parece, o dilema fundamental subjacente aos principais problemas do nosso tempo é a ilusão de que o crescimento ilimitado é possível em um planeta finito. Isso, por sua vez, reflete o choque entre o pensamento linear e os padrões não lineares em nossa biosfera – as redes e ciclos ecológicos que constituem a teia da vida. Essa rede global intensamente não linear contém um número incontável de laços de realimentação por meio dos quais o planeta se equilibra e se regula. Nosso atual sistema econômico, ao contrário, é alimentado por materialismo e ganância que parecem não reconhecer quaisquer limites.

Na realidade, há três tipos de crescimento que exercem impactos severos em nosso ambiente natural: crescimento econômico, crescimento corporativo e crescimento populacional. A ilusão da viabilidade do crescimento ilimitado é sustentada por economistas que se recusam a incluir em suas teorias os custos sociais e ambientais das atividades econômicas. Consequentemente, há enormes diferenças entre os preços de mercado e os custos reais, por exemplo, para os combustíveis fósseis. Como Lester assinala, isso equivale a um massivo fracasso de mercado.

O crescimento econômico e corporativo é um objetivo essencial do capitalismo global, o sistema econômico dominante da atualidade. No centro da economia global, há uma rede de fluxos financeiros que foi projetada sem receber o apoio moderador de qualquer arcabouço ético. De fato, a desigualdade social e a exclusão social são características inerentes da globalização econômica, ampliando a lacuna entre ricos e pobres e aumentando a pobreza no mundo.[7] O crescimento econômico e corporativo integram um empenho incansável do capitalismo global, que o leva a promover o consumo excessivo e uma economia do desperdício, intensivo no uso da energia e dos recursos, e por isso gerando resíduos e poluição e esgotando os recursos naturais da Terra.

O crescimento populacional e a pobreza formam um círculo vicioso, ou um laço – ou ciclo – de realimentação autoamplificador. O rápido crescimento populacional reduz a disponibilidade de terras agrícolas e de suprimentos de água por pessoa. A pobreza resultante, muitas vezes associada ao analfabetismo, por sua vez, aumenta a pressão demográfica, pois as mulheres analfabetas têm, tipicamente, menos acesso ao planejamento familiar e, portanto, suas famílias são muito maiores do que as das mulheres alfabetizadas. Os resultados desse reforço mútuo da pressão demográfica e da pobreza são os crescentes desafios de saúde da epidemia de HIV e de outras doenças infecciosas, por um lado, e o esgotamento dos recursos, por outro.

O consumo excessivo e o desperdício em países industrializados, bem como o rápido crescimento da população em muitos países em desenvolvimento combinam-se para exercer vigorosas pressões sobre nossos recursos naturais,

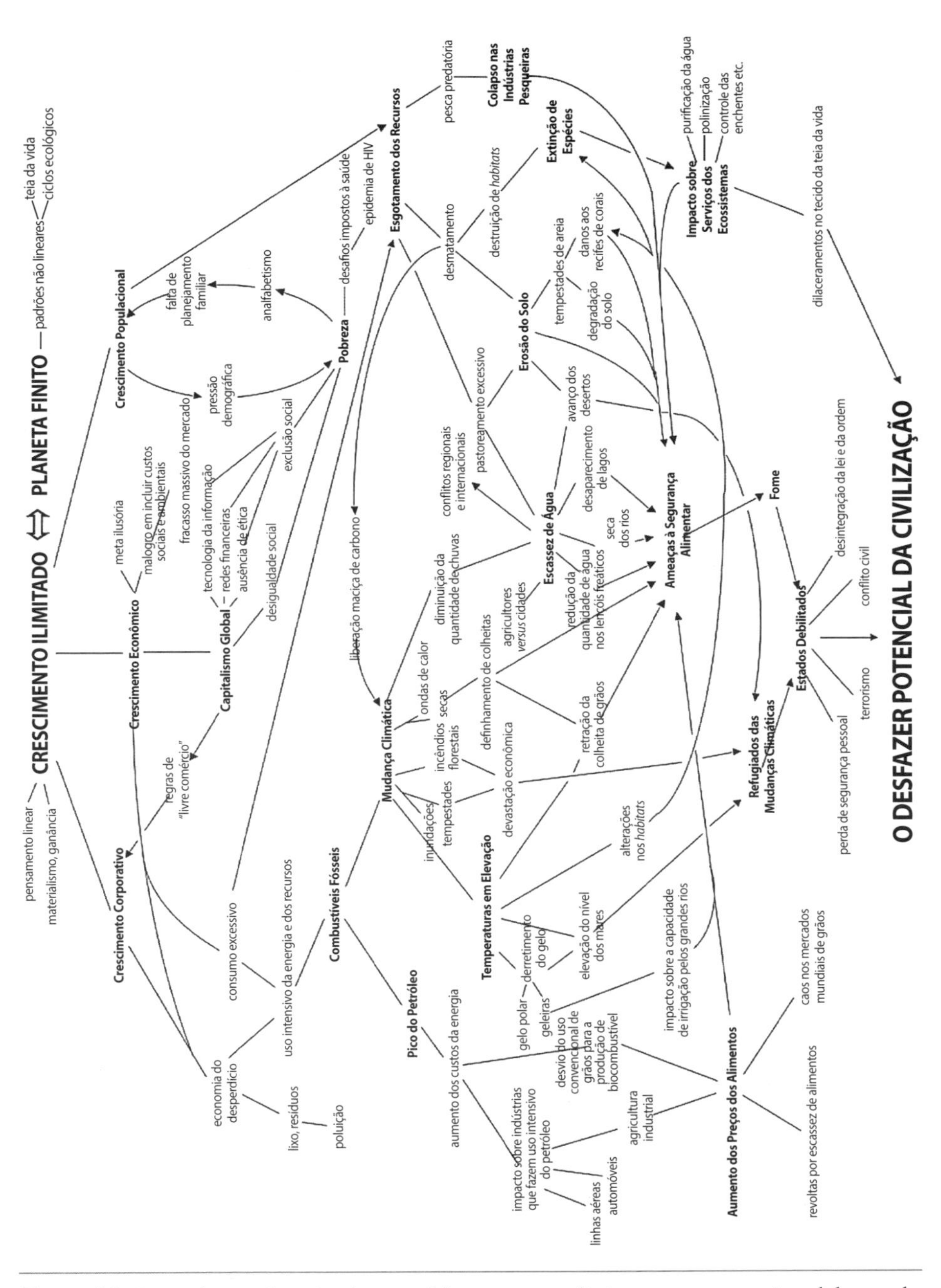

Figura 16. Interdependência dos problemas mundiais, mapa conceitual baseado no Plano B 3.0 de Lester Brown (2008).

levando ao pastoreamento excessivo, ao desmatamento e à pesca predatória. Os resultados são bem conhecidos – redução da quantidade de água disponível nos lençóis freáticos, seca dos rios, desaparecimento de lagos, redução das áreas florestais, colapsos nas indústrias de pesca, erosão dos solos, desertificação de pastagens – todos eles graves ameaças à segurança alimentar.

Todos esses problemas ambientais são exacerbados pelas mudanças climáticas globais, causadas por nossas tecnologias que recorrem ao uso intensivo de energia e de combustíveis fósseis. Isso é agravado pelo desmatamento por meio da liberação de quantidades massivas de carbono na atmosfera. A mudança climática se manifesta no aumento do número e da intensidade das inundações, das tempestades destrutivas e dos incêndios florestais, que causam devastação econômica e dão origem a um grande número de refugiados das mudanças climáticas. Outras manifestações da mudança climática são ondas de calor de grande intensidade e secas que levam ao definhamento das plantações, reduzindo as colheitas de grãos e ameaçando ainda mais a segurança alimentar. Em muitas regiões do mundo, a resultante diminuição das chuvas intensifica uma escassez de água que já é grave.

O aumento das temperaturas causa não apenas a redução do tamanho das áreas de colheita de grãos, mas também o derretimento do gelo – tanto das geleiras como do gelo polar – e, consequentemente, aumenta o nível do mar. O derretimento das geleiras impacta severamente a irrigação dos campos de arroz e de trigo por grandes rios alimentados por essas geleiras. Esses efeitos são enormes ameaças adicionais à segurança alimentar. A elevação dos mares poderia resultar potencialmente em milhões de refugiados das mudanças climáticas nos próximos anos. E, por fim, o aumento das temperaturas globais altera muitos *habitats* e ameaça de extinção as espécies que neles vivem.

A dependência excessiva com relação aos combustíveis fósseis não somente causa o aquecimento global, mas também nos aproxima do "pico do petróleo". Depois de a produção de petróleo atingir o seu pico, ela diminuirá no mundo todo, a extração das reservas remanescentes será cada vez mais cara e, portanto, o preço do petróleo continuará a subir. Os mais afetados serão os segmentos da economia global que fazem uso intensivo do petróleo, em particular a indústria automobilística, a indústria aérea e a agricultura industrial. Assim, os preços dos alimentos sobem com o aumento dos preços do petróleo, ameaçando ainda mais a segurança alimentar. Há agora um sério risco de que o aumento dos preços dos grãos leve ao caos nos mercados mundiais de grãos e a revoltas por falta de alimentos em países de baixa e média renda importadores de grãos.

A busca por fontes alternativas de energia levou, recentemente, ao aumento da produção de etanol e outros biocombustíveis, e como o valor dos grãos como combustíveis é maior nos mercados do que seu valor como alimento, mais e mais grãos são desviados da produção de alimentos para a produção de combustíveis. Ao mesmo tempo, o preço do grão está subindo em direção ao valor de petróleo que lhe é equivalente.

O livro de Lester deixa muito claro que praticamente todos os nossos problemas ambientais são ameaças à nossa segurança alimentar – escassez de água, erosão do solo, colapso da indústria pesqueira, eventos climáticos extremos – e, mais recentemente, o aumento dos preços dos alimentos em consequência do aumento dos custos de energia e do desvio crescente de volumes cada vez maiores de grãos para seu uso como biocombustível.

Além disso, o aumento do consumo de combustível acelera o aquecimento global, o que resulta em perdas de colheitas onde intensas ondas de calor levam ao definhamento de plantações, e na perda de geleiras que alimentam rios essenciais à irrigação. Quando pensamos sistemicamente e compreendemos como todos esses processos estão inter-relacionados, percebemos que os veículos que dirigimos e outras escolhas de consumo que fazemos exercem enorme impacto no fornecimento de alimentos para grandes populações em outras partes do mundo.

Como resultado dessas múltiplas ameaças à segurança alimentar, a fome no mundo está hoje aumentando novamente após um declínio longo e constante. Essa fome em nível mundial e o grande número de refugiados das mudanças climáticas resultaram em um número crescente de estados debilitados, caracterizados pela desintegração da lei e da ordem e pelo aumento do número de conflitos civis. Os governos desses estados não podem mais fornecer segurança aos seus cidadãos, alguns dos quais, em puro desespero, se voltam para o terrorismo. Com um número cada vez maior de estados debilitados e lacerações cada vez maiores no tecido da teia da vida, causados pela extinção contínua de espécies, o próprio tecido da civilização poderia começar a se "desfiar".

Como Lester mostra com grande detalhe em seu livro, e como você pode reconhecer no meu mapa conceitual muito complexo, os problemas do mundo de hoje estão, todos eles, fundamentalmente interconectados e são interdependentes. A estratégia de *Plan B* está fundamentada e bem informada pela percepção dessa interdependência. Envolve várias ações simultâneas, que se apoiam mutuamente, espelhando a interdependência dos problemas que elas abordam. Lester enfatiza que os componentes de *Plan B* são moldados pelo que é necessário hoje, e não pelo que é considerado politicamente viável. Os principais objetivos são, nas palavras do autor, "reestruturar a economia, restaurar seus ecossistemas de suporte naturais, erradicar a pobreza, estabilizar a população e o clima e, acima de tudo, restaurar a esperança".

O arcabouço teórico subjacente a *Plan B* baseia-se na plena compreensão dos princípios básicos da ecologia. Suas propostas detalhadas envolvem a aplicação desse conhecimento ecológico ao replanejamento de nossas tecnologias e instituições sociais. Todas as propostas de *Plan B* baseiam-se em tecnologias existentes e são ilustradas com exemplos bem-sucedidos provenientes de países ao redor do mundo. Eles evidenciam que temos o conhecimento, as tecnologias e os meios financeiros para salvar a civilização e construir um futuro sustentável. O que precisamos é de vontade política e liderança.

Notas

Este ensaio tem por base uma contribuição ao Festschrift que celebrou a vida e a carreira de Lester Brown em abril de 2014.

1. Brown *et al.* (1984 -).
2. Brown (2008, 2009, 2011).
3. Ver Capra (1982).
4. Ver Capra e Luisi (2014).
5. Ver Capra (1996).
6. Ver Orr (1992), Stone e Barlow (2005).
7. Ver Castells (1996).

ENSAIO 27

A Pandemia da Covid-19

Uma Análise Sistêmica

2020

A Covid-19 resultou em grandes interrupções em nossa vida diária, e seus impactos provavelmente levarão a transformações políticas e sociais históricas. Como os outros principais problemas de nossa crise global multifacetada, a pandemia de Covid-19 não pode ser entendida isoladamente. É um problema sistêmico típico, e isso significa que se relaciona com outros grandes problemas – ambientais, sociais, econômicos e políticos – e é dependente deles.

De uma perspectiva sistêmica, o coronavírus precisa ser reconhecido como uma resposta biológica de Gaia, nosso planeta vivo, à emergência ecológica e social que a humanidade desencadeou sobre si mesma, como uma advertência macabra. Surgiu de um desequilíbrio ecológico e tem consequências dramáticas por causa de desequilíbrios sociais e econômicos.

Durante as últimas décadas do século XX, a humanidade excedeu a capacidade de carga da Terra. A população mundial cresceu para 7,8 bilhões de habitantes, e a obsessão irracional de nossos líderes políticos e corporativos pelo crescimento econômico perpétuo gerou uma crise existencial multifacetada que ameaça a própria sobrevivência da humanidade.[1]

Cientistas e ativistas ambientais têm nos alertado sobre as terríveis consequências de nossos sistemas sociais, econômicos e políticos insustentáveis por décadas, mas até agora nossos líderes corporativos e políticos, incapazes de quebrar sua tóxica embriaguez com lucros financeiros e poder político, resistiram obstinadamente a essas advertências. Concentrando sua atenção nas flutuações econômicas e políticas de curto prazo, eles negligenciaram as consequências catastróficas de longo prazo, que já se evidenciam quase iminentes. Agora, no entanto, nossas elites políticas e financeiras são forçadas a prestar atenção, pois a Covid-19 trouxe as primeiras advertências em tempo real.

O desmatamento de grandes áreas de floresta tropical por corporações multinacionais de alimentos, buscando incansavelmente crescimento e lucros excessivos, bem como intrusões maciças em outros ecossistemas ao redor do mundo sob o impulso da mesma motivação, fragmentaram esses sistemas autorreguladores e provocaram rupturas na teia da vida. Uma das muitas consequências dessas ações destrutivas foi o fato de os vírus, que viviam em simbiose com certas espécies animais, saltarem dessas espécies para outras e para os seres humanos, onde se mostraram altamente tóxicos ou letais.

Na década de 1960, um vírus obscuro saltou de uma espécie rara de macacos, mortos como "carne de animais selvagens ou de caça" na África Ocidental, para seres humanos. De lá, espalhou-se para os Estados Unidos, onde foi identificado como o vírus HIV e causou a epidemia de AIDS, matando cerca de 39 milhões de pessoas em todo o mundo ao longo de quatro décadas. De maneira semelhante, o coronavírus saltou de uma espécie de morcegos para seres humanos na China e, a partir daí, espalhou-se rapidamente pelo mundo.

A densidade populacional é a variável-chave na disseminação da Covid-19, e a densidade populacional é muitas vezes uma consequência da maximização excessiva do lucro – seja em navios de cruzeiro gigantes e em outras formas de turismo de massa, em supermercados e lojas de departamento gigantescos, em instalações de acondicionamento de carne, ou em situações de aglomeração de pessoas causadas pela desigualdade social e econômica. A ecologia nos ensinou que, em sistemas complexos, maximizar qualquer variável única levará invariavelmente ao estresse e à vulnerabilidade do sistema como um todo. Em épocas anteriores, essas condições sociais e culturais vulneráveis eram geralmente ocultadas pela mídia corporativa. Mas agora o coronavírus, que não conhece fronteiras sociais ou culturais, as abriu. A biologia ultrapassa a economia e a política.

O papel da justiça social durante uma pandemia é particularmente interessante. Em tempos normais, os ricos estão relativamente isolados dos pobres. Eles vivem em seus próprios bairros, têm suas próprias escolas, hospitais, restaurantes e clubes. O destino dos pobres não os afeta muito. Durante uma pandemia como a de Covid-19, a situação muda dramaticamente. Como o vírus não conhece fronteiras sociais, o destino dos pobres e o dos ricos não podem mais ser separados. Por causa de condições de vida que levam as pessoas a se comprimirem, falta de acesso a água potável, e – especialmente nos Estados Unidos – assistência médica e proteção social inadequadas, os pobres são muito mais suscetíveis a serem infectados. Além disso, o racismo sistêmico veio à tona durante a pandemia. Nos Estados Unidos, os afro-americanos e os hispânicos foram desproporcionalmente impactados, morrendo a taxas duas a quatro vezes maiores do que os norte-americanos brancos, pois eram mais propensos a trabalhar em empregos essenciais, o que, por isso, os deixava mais expostos.[2]

Por fim, os pobres também infectaram os ricos porque, embora as duas classes estejam separadas socialmente, elas não estão separadas biologicamente. Há numerosos contatos físicos entre os ricos e seus assistentes pessoais, motoristas, serviços de entrega e pessoal de limpeza e manutenção. Por meio desses contatos físicos, o vírus se propaga e infecta pessoas independentemente de sua classe social. Por isso, durante uma pandemia, a justiça social não é mais uma questão política de esquerda *versus* direita; torna-se uma questão de vida ou morte. Para evitar a propagação de pandemias – agora e no futuro – será essencial melhorar as condições de vida dos pobres. De maneira mais geral, o comportamento ético – comportamento para o bem comum – torna-se uma questão de vida ou morte durante uma pandemia, pois uma pandemia como a Covid-19 só pode ser superada por ações coletivas e cooperativas.

Considerações semelhantes aplicam-se ao crescimento da população mundial. Os demógrafos sabem há muito tempo que o meio mais eficaz de conter o crescimento populacional consiste em educar as meninas e melhorar o papel e o *status* das mulheres em todo o mundo – garantindo seu acesso ao poder econômico e político e salvaguardando seus direitos de reprodução.[3] Mais uma vez, vemos que a justiça anda de mãos dadas com o equilíbrio ecológico.

Quando a pandemia espalhou-se pelo mundo, em março de 2020, um país após o outro entrou em *lockdown*, apenas com negócios essenciais permanecendo abertos e as pessoas, em sua maioria, confinadas em suas casas. Como consequência, o transporte de pessoas e mercadorias foi radicalmente reduzido, as cadeias de suprimentos foram interrompidas, empresas fecharam, o mercado de ações entrou em colapso e o desemprego disparou. A crise mundial da saúde seguiu lado a lado com uma crise econômica mundial.

Ambas as crises levaram a consequências trágicas generalizadas para indivíduos e comunidades em todo o mundo. No entanto, de uma perspectiva ecológica planetária, também houve muitas consequências positivas. À medida que o tráfego de automóveis e as atividades industriais diminuíram drasticamente, a poluição das principais cidades do mundo desapareceu de súbito, e, novamente, voltamos a desfrutar de um céu limpo e um ar puro. A vida silvestre está florescendo em ecossistemas não perturbados por seres humanos. À medida que gigantescos navios de cruzeiro não entram mais na lagoa veneziana e outros turistas ficam em casa, os canais de Veneza tornaram-se tão claros que os peixes podem ser vistos novamente. Na Índia, os moradores de Punjab agora podem desfrutar de uma vista impressionante dos cumes do Himalaia, a 200 km de distância, longínqua paisagem que não viam há trinta anos. O coronavírus já foi mais eficaz na redução das emissões de CO_2 e na desaceleração do colapso climático do que todas as iniciativas políticas mundiais combinadas.[4]

Isso não significa que queremos continuar na situação atual. Mas a resposta mundial à Covid-19 nos mostrou o que é possível quando as pessoas percebem que suas vidas estão em jogo – individualmente durante a pandemia e para a civilização como um todo na emergência climática. Sabemos agora que o mundo é capaz de responder com urgência e coerência uma vez despertada a vontade política.

Com a Covid-19, Gaia nos presenteou com lições valiosas, que salvam vidas. Mas a questão é: "Será que a humanidade prestará atenção a essas lições?". Passaremos do crescimento econômico extrativo e indiferenciado para o crescimento regenerativo e qualitativo? Iremos substituir os combustíveis fósseis por formas renováveis de energia para todas as nossas necessidades energéticas?

Vamos interromper o turismo de massa excessivo e, em vez dele, revitalizar as comunidades locais? Substituiremos nosso sistema de agricultura industrial, centralizado no uso intensivo de energia, por uma produção em menor escala uma agricultura orgânica, orientada para a comunidade e regenerativa?

Plantaremos bilhões de árvores para retirar CO_2 da atmosfera e restaurar os ecossistemas do mundo a fim de que os vírus perigosos para os seres humanos sejam novamente confinados a outras espécies animais nos quais não causem danos?

Temos o conhecimento e as tecnologias para embarcar em todas essas iniciativas. Teremos vontade política? "A resposta, meu amigo, está sendo levada pelo vento", para citar Bob Dylan. No entanto, o que já estamos vendo é que políticas sociais correspondentes, que eram impensáveis há apenas alguns meses, estão agora sendo discutidas seriamente em vários países.

Por exemplo, a Dinamarca está pagando 75% dos salários perdidos por funcionários de empresas privadas e 90% da renda perdida a trabalhadores autônomos para ajudá-los durante a crise. O Reino Unido, de maneira semelhante, está cobrindo 80% dos salários. Nos Estados Unidos, a ideia de uma renda básica universal, há muito considerada uma ideia marginal, agora é discutida até mesmo por políticos republicanos. A Espanha está nacionalizando seus hospitais privados. A Califórnia está alugando hotéis para abrigar moradores de rua durante a pandemia. O Green New Deal (Novo Acordo Verde), já endossado anteriormente por alguns candidatos presidenciais democratas nos Estados Unidos, está sendo discutido agora na *mainstream* como um programa de recuperação econômica.

Se pudermos catalisar a liderança global para dar continuidade a tais políticas sociais, e se pudermos acrescentar a elas políticas que respeitem e cooperem com a capacidade inerente da natureza para sustentar a vida, poderemos não apenas superar a pandemia da Covid-19, mas também conseguir estabilizar a população mundial e o clima, nutrindo as comunidades locais e restaurando os ecossistemas da Terra.

Podemos ver as concentrações de CO_2 na atmosfera retornarem ao nível seguro de 350 partes por milhão, e podemos ver catástrofes climáticas se tornarem raras, como foram nos séculos anteriores. Remontando sua visão para 2020, os futuros historiadores poderão concluir que, embora a Covid-19 tenha tido consequências trágicas generalizadas para incontáveis indivíduos e comunidades, em longo prazo ela pode ter salvado de extinção a humanidade e grande parte da comunidade da vida planetária.

Notas

Este ensaio é baseado em "Pandemics – Lessons Looking Back from 2050" [Pandemias – Lições Retrospectivas de 2050], em coautoria com Hazel Henderson, postado em 26 de março de 2020, em www.fritjofcapra.net/blog; e em uma série de apresentações em *webinars*, de abril a julho de 2020 (*webinar* de ex-alunos do Capra Course, Hatch Global Living Room, Gaia Journey, *webinar* Global SOL, Earth Charter Brazil Festival, Amana-Key APG, Schumacher College Earth Talk e Terra Madre 2020).

1. Ver Capra e Henderson (2009).
2. Ver Winters (2020).
3. Ver, por exemplo, Engelman (2012).
4. *The Guardian* (Reino Unido), 10 de julho de 2020.

CAPÍTULO 10

Ecologia e Ética

DESDE O INÍCIO DE minhas explorações da mudança de paradigma na ciência e na sociedade na década de 1970, enfatizei em meus livros, artigos e seminários que isso não envolve apenas uma mudança de conceitos e ideias, mas também uma profunda mudança de valores. Durante o início da década de 1990, tomei conhecimento da escola filosófica da ecologia profunda, fundada por Arne Naess na década de 1970, que parecia fornecer uma base ética ideal para a visão sistêmica da vida. Dez anos depois, expandi minha exploração da ética ecológica no contexto da Earth Charter (Carta da Terra), uma declaração global de dezesseis valores e princípios éticos para a construção de um mundo justo, sustentável e pacífico.[1] Os valores da ecologia profunda são expressos no princípio central da Carta da Terra: "Respeito e cuidado pela comunidade da vida".

Nos dois ensaios deste capítulo, exploro as dimensões éticas da visão sistêmica da vida com alguma profundidade. O Ensaio 28, baseado em uma palestra que proferi na Universidade de Brown, fornece uma introdução à filosofia da ecologia profunda e sua conexão com a visão sistêmica da vida, por um lado, e com a espiritualidade, por outro. A ecologia profunda é fundamentada em valores ecocêntricos (centrados na Terra). É uma visão de mundo que reconhece o valor inerente da vida não humana, reconhecendo todos os seres vivos como membros de comunidades ecológicas unidas em uma rede de interdependências. Quando essa percepção se torna parte de nossa consciência diária, emerge um sistema de ética radicalmente novo.

No Ensaio 29, escrito cerca de dez anos depois, defendo que a ética, embora geralmente associada à filosofia ou à religião, também pode ser considerada sob a perspectiva científica. Por bilhões de anos de evolução, a natureza sustentou a vida criando e nutrindo comunidades, e a seleção natural favorecendo aquelas comunidades nas quais os indivíduos agem em benefício da comunidade como um todo. No reino humano, chamamos isso de comportamento ético. Assim, a ética tem sempre relação com a comunidade; é um comportamento para o bem comum.

Ressalto no ensaio que todos compartilhamos duas comunidades às quais pertencemos. Somos todos membros da humanidade e todos pertencemos à biosfera global, à comunidade da vida. Como membros dessas duas comunidades globais, cabe a nós honrar a dignidade humana e a sustentabilidade ecológica. Esses valores são exibidos em todas as suas facetas na Carta da Terra, que reviso em detalhes no Ensaio. Concluo que este documento, produzido em um processo colaborativo global único, é um resumo perfeito do tipo de ética da Terra de que precisamos em nosso tempo.

Nota

1. Veja https://earthcharter.org/library/the-earth-charter-text/.

ENSAIO 28

Ecologia Profunda

Um Novo Paradigma

1993

Os Anos 1990: A Década do Meio Ambiente

Há hoje um consenso generalizado de que os anos 1990 constituíram uma década crítica. A sobrevivência da humanidade e do planeta está em jogo. Os anos 1990 são a década do meio ambiente, não apenas porque estamos dizendo isso, mas também por causa de eventos que se encontram quase além de nosso controle. A preocupação com o meio ambiente não é mais uma das muitas "questões únicas"; é o contexto de todas as outras, de todo o restante – de nossas vidas, nossos negócios, nossa política.

Hoje nos deparamos com toda uma série de problemas globais que estão prejudicando a biosfera e a vida humana de maneiras alarmantes e que poderão, em breve, tornar-se irreversíveis. Temos ampla documentação sobre a amplitude e o significado desses problemas. Um dos melhores relatos recentes é o livro *Earth in the Balance: Ecology and the Human Spirit* (A Terra em Equilíbrio: A Ecologia e o Espírito Humano), de Al Gore,[1] vice-presidente dos EUA. A revisão completa e devastadora de Al Gore sobre a série de catástrofes ecológicas que enfrentamos inclui – em suas próprias palavras – "a perda das florestas tropicais do mundo e de suas espécies vivas, a perda das Everglades [regiões pantanosas da Flórida], do Mar de Aral, das florestas antigas do noroeste do Pacífico, a camada superficial do solo do Centro-Oeste, a vegetação e os solos do Himalaia, o Lago Baikal, o Sahel, as mortes desnecessárias de 37 mil crianças todos os dias, o adelgaçamento da camada de ozônio estratosférico, a ruptura do equilíbrio climático que conhecemos desde o alvorecer da espécie humana". E a lista continua.

Crise de Percepção

Quanto mais estudamos os principais problemas de nosso tempo, mais somos levados a perceber que eles não podem ser compreendidos isoladamente. São problemas sistêmicos – interconectados e interdependentes. A estabilização da população mundial somente será possível quando a pobreza for reduzida em âmbito mundial. A extinção de espécies animais e vegetais em grande escala continuará enquanto o Terceiro Mundo estiver sobrecarregado por enormes dívidas. Somente se pararmos o comércio internacional de armas teremos os recursos para impedir os muitos impactos destrutivos sobre a biosfera e a vida humana.

Na verdade, quanto mais você estudar a situação, mais perceberá que esses problemas são apenas diferentes facetas de uma única crise, que é essencialmente uma crise de percepção. Ela deriva do fato de que a maioria de nós, e em especial nossas grandes instituições sociais, concordam com os conceitos de uma visão de mundo obsoleta, uma percepção da realidade inadequada para lidar com nosso mundo superpovoado e globalmente interconectado.

Mudança de paradigma

Ao mesmo tempo, pesquisadores na linha de frente da ciência, vários movimentos sociais e numerosas redes alternativas estão desenvolvendo uma nova visão da realidade que formará a base de nossas futuras tecnologias, sistemas econômicos e instituições sociais. Portanto, estamos no início de uma mudança fundamental de visão de mundo na ciência e na sociedade, uma mudança de paradigmas tão radical quanto a Revolução Copernicana.

O paradigma que está agora retrocedendo dominou a cultura ocidental por várias centenas de anos, durante os quais moldou nossa sociedade moderna e influenciou de maneira significativa o restante do mundo. Esse paradigma consiste em uma série de ideias e valores, entre os quais a visão do universo como um sistema mecânico composto de componentes elementares, a visão do corpo humano como uma máquina, a visão da vida em sociedade como uma luta competitiva pela existência, a crença no progresso material ilimitado a ser obtido por meio do crescimento econômico e tecnológico e – por último, mas não menos importante – a crença em que uma sociedade na qual a mulher está por toda parte subordinada ao homem é uma sociedade que segue uma lei básica da natureza. Todas essas suposições têm sido decisivamente desafiadas por eventos recentes. E, na verdade, nos dias de hoje está ocorrendo uma revisão radical dessas suposições.

O novo paradigma pode ser chamado de visão de mundo holística, que concebe o mundo como uma totalidade integrada e não como uma coleção de partes dissociadas. Pode também ser chamado de visão ecológica, se a palavra *ecológica* for empregada em um sentido muito mais amplo e profundo que o usual.

Ecologia Profunda

Esse sentido mais amplo e profundo da palavra *ecológica* está associado a uma escola filosófica específica e, além disso, a um movimento de base popular global conhecido como ecologia profunda, que está rapidamente ganhando proeminência. A escola filosófica foi fundada pelo filósofo norueguês Arne Naess no início da década de 1970, com sua distinção entre ecologia "rasa" e "profunda". Essa distinção é hoje amplamente aceita como uma terminologia muito útil para se referir a uma das principais divisões dentro do pensamento ambientalista contemporâneo.[2]

A ecologia rasa é antropocêntrica. Ela vê os seres humanos como situados acima, ou fora da natureza, como a fonte de todos os valores, e atribui apenas um valor instrumental, ou de uso, à natureza. A ecologia profunda não separa os seres humanos, ou qualquer outra coisa, do ambiente natural. Ela não vê o mundo como uma coleção de objetos isolados, mas os vê como uma rede de fenômenos que estão fundamentalmente interconectados e que são interdependentes. A ecologia profunda reconhece os valores intrínsecos de todos os seres vivos e concebe os seres humanos apenas como um fio particular na teia da vida. Ela reconhece que todos nós estamos integrados na teia e, em última análise, somos dependentes dos processos cíclicos da natureza.

Em última análise, percepção ecológica profunda é percepção espiritual ou religiosa. Quando a concepção de espírito humano é compreendida como o modo de consciência no qual o indivíduo se sente conectado ao cosmos como um todo, torna-se claro que a percepção ecológica é espiritual em sua essência mais profunda. Portanto, não surpreende o fato de que a nova visão emergente da realidade, baseada na percepção ecológica profunda, seja consistente com a chamada filosofia perene das tradições espirituais, quer falemos sobre a espiritualidade dos místicos cristãos, ou dos budistas, ou da filosofia e cosmologia subjacentes às tradições nativas norte-americanas.

Sistemas Vivos

Na ciência, a teoria dos sistemas vivos, que se originou na cibernética na década de 1940, mas emergiu plenamente apenas nos últimos vinte anos, nos oferece a formulação científica mais apropriada da ecologia profunda.[3]

A teoria sistêmica reconhece o mundo como uma complexa teia de relações e integração. Os sistemas vivos constituem uma totalidade integrada cujas propriedades não podem ser reduzidas às propriedades de partes menores desse todo. Exemplos de sistemas são abundantes na natureza. Cada organismo – desde a menor bactéria, passando por toda a ampla variedade de plantas e animais até os seres humanos – é um todo integrado e, portanto, um sistema vivo. As células são sistemas vivos, assim como os vários tecidos e órgãos do corpo, sendo o cérebro humano o exemplo mais complexo. Mas os sistemas não estão confinados a organismos individuais e suas partes. Os mesmos aspectos de uma totalidade são exibidos pelos sistemas sociais – como uma família ou uma comunidade – e pelos ecossistemas que consistem em uma variedade de organismos e matéria inanimada em interação mútua.

Portanto, temos estruturas multiniveladas de sistemas dentro de sistemas. Cada um deles forma uma totalidade em relação às suas partes e, ao mesmo tempo, faz parte de um todo maior. Assim, as células se combinam para formar tecidos, tecidos para formar órgãos e órgãos para formar organismos. Estes, por sua vez, existem dentro de sistemas sociais e ecossistemas. Em todo o mundo vivo, encontramos sistemas vivos aninhados em outros sistemas vivos. Uma das grandes vantagens da abordagem sistêmica é o fato de que os mesmos conceitos podem ser aplicados em diferentes níveis sistêmicos, o que leva, muitas vezes, a percepções aguçadas e esclarecedoras.

Gaia

O maior sistema vivo que conhecemos com algum grau de precisão é o nosso planeta, a Terra. Há cerca de vinte anos, astronautas foram capazes, pela primeira vez na história da humanidade, de ver nosso planeta a partir do espaço externo. A percepção da Terra em toda a sua beleza – um globo azul e branco flutuando na profunda escuridão do espaço – comoveu profundamente os astronautas e, como vários deles declararam, foi uma profunda experiência espiritual que mudou para sempre sua relação com a Terra. As magníficas fotografias da Terra inteira, que eles trouxeram de volta, tornaram-se um símbolo poderoso para o movimento ecológico global.

Enquanto os astronautas olhavam para o planeta e contemplavam sua beleza, a Terra também era examinada do espaço externo pelos sensores de instrumentos científicos, e os resultados desses exames levaram os cientistas a uma conclusão radical. Nosso planeta não está apenas repleto de vida, mas também é um sistema vivo, um ser vivo, por assim dizer, "por direito próprio". A superfície da Terra, que sempre consideramos como o *ambiente* da vida, é realmente uma *parte* da vida. O ar que nos cerca é um sistema circulatório, assim como o sangue em nossos corpos, produzido e sustentado pela vida. Reconhecendo que essa hipótese representa o renascimento de um poderoso mito antigo, James Lovelock e Lynn Margulis a chamaram de hipótese Gaia, em homenagem à deusa grega da Terra.[4]

De muitas maneiras, a Terra como um sistema vivo é comparável a uma árvore. À medida que uma árvore cresce, há apenas uma fina camada de tecido vivo ao redor de seu perímetro. Toda a madeira dentro dela, mais de 97% da árvore, está morta. De maneira semelhante, há uma fina camada de tecido vivo ao redor da Terra, que contém todas as árvores, todas as outras plantas e animais, e nós, seres humanos.[5] Para se ter uma ideia da espessura fina desse tecido vivo, a biosfera, imagine um globo do tamanho de uma bola de basquete com os países e os oceanos pintados nela. A espessura da biosfera em tal globo seria a espessura da tinta! Essa camada relativamente fina é o que precisamos proteger e renovar.

Uma árvore é um modelo vivo da Terra também de outras maneiras. Algumas das árvores gigantescas das florestas tropicais são ecossistemas quase completos, sustentando um grande número de espécies, de microrganismos a grandes animais, em uma teia de relações ecológicas. Então, toda a floresta tropical, é claro, é um ecossistema que sustenta não apenas um grande número de seres vivos, incluindo seres humanos, mas também seu próprio clima e até mesmo o clima global. As florestas tropicais, ou florestas chuvosas, de certa forma, são os pulmões da Terra. Cortá-los como fazemos, na proporção de um campo de futebol por segundo, é como cortar os pulmões de uma pessoa, pedaço por pedaço. Isso só pode resultar em catástrofe.

Pensamento Sistêmico

Para compreender os sistemas vivos, precisamos de uma nova maneira de pensar. As propriedades essenciais de um sistema são propriedades do todo, que nenhuma das partes tem. Elas surgem das interações e das relações entre as partes. Essas propriedades são destruídas quando o sistema é dissecado, física ou teoricamente, em elementos isolados. Embora possamos discernir partes individuais em qualquer sistema, essas partes não são isoladas, e a natureza do todo é sempre diferente da mera soma de suas partes. Assim, a abordagem sistêmica não se concentra em elementos básicos, mas em vez disso em princípios de organização básicos.

Então, qual é exatamente a abordagem sistêmica? Identificarei cinco critérios de pensamento sistêmico que, como afirmo, valem para todas as ciências – as ciências naturais, as ciências humanas e as ciências sociais. Formularei cada critério caracterizando-o como uma mudança do velho para o novo paradigma.

1. MUDANÇA DAS PARTES PARA O TODO

No velho paradigma, acredita-se que em qualquer sistema complexo o comportamento do todo pode ser entendido a partir das propriedades das partes. Esse é o célebre método de pensamento analítico desenvolvido por Descartes. Ele tem se mostrado como uma característica essencial do pensamento científico moderno, sendo extremamente útil no desenvolvimento de teorias científicas e na realização de projetos tecnológicos complexos.

Em si mesmas, as partes não podem mais ser analisadas, exceto reduzindo-as a partes ainda menores. Na verdade, a ciência ocidental tem progredido dessa maneira e, em cada passo, houve um nível de constituintes fundamentais que não podiam ser analisados mais a fundo.

O grande choque da ciência do século XX, primeiro na física quântica e depois nas ciências da vida, foi o de que os sistemas não podem ser compreendidos por meio de análise. As propriedades das partes não são propriedades intrínsecas, mas só podem ser compreendidas dentro do contexto de um todo maior.

Desse modo, a relação entre as partes e o todo foi invertida. No novo paradigma, as propriedades das partes só podem ser compreendidas a partir dos princípios de organização do todo. Esse foi o aspecto central da revolução conceitual da física quântica na década de 1920. Heisenberg ficou tão impressionado com esse aspecto que intitulou sua autobiografia *Der Teil und das Ganze* (A Parte e o Todo).[6] Em última análise, não há partes em absoluto. O que chamamos de parte é apenas um padrão em uma inseparável teia de relações. Portanto, a mudança das partes para o todo também pode ser expressa como uma mudança de objetos para relações.

Assim, o pensamento sistêmico é o oposto do pensamento analítico. Análise significa desmontar algo para compreendê-lo; pensamento sistêmico significa colocá-lo no contexto de um todo mais amplo. O pensamento sistêmico, portanto, é pensamento contextual. Explicar as coisas com base em um contexto maior significa explicá-las com base em seu ambiente. Portanto, também podemos dizer que o pensamento sistêmico é pensamento ambiental.

2. MUDANÇA DE ESTRUTURA PARA PROCESSO

No velho paradigma, há estruturas fundamentais, e em seguida há forças e mecanismos por meio dos quais elas interagem, dando origem a processos. No novo paradigma, toda estrutura é vista como a manifestação de um processo subjacente. Toda a teia de relações é intrinsecamente dinâmica. O pensamento sistêmico é sempre o pensamento processual. Em ecologia, por exemplo, estudamos os processos cíclicos do fluxo de nutrientes por meio dos ecossistemas.

3. MUDANÇA DA CIÊNCIA OBJETIVA PARA A CIÊNCIA EPISTÊMICA

No velho paradigma, as descrições científicas são consideradas objetivas, ou seja, independentes do observador humano e do processo de conhecimento. No novo paradigma, acredita-se que a epistemologia – a compreensão do processo de conhecimento – precisa ser incluída explicitamente na descrição dos fenômenos naturais.

Esse reconhecimento ingressou na ciência com Heisenberg e está estreitamente relacionado com a visão da realidade física como uma teia de relações. Sempre que isolamos um padrão nessa rede e o definimos como uma parte, ou como um objeto (ou seja, onde quer que definamos limites), fazemos isso cortando algumas de suas conexões com o restante da rede, e isso pode ser feito de diferentes maneiras. Como disse Heisenberg: "O que nós observamos não é a própria natureza, mas a natureza exposta ao nosso método de indagação (*questioning*)".[7] Esse método de indagação – em outras palavras, a epistemologia – inevitavelmente se torna parte da teoria.

4. MUDANÇA DO EDIFÍCIO PARA A REDE COMO METÁFORA DO CONHECIMENTO

A metáfora do conhecimento como um edifício é usada na ciência e na filosofia ocidentais há milhares de anos. Há leis *fundamentais*, princípios *fundamentais*, *blocos de construção* básicos, e assim por diante. O *edifício* da ciência precisa ser construído sobre *fundações* firmes. Durante os períodos de mudanças de paradigma, sempre se sentiu que as fundações do conhecimento estavam mudando, ou mesmo desmoronando, e que esse sentimento induzia uma grande ansiedade. Einstein, por exemplo, escreveu em sua autobiografia sobre os primeiros dias da mecânica quântica:

> Todas as minhas tentativas de adaptar os fundamentos teóricos da física a esse [novo tipo] de conhecimento falharam completamente. Foi como se o chão tivesse sido puxado de debaixo dos pés, sem que se pudesse ver nenhuma fundação firme em lugar algum, sobre a qual se poderia edificar.[8]

No novo paradigma, a metáfora do conhecimento como edifício está sendo substituída pela da rede. À medida que percebemos a realidade como uma rede de relações, nossas descrições também formam uma rede interconectada de conceitos e modelos em que não há fundamentos. Para a maioria dos cientistas, essa metáfora do conhecimento como uma rede sem fundamentos firmes é extremamente desconfortável.

Quando a noção de conhecimento científico como uma rede de conceitos e modelos, na qual nenhuma parte é mais fundamental do que as outras, é aplicada à ciência como um todo, isso quer dizer que a física não pode mais ser considerada como o nível mais fundamental da ciência. Uma vez que não há fundamentos na rede, os fenômenos descritos pela física não são mais fundamentais do que aqueles descritos, por exemplo, pela biologia ou pela psicologia. Eles pertencem a diferentes níveis sistêmicos, mas nenhum desses níveis é mais fundamental do que os outros.

5. MUDANÇA DE DESCRIÇÕES EXATAS PARA DESCRIÇÕES APROXIMADAS

Os quatro critérios do pensamento sistêmico que apresentei até aqui são todos interdependentes. A natureza considerada como uma teia interconectada e dinâmica de relações, na qual a identificação de padrões específicos como "objetos" depende do observador humano e do processo de conhecimento. Essa teia de relações é descrita com base em uma rede correspondente de conceitos e modelos, nenhum dos quais é mais fundamental que os outros.

Essa nova abordagem levanta imediatamente uma importante questão. Se tudo está conectado a todas as outras coisas, como se pode esperar compreender alguma coisa? Uma vez que todos os fenômenos naturais estão, em última análise, interconectados, para explicar qualquer um deles precisamos compreender todos os outros, o que, obviamente, é impossível.

O que torna possível transformar a abordagem sistêmica em uma teoria científica é o fato de que há o conhecimento aproximado. Essa percepção é essencial para toda a ciência moderna. O velho paradigma baseia-se na crença cartesiana na certeza do conhecimento científico. No novo paradigma, reconhecemos que todos os conceitos e teorias científicos são limitados e aproximados. A ciência nunca pode fornecer qualquer compreensão completa e definitiva. Os cientistas não lidam com a verdade no sentido de uma correspondência precisa entre a descrição e os fenômenos descritos. Eles lidam com descrições limitadas e aproximadas da realidade. Louis Pasteur disse isso de uma bela maneira: "A ciência avança por meio de respostas provisórias até uma série de questões cada vez mais sutis, que se aprofundam cada vez mais na essência dos fenômenos naturais".[9]

Novos Valores

Até aqui, enfatizei percepções e pensamentos. Mas a ecologia profunda requer não apenas uma mudança em nossas percepções e formas de pensar, mas também uma mudança correspondente em nossos valores.

E aqui é interessante observar a notável conexão entre essas mudanças de pensamento e de valores. As duas podem ser consideradas como mudanças da autoafirmação para a integração. Essas duas tendências – a autoafirmativa e a integrativa – são, ambas, aspectos essenciais de todos os sistemas vivos. Sendo uma totalidade integrada, um organismo vivo precisa se afirmar na sua individualidade com relação a outros organismos. E sendo, ao mesmo tempo, parte de um todo maior, precisa integrar-se a esse sistema maior. Portanto, nem a autoafirmação nem a integração é, intrinsecamente, boa ou má. O que é bom, ou saudável, é um equilíbrio dinâmico; o que é mau, ou insalubre, é o desequilíbrio – a ênfase excessiva em uma das tendências em detrimento da outra. No velho paradigma, enfatizamos em excesso os valores e as maneiras de pensar autoafirmativos e negligenciamos suas contrapartidas integrativas. Então, o que estou sugerindo não é substituir uma tendência pela outra, mas sim estabelecer um equilíbrio melhor entre as duas.

Com isso em mente, vamos examinar as várias manifestações da mudança da autoafirmação para a integração. Até onde isso diz respeito ao pensamento, estamos falando sobre uma mudança do racional para o intuitivo, da análise para a síntese, do reducionismo para o holismo, do pensamento linear para o não linear. No que diz respeito aos valores, observamos uma mudança correspondente da competição para a cooperação, da expansão para a conservação, da quantidade para a qualidade, da dominação para a parceria.

Você deve ter notado que os valores autoafirmativos – competição, expansão, dominação – estão geralmente associados aos homens. De fato, na sociedade patriarcal eles não apenas são favorecidos, como também recebem recompensas econômicas e poder político. E essa é uma das razões pelas quais a mudança para um sistema de valores mais equilibrado é tão difícil para a maioria das pessoas, especialmente para a maioria dos homens. Essa também é a razão de um parentesco natural entre ecologia e feminismo, expresso no ecofeminismo.[10]

Ética Ecológica

Toda a questão dos valores tem importância crucial para a ecologia profunda; ela é, de fato, sua característica definidora central. Enquanto todo o velho paradigma está baseado em valores antropocêntricos (centralizados no ser humano), a ecologia profunda está alicerçada em valores ecocêntricos (centralizados na Terra). É uma visão de mundo que reconhece o valor inerente da vida não humana. Todos os seres humanos são membros do *oikos*, o Lar Terrestre; uma comunidade unida em uma rede de interdependências. Quando essa percepção ecológica profunda se tornar parte de nossa percepção cotidiana, emergirá um sistema de ética radicalmente novo.

Essa ética ecológica profunda é urgentemente necessária nos dias de hoje, sobretudo na ciência, uma vez que a maior parte daquilo que os cientistas fazem não é no sentido de promover a vida e preservar a vida, mas sim no sentido de destruir a vida. Com físicos projetando sistemas de armamentos que ameaçam eliminar a vida do planeta, com químicos contaminando o meio ambiente global, com biólogos liberando novos e desconhecidos tipos de microrganismos sem saber as consequências, com psicólogos e outros cientistas torturando animais em nome do progresso científico – com todas essas atividades em andamento, parece da máxima urgência introduzir padrões éticos na ciência moderna.

Geralmente, não se reconhece que os valores não são periféricos à ciência e à tecnologia, mas constituem sua própria base e força motriz. Durante a Revolução Científica no século XVII, os valores eram separados dos fatos e, desde essa época, tendemos a acreditar que os fatos científicos são independentes daquilo que fazemos e, portanto, independentes de nossos valores. Na realidade, os fatos científicos emergem de toda uma constelação de percepções, valores e ações humanos – em uma palavra, emergem de um paradigma – do qual não podem ser separados. Embora grande parte das pesquisas detalhadas possa não depender explicitamente do sistema de valores do cientista, o paradigma mais amplo em cujo âmbito essa pesquisa é desenvolvida nunca será livre de valores. Portanto, os cientistas são responsáveis pelas suas pesquisas não apenas intelectualmente, mas também moralmente.

Dentro do contexto da ecologia profunda, a visão segundo a qual esses valores são inerentes a toda a natureza viva está enraizada na experiência ecológica, ou espiritual, profunda de que a natureza e o eu são um só. Essa expansão do eu até a identificação com a natureza é o fundamento da ecologia profunda, como Arne Naess claramente reconheceu:

> O cuidado flui naturalmente se o "eu" for ampliado e aprofundado de modo que a proteção da Natureza livre seja sentida e concebida como proteção de nós mesmos. [...] Assim como não precisamos de nenhuma moralidade para nos fazer respirar [...] [da mesma maneira] se o seu "eu" no sentido amplo abraça um outro ser, você não precisa de exortação moral para demonstrar cuidado. [...] Você o faz por si mesmo, sem sentir nenhuma pressão moral para fazê-lo. [...] Se a realidade é como é vivenciada pelo eu ecológico, nosso comportamento, de maneira *natural* e bela, segue normas de estrita ética ambientalista.[11]

O que isso implica é o fato de que a conexão entre uma *percepção* ecológica do mundo e o *comportamento* correspondente não é uma conexão lógica, mas psicológica.[12] A lógica não nos leva do fato de que somos parte integral da teia da vida para o âmbito de certas normas que nos dizem como deveríamos viver. No entanto, se tivermos a percepção, ou a experiência, ecológica profunda de sermos parte da teia da vida, então *estaremos* (em oposição a *deveríamos estar*) inclinados a cuidar de toda a natureza viva. Na verdade, dificilmente podemos deixar de responder dessa maneira.

Questões profundas

Há outra maneira pela qual Arne Naess caracterizou a ecologia profunda. "A essência da ecologia profunda", diz ele, "consiste em formular questões mais profundas."[13] Essa também é a essência de uma mudança de paradigma. Você precisa estar preparado para questionar cada aspecto isolado do velho paradigma. Futuramente, você não precisará se desfazer de tudo, mas antes de saber disso, você precisa estar disposto a questionar tudo. Assim, a ecologia profunda faz perguntas profundas a respeito dos próprios fundamentos da nossa visão de mundo e do nosso modo de vida modernos, científicos, industriais, orientados para o progresso e materialistas. Ela questiona todo esse paradigma com base em uma perspectiva ecológica; e o faz a partir da perspectiva de nossas relações uns com os outros, com as gerações futuras e com a teia da vida da qual somos parte.

Sustentabilidade

Uma das áreas mais importantes para ilustrar esse ponto é a dos negócios e da economia. Hoje, a importância do contexto ecológico está se tornando cada vez mais central para os negócios e para a gestão, e uma das tarefas mais importantes será a de abandonar a busca cega pelo crescimento irrestrito. O crescimento é a principal força motriz dos atuais planos de ação política econômica e de práticas empresariais, e, tragicamente, é também a principal força motriz da destruição ambiental global.

O crescimento, é claro, é característico de toda a vida. No entanto, no mundo vivo, o crescimento não tem apenas um significado quantitativo, mas também um significado qualitativo. Para um ser humano, por exemplo, crescer significa desenvolver-se até a maturidade, não apenas tornando-se maior em tamanho, mas também qualitativamente, por meio do crescimento interior. O mesmo é verdadeiro para todos os sistemas vivos. O conceito sistêmico de crescimento é qualitativo e multidimensional.

Qualificar o crescimento econômico significa estabelecer critérios para um crescimento aceitável e inaceitável. Nos últimos anos, a sustentabilidade emergiu como um critério central desse tipo. Lester Brown, do Worldwatch Institute, que há muitos anos é um dos principais defensores da sustentabilidade, define uma sociedade sustentável como aquela que é capaz de satisfazer suas necessidades sem diminuir as chances das gerações futuras.[14] Esse é um empreendimento que transcende todas as nossas diferenças de raça, cultura ou classe. A palavra *ecologia* deriva da palavra grega *oikos*, "lar". A Terra é nossa casa comum, nosso Lar, e criar um mundo sustentável para nossos filhos e para as gerações futuras é nossa tarefa comum.

Notas

Este ensaio foi adaptado de uma palestra proferida na Universidade Brown, em 26 de outubro de 1993.

1. Gore (1992).
2. Veja Deval e Sessions (1985).
3. Veja Jantsch (1980), Capra (1982).
4. Lovelock (1979).
5. Veja Lovelock (1991), p. 33.
6. Heisenberg (1969).
7. Heisenberg (1958), p. 58.
8. Albert Einstein em Schilpp (1949), p. 45.
9. Citado em Capra (1982), p. 101.
10. Veja Griffin (1978), Merchant (1980).
11. Arne Naess, citado em Fox (1990), p. 217.
12. *Ibid.*, pp. 246-47.
13. Arne Naess, citado em Devall e Sessions (1985), p. 74.
14. Brown *et al.* (1988).

ENSAIO 29

Ética da Terra

2014

A ÉTICA GERALMENTE ESTÁ associada com a filosofia ou com a religião, mas também pode ser considerada de uma perspectiva científica. Quando estudamos a história da evolução, percebemos que a natureza sustenta a vida criando e nutrindo comunidades. Nenhum organismo individual pode existir isoladamente. Os animais dependem da fotossíntese das plantas para suas necessidades energéticas; as plantas dependem do dióxido de carbono produzido por animais, bem como do nitrogênio fixado por bactérias nas suas raízes; e juntos, plantas, animais e micro-organismos regulam toda a biosfera e mantêm as condições propícias à vida.

Assim que as primeiras células apareceram na Terra, elas formaram comunidades estreitamente interligadas, conhecidas como colônias bacterianas e, por bilhões de anos, a natureza manteve essas comunidades em todos os níveis de vida. A seleção natural favorece as comunidades nas quais os indivíduos agem em benefício da comunidade como um todo. No reino humano, nós chamamos isso de comportamento ético. Desse modo, a ética sempre tem relação com a comunidade. O comportamento ético está sempre relacionado à comunidade particular à qual pertencemos; é um comportamento voltado para o bem comum.

Quando olhamos para o mundo atual, podemos reconhecer que todos nós pertencemos a muitas comunidades, mas compartilhamos duas comunidades às quais pertencemos. Somos todos membros da humanidade e todos nós pertencemos à biosfera global, a comunidade da vida. Somos membros de *oikos*, o Lar

Terrestre e, como tal, deveríamos nos comportar como se comportam os outros membros do grande lar – as plantas, os animais e os microrganismos que formam a imensa rede de relações que chamamos de teia da vida.

A característica proeminente da biosfera é sua capacidade inerente para sustentar a vida. Como membros da comunidade global de seres vivos, cabe a nós nos comportarmos de maneira tal que não venhamos a interferir nessa capacidade inerente da natureza para sustentar a vida. Essa é a própria essência da sustentabilidade ecológica.

Como membros da comunidade humana, nosso comportamento deve refletir um respeito pela dignidade humana e pelos direitos humanos básicos. Uma vez que a vida humana abrange dimensões biológicas, cognitivas, sociais e culturais, os direitos humanos devem ser respeitados em todas essas dimensões.

Descrever isso em detalhes é um grande desafio, mas, felizmente, temos um documento magnífico que abrange uma ampla gama de considerações sobre a dignidade humana e os direitos humanos. Esse documento é intitulado Earth Charter, a Carta da Terra.[1] Ele foi iniciado na Cúpula da Terra, no Rio de Janeiro, em 1992, e foi redigido nos seis anos seguintes em um esforço colaborativo único envolvendo centenas de organizações e milhares de indivíduos – ONGs, povos indígenas e muitos outros grupos ao redor do mundo.[2]

A Carta da Terra é uma declaração de dezesseis valores e princípios para a construção de um mundo sustentável, justo e pacífico. Cada princípio é formulado como um imperativo ético. O Princípio 1, por exemplo, afirma: "Respeite a Terra e a vida em toda a sua diversidade!" Os dezesseis princípios estão organizados em quatro grupos, e cada princípio é acompanhado por vários subprincípios de apoio, nos quais seus conteúdos e implicações são descritos com mais detalhes.

Tendo sido planejado desde o início como um processo da sociedade civil em vez de uma negociação intergovernamental, o consenso global foi alcançado em um texto expresso em uma linguagem que poderia ser amplamente aceita por diversas culturas. Todo o processo de redação foi um exemplo brilhante de cooperação global. O texto final foi publicado em 2000, e ainda hoje permanece plenamente válido. Ele é realmente um resumo magnífico da ética da Terra de que precisamos em nosso tempo.

A visão da Carta da Terra é uma visão sistêmica. Ela reconhece a interdependência dos nossos problemas globais e fornece um amplo arcabouço ético para soluções sistêmicas apropriadas. Assim, todos os princípios e subprincípios no texto são inter-relacionados e interdependentes. Para discuti-los em detalhes, desenhei um mapa conceitual que mostra como eles estão relacionados entre si.

Nesse mapa, os títulos dos quatro grupos, bem como os próprios princípios com seus números, estão escritos em negrito, e as palavras-chave dos subprincípios são escritas em tipos menores. Devo mencionar também que algumas vezes usei uma linguagem que não está no texto da Carta da Terra, mas parece apropriada para fazer conexões com ideias de pensadores e ativistas contemporâneos. Esses termos que não fazem parte da Carta da Terra estão impressos em itálico.

Os *links* mostrados no mapa representam apenas algumas das interconexões entre os valores e princípios da Carta da Terra. Mostrar todas elas tornaria esmagadora a complexidade do mapa.

O primeiro grupo de princípios, Grupo I, "respeitar e cuidar da comunidade da vida", aborda os valores centrais da Carta da Terra. Nesse grupo encontramos, basicamente, os valores da ecologia profunda, a escola filosófica fundada por Arne Naess na década de 1970.[3] A ecologia profunda reconhece o valor intrínseco de todos os seres vivos, e também reconhece os seres humanos como apenas um fio em particular na teia da vida.

Acho impressionante que a Carta da Terra comece com valores centrais, porque esses constituem o nível mais profundo da mudança de paradigmas que, nos dias de hoje, é urgentemente necessária. A declaração começa no primeiro grupo com os valores fundamentais, e os princípios nos outros três grupos explicitam, então, o que esses valores implicam.

Esses outros três grupos estão relacionados com as três qualidades fundamentais de um mundo futuro ideal: sustentabilidade, justiça e paz. O Grupo II, "integridade ecológica", está relacionado com a sustentabilidade ecológica. O Grupo III é "justiça social e econômica"; e o Grupo IV é "democracia, não violência, paz".

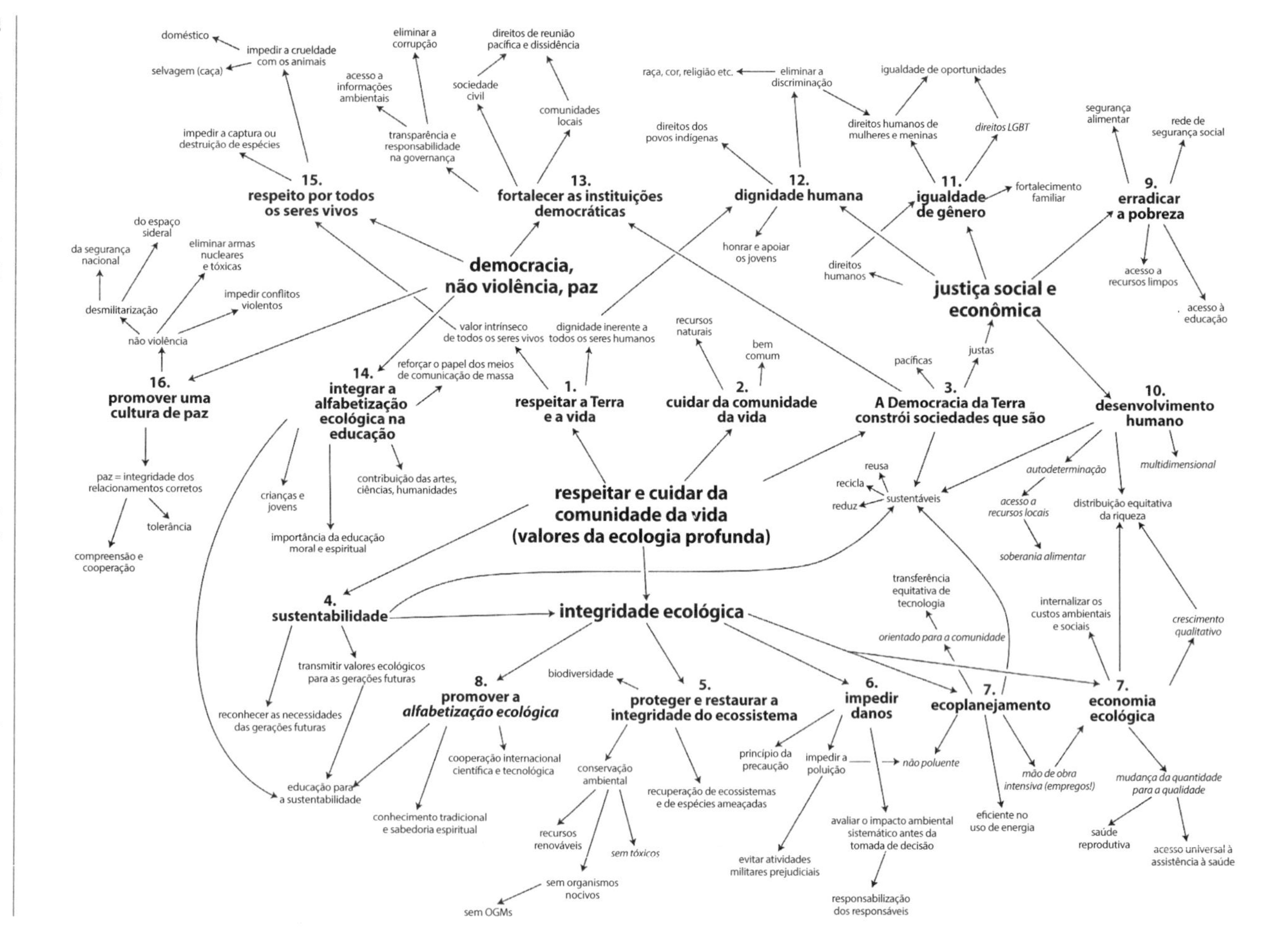

Figura 17. A Carta da Terra, mapa conceitual de princípios e subprincípios.

Também é interessante notar que esses quatro grupos são essencialmente os mesmos quatro pilares da política Verde definidos pelo Partido Verde alemão no início da década de 1980, muito antes de a Carta da Terra ser escrita.[4] Esses quatro pilares eram ecologia, responsabilidade social, democracia de base popular e não violência. Isso não é uma coincidência, pois o Movimento Verde global foi muito influente nas primeiras formulações da Carta da Terra.

Cada um dos quatro grupos contém quatro princípios. No primeiro grupo (o grupo de valores ecológicos profundos), o Princípio 1, "respeitar a Terra e a vida", inclui o valor intrínseco de todos os seres vivos – plantas, animais, toda a vida – em outras palavras, o valor de definição da ecologia profunda. O Princípio 1 também inclui a dignidade inerente de todos os seres humanos. Isso está relacionado ao Princípio 15, que se refere, especificamente, ao respeito por todos os seres vivos, e ao Princípio 12, que é sobre a dignidade humana.

O Princípio 2 está relacionado ao cuidado para com a comunidade da vida, tanto para impedir o esgotamento dos recursos naturais como para promover o bem comum. O Princípio 3 diz respeito à construção de sociedades justas, pacíficas e sustentáveis. Estas são as três qualidades fundamentais da sociedade futura ideal. Na minha visão, isso é exatamente o que a ativista ambiental e ecofeminista Vandana Shiva entende por "democracia da Terra".[5] O Princípio 3 está, obviamente, relacionado com o terceiro grupo de princípios, "Justiça Social e Econômica", e também como Princípio 13, o fortalecimento das instituições democráticas.

O Princípio 4 do primeiro grupo é sobre a sustentabilidade. Ele está intimamente relacionado com todo o segundo grupo de princípios, "integridade ecológica", e também inclui a necessidade de transmitir valores ecológicos para as gerações futuras; portanto, está relacionado com a educação, que é o assunto específico dos Princípios 8 e 14.

No segundo grupo, "integridade ecológica", o Princípio 5, é "proteger e restaurar a integridade do ecossistema", que inclui o respeito pela biodiversidade, pela conservação ambiental e pela restauração de ecossistemas. O Princípio 6 trata da prevenção de danos, que inclui o bem conhecido princípio da precaução, bem como a avaliação dos impactos ambientais e a efetiva e consequente responsabilização dos responsáveis.

O Princípio 7 tem duas partes: ecoplanejamento e economia ecológica. As práticas do ecoplanejamento são eficientes no uso da energia, não poluentes e com utilização de mão de obra intensiva, proporcionando assim muitos empregos, e tudo isso está, obviamente, relacionado à economia ecológica. Para mim, a principal característica de uma economia ecológica é a mudança da quantidade para a qualidade, implícita no texto da Carta da Terra, mas acrescentei o objetivo explícito do crescimento qualitativo (crescimento que melhora a qualidade de vida), que implica uma distribuição equitativa da riqueza e, portanto, está relacionado a todo o grupo "Justiça Social e Econômica".[6]

O Princípio 8 do segundo grupo refere-se à promoção do que é muitas vezes chamado de alfabetização ecológica e está relacionado com a sustentabilidade e com a educação, como mencionei.[7]

O terceiro grupo, "justiça social e econômica", começa com o objetivo de erradicar a pobreza (Princípio 9), que inclui a segurança alimentar, o acesso a recursos limpos e, significativamente, o acesso à educação. O Princípio 9 está, portanto, vinculado tanto ao Princípio 8 como ao Princípio 14 (esses vínculos não estão mostrados no mapa).

O Princípio 10 diz respeito ao desenvolvimento humano, que está ligado com a sustentabilidade. Essa é a conexão fundamental entre integridade ecológica e justiça social. A palavra desenvolvimento é utilizada aqui em um sentido muito mais amplo do que aquele que atualmente os economistas usam. É compreendido como um processo multidimensional que inclui a autodeterminação, a soberania alimentar e a distribuição equitativa da riqueza – todas elas relacionadas à economia ecológica.

O Princípio 11, "igualdade de gênero", mostra mais uma vez a amplitude e a profundidade dos princípios da Carta da Terra. Esses princípios incluem os direitos humanos de mulheres e meninas, e eu acrescentei os direitos LGBTQIA+, que se encontram implícitos no texto, embora essa linguagem não fosse usada em 2000, quando a Carta da Terra foi escrita. É claro que a igualdade de gênero está intimamente relacionada à dignidade humana (Princípio 12), que também inclui os direitos dos povos indígenas.

O quarto grupo de princípios, finalmente, tem a ver com "democracia, não violência e paz". Começa com a necessidade de fortalecer as instituições democráticas (Princípio 13), que estão relacionadas ao Princípio 3, "democracia da Terra", como mencionei. Inclui o apoio à sociedade civil e às comunidades locais, bem como a necessidade de transparência e o reconhecimento da responsabilidade final do governo. Curiosamente, a democracia inclui o princípio de integrar a alfabetização ecológica com a educação (Princípio 14), que está relacionado com a educação e a sustentabilidade, como mencionei.

O Princípio 15 trata do respeito por todos os seres vivos. Como observei, isso está diretamente relacionado aos valores da ecologia profunda no primeiro grupo de princípios. Inclui impedir a crueldade contra os animais e a destruição de espécies.

E, por fim, o Princípio 16 diz respeito à promoção de uma cultura de tolerância, não violência e paz. Para mim, a parte mais interessante desse princípio é expressa no último parágrafo da Carta da Terra: "Reconheça que a paz é a totalidade criada por relações corretas consigo mesmo, com outras pessoas, com outras culturas, com outras vidas, com a Terra e com a totalidade maior da qual todos fazem parte".

Em outras palavras, no fim, a Carta da Terra reitera os valores da ecologia profunda, e se poderia até mesmo dizer que termina com uma intensa e profunda expressão de espiritualidade.

Notas

Este ensaio foi adaptado de uma apresentação feita ao Earth Charter Council, Conselho da Carta da Terra, Nova York, 10 e 11 de junho de 2014.

1. Consulte https://earthcharter.org/library/the-earth-charter-text/.
2. Veja Rockefeller (2015).
3. Veja Capra (1996), pp. 6ss.
4. Veja Capra e Spretnak (1984).
5. Shiva (2005).
6. Veja Capra e Henderson (2009).
7. Veja Orr (1992), Stone e Barlow (2005).

CAPÍTULO 11

Ciência e Espiritualidade

Revisitadas

TRINTA ANOS DEPOIS DE escrever *O Tao da Física*, minhas pesquisas sobre a arte e a ciência de Leonardo da Vinci levaram-me novamente a ponderar sobre questões profundas a respeito da natureza da ciência, da arte, da filosofia e do conhecimento, sobre a consciência e a alma – todos os quais, por sua vez, levaram-me a revisitar a questão da relação entre ciência e espiritualidade. No último ensaio deste livro, baseado em uma palestra que proferi no Reino Unido e em um artigo publicado no periódico *Resurgence*, ofereço meus atuais pontos de vista sobre esse assunto importante, que deu o impulso inicial à minha carreira em sua longa trajetória há cinco décadas.

Começo observando que a visão segundo a qual há uma dicotomia separando a ciência e a religião tem uma longa história, mas também que alguns cientistas não reconhecem nenhuma dicotomia intrínseca entre as duas disciplinas. Afirmo que essa situação confusa surge de um malogro generalizado em distinguir claramente entre espiritualidade e religião. Em minha análise subsequente, defino a experiência espiritual como uma certa experiência da realidade em momentos de vitalidade intensificada, a qual independe de contextos culturais e históricos; e a religião como a tentativa organizada de compreender a experiência espiritual, de interpretá-la dentro de um contexto cultural definido, e de usar essa interpretação como fonte de diretrizes morais para a comunidade religiosa. Ponho em destaque o fato de que, embora a religião possa se tornar dogmática e fundamentalista, o que acaba levando aos bem conhecidos conflitos com a ciência, a experiência espiritual de uma unicidade profunda com o mundo natural é plenamente confirmada pela nova concepção de vida que emergiu na linha de frente da ciência.

Em seguida, reviso as sugestões colhidas nos notáveis paralelismos entre física quântica e filosofia oriental por alguns dos principais físicos do século XX, o vigoroso interesse pelas tradições espirituais orientais na Europa e na América do Norte durante a década de 1960, minhas próprias descobertas de paralelismos significativos entre a física moderna e o misticismo oriental, e minhas explorações sistemáticas desses paralelismos em *O Tao da Física*. Depois de reafirmar a tese básica do livro, situo os paralelismos que tracei no contexto da mudança mais ampla de paradigmas na ciência e na sociedade, o que, para mim, explica o tremendo sucesso do livro.

Observo que, desde a publicação de *O Tao da Física*, em 1975, surgiram numerosos livros nos quais cientistas e filósofos estenderam os paralelismos que eu havia descoberto a outros campos da ciência, bem como a tradições místicas ocidentais. Concluo que essas extensas explorações tornaram evidente o fato de que o sentido de unicidade, de estar profundamente conectado com toda a natureza, que é o âmago da experiência espiritual, é plenamente confirmado pela compreensão da realidade na ciência moderna.

ENSAIO 30

Ciência, Espiritualidade e Religião

2017-2018

A VISÃO DE QUE, consideradas conjuntamente, a ciência e a religião manifestam uma dicotomia tem uma longa história, em especial na tradição cristã, e recentemente foi revivida em vários livros escritos por cientistas como Stephen Jay Gould, Richard Dawkins e outros.[1] Por outro lado, há muitos cientistas que não veem nenhuma dicotomia entre ciência e religião, ou ciência e espiritualidade. No próprio âmago dessa situação confusa, em minha opinião, reside o fracasso de muitos escritores para distinguir com clareza entre espiritualidade e religião. A fim de resolver a confusão, examinarei cuidadosamente o significado de ambas, bem como a relação entre religião e espiritualidade.

Espírito e Espiritualidade

Para uma compreensão adequada da espiritualidade, é útil começar com o significado raiz da palavra *espírito*. A palavra latina *spiritus* significa "sopro"; é interessante o fato de que isso também é verdadeiro para a palavra latina *anima*, a ela relacionada, para a palavra grega *psyche* e para a palavra sânscrita *atman*. O significado comum dessas palavras-chave indica que o significado original de espírito e de alma, em muitas antigas tradições filosóficas e religiosas, tanto no Ocidente como no Oriente, é a de sopro de vida.

Uma vez que a respiração é, de fato, um aspecto central do metabolismo de todas as formas de vida, com exceção das mais simples, o sopro de vida é, pelo que parece, uma metáfora perfeita para a rede de processos metabólicos que é a característica definidora de todos os sistemas vivos. Espírito – o sopro de vida – é o que temos em comum com todos os seres vivos. Ele nos nutre e nos mantém vivos.

A espiritualidade é com frequência compreendida como um modo de ser que flui de uma certa experiência profunda e intensa da realidade, que é conhecida como experiência mística, religiosa ou espiritual. Há numerosas descrições dessa experiência na literatura das religiões do mundo, as quais tendem a concordar que se trata de uma experiência direta da realidade, uma experiência não intelectual, com algumas características fundamentais que são independentes de contextos culturais e históricos.

Uma das mais belas descrições contemporâneas pode ser encontrada em um pequeno ensaio intitulado "Spirituality as Common Sense" [A Espiritualidade como Senso Comum], do monge beneditino, psicólogo e escritor David Steindl-Rast.[2] Em conformidade com o significado original do espírito como sopro de vida, o irmão David caracteriza a experiência espiritual como uma experiência não comum da realidade em momentos de vitalidade intensificada. Nossos momentos espirituais são aqueles em que nos sentimos mais intensamente vivos. A vitalidade sentida durante tal "experiência de pico", como o psicólogo Abraham Maslow a chamava, envolve não apenas o corpo, mas também a mente.[3]

Os budistas se referem a esse estado de vigília mental intensificada como atenção plena (*mindfulness*), e enfatizam que essa atenção plena está profundamente enraizada no corpo. A experiência espiritual é uma experiência de vitalidade intensa da mente e do corpo vivenciados como uma unidade. Além disso, essa experiência de unidade transcende não apenas a separação entre mente e corpo, mas também a separação entre o eu e o mundo. A percepção central nesses momentos espirituais é um profundo e intenso sentimento de unicidade com todos e com tudo, um sentimento de pertencimento ao universo como um todo.

Esse sentido de unicidade com o mundo natural é totalmente confirmado pela nova concepção sistêmica da vida que emergiu recentemente na linha de frente da ciência. À medida que compreendemos como as raízes da vida se aprofundam na física e na química básicas, como o desdobramento da complexidade começou muito antes da formação das primeiras células vivas, e como a vida evoluiu durante bilhões de anos usando repetidamente os mesmos padrões e processos básicos, percebemos quão firmemente estamos conectados com todo o tecido da vida. No entanto, essa harmonia entre a percepção espiritual e a visão sistêmica da vida não é necessariamente verdadeira para a religião, e aqui torna-se importante distinguir entre as duas.

Espiritualidade e Religião

A espiritualidade é uma maneira de se estar fundamentado em uma certa experiência da realidade, a qual é independente de contextos culturais e históricos. A religião é a tentativa organizada de compreender a experiência espiritual, de interpretá-la com palavras e conceitos, e de usar essa interpretação como fonte de diretrizes morais para a comunidade religiosa.

Há três aspectos básicos na religião: teologia, moral e ritual.[4] Nas religiões teístas, a teologia é a interpretação intelectual da experiência espiritual, do sentimento – e do sentido – de pertencer, tendo Deus como ponto de referência supremo. A moral, ou a ética, dizem respeito às regras de conduta derivadas desse sentido de pertencimento, e o ritual é a celebração do pertencimento pela comunidade religiosa. Todos esses três aspectos – teologia, moral e ritual – dependem dos contextos históricos e culturais da comunidade religiosa.

Teologia

A teologia era originalmente compreendida como a interpretação intelectual da própria experiência mística dos teólogos. De fato, durante os primeiros mil anos do cristianismo, praticamente todos os principais teólogos – os chamados padres da igreja – também eram místicos. No entanto, ao longo dos séculos seguintes, no período escolástico, a teologia tornou-se progressivamente fragmentada e divorciada da experiência espiritual que originalmente se encontrava em seu núcleo.

Com a nova ênfase no conhecimento teológico puramente intelectual veio também um enrijecimento da linguagem. Considerando-se que os padres da igreja repetidamente afirmavam que a experiência religiosa não pode ser expressa de maneira adequada em palavras e, por isso, expressavam suas interpretações por meio de símbolos e metáforas, os teólogos escolásticos formularam os ensinamentos cristãos em linguagem dogmática e exigiam que os fiéis aceitassem essas formulações como a verdade literal. Em outras palavras, a teologia cristã tornou-se cada vez mais rígida e fundamentalista, desprovida de espiritualidade autêntica. Essa posição rígida da Igreja levou aos conhecidos conflitos entre a ciência e o cristianismo fundamentalista que perduram até os dias de hoje. O erro central dos teólogos fundamentalistas foi, e é, o de adotar uma interpretação literal dos símbolos e metáforas religiosos.

De fato, as atitudes fundamentalistas não se limitam aos líderes religiosos. Cientistas também podem ser fundamentalistas, esquecendo-se de que todos os seus modelos e teorias são limitados e aproximados, e ignorando o importante papel das metáforas – tanto na religião como na ciência. Quando isso acontece, qualquer diálogo entre religião e ciência torna-se frustrante e improdutivo. Ele se transforma em um *dialog des sourds*, como os franceses o chamam, um "diálogo de surdos".

Um Encontro com o Mistério

A experiência espiritual também é conhecida como experiência mística porque é um encontro com o mistério. Os mestres espirituais ao longo dos tempos têm insistido no fato de que a experiência de um profundo e intenso sentido (e sentimento) de conectividade com o universo, de pertencimento ao cosmos como um todo, é a característica central da experiência mística, é inefável – isto é, incapaz de ser expressa de maneira adequada em palavras ou conceitos – e com frequência a descrevem como acompanhada por um profundo sentido de temor, assombro e maravilha, juntamente com um sentimento de grande humildade.

Os cientistas, em suas observações sistemáticas dos fenômenos naturais, não consideram sua experiência da realidade como inefável. Ao contrário, tentamos expressá-la em linguagem técnica, incluindo a matemática, de maneira tão precisa quanto possível. No entanto, a interconectividade fundamental de todos os fenômenos também é um tema dominante na ciência moderna, e muitos de nossos grandes cientistas expressaram seu sentimento de admiração, de temor, assombro e maravilha quando confrontados com o mistério que está além dos limites de suas teorias. Albert Einstein, por exemplo, repetidamente expressou esses sentimentos, como na célebre passagem a seguir:

> A coisa mais bela e esclarecedora que podemos experimentar é o sentimento do misterioso. É a emoção fundamental que está no berço da verdadeira arte e da verdadeira ciência [...] o mistério da eternidade da vida, e a insinuação da maravilhosa estrutura da realidade, juntamente com o empreendimento sincero de compreender uma porção, mesmo que seja sempre tão pequena.[5]

Moral e Rituais

Agora vamos nos voltar para os dois outros aspectos da religião: a moral e os rituais. A moral, ou ética, refere-se às regras de conduta derivadas do sentimento de pertencimento que está no cerne da experiência espiritual, e o ritual é a celebração desse pertencimento.

Tanto a ética como o ritual se desenvolvem no contexto de uma comunidade religiosa. O comportamento ético está sempre relacionado à comunidade particular à qual pertencemos. Quando pertencemos a uma comunidade, nós nos comportamos em conformidade com ela. No mundo de hoje, há duas comunidades importantes às quais todos nós pertencemos. Somos todos membros da humanidade, e todos nós pertencemos à biosfera global. Somos membros de *oikos*, o Lar da Terra, que é a raiz grega da palavra *ecologia* e, como tal, devemos nos comportar como os outros membros do lar se comportam – as plantas, animais e microrganismos que formam a imensa rede de relações que chamamos de teia da vida.

A característica proeminente do Lar da Terra é sua capacidade inerente para sustentar a vida. Como membros da comunidade global de seres vivos, cabe a nós nos comportarmos de tal maneira que não interfiramos com essa capacidade inerente. Esse é o significado essencial da sustentabilidade ecológica.

Como membros da comunidade humana, nosso comportamento deve refletir um respeito pela dignidade e pelos direitos humanos básicos.

O propósito original das comunidades religiosas consistia em oferecer oportunidades para seus membros reviverem as experiências místicas dos fundadores da religião. Para esse propósito, líderes religiosos criaram rituais especiais no âmbito de seus contextos históricos e culturais. Esses rituais podem envolver lugares especiais, vestes, música, drogas psicodélicas e vários objetos ritualísticos. Em muitas religiões, esses meios especiais para facilitar a experiência mística tornam-se intimamente associados à própria religião e são considerados sagrados.

Física Moderna e Misticismo Oriental

À primeira vista, parece estranho que se possa traçar paralelismos entre ciência e misticismo, pois cientistas e mestres espirituais buscam metas muito diferentes. Enquanto o objetivo dos primeiros é encontrar explicações sobre os fenômenos naturais, o dos últimos é mudar o eu e o modo de vida de uma pessoa. No entanto, em suas diferentes atividades de procura, ambos são levados a fazer declarações sobre a natureza da realidade que podem ser comparadas.

Entre os primeiros cientistas modernos que fizeram tais comparações, estavam alguns dos principais físicos do século XX, que lutaram para compreender a estranha e inesperada realidade revelada a eles em suas explorações dos fenômenos atômicos e subatômicos. Na década de 1950, vários desses cientistas – Werner Heisenberg, Niels Bohr e outros – publicaram livros populares sobre a história e a filosofia da física quântica, nos quais eles chamaram a atenção para os notáveis paralelismos entre a visão de mundo implícita na física moderna e as visões que se destacavam nas tradições espirituais e filosóficas orientais.[6]

Entre esses gigantes da física moderna, Werner Heisenberg foi, de longe, o que exerceu a influência mais vigorosa em meu pensamento. Quando era um jovem estudante em Viena, li a obra clássica de Heisenberg, *Física e Filosofia*, na qual ele apresenta um vívido relato das primeiras explorações dos fenômenos atômicos e subatômicos pelos pioneiros da física quântica.[7] Seus experimentos puseram esses físicos em contato com um mundo estranho e inesperado. Em sua luta para apreender essa nova realidade, esses cientistas tornaram-se dolorosamente conscientes de que seus conceitos, sua linguagem e todo o seu modo de pensar eram inadequados para descrever fenômenos atômicos. Seus problemas não eram meramente intelectuais, mas equivaliam a uma intensa crise emocional, e, pode-se dizer, até mesmo existencial.

Alguns anos depois de ler o livro de Heisenberg, lembrei-me de suas vívidas descrições desses paradoxos quânticos quando li sobre o uso de enigmas sem sentido, conhecidos como *koans*, como um recurso de ensino no zen-budismo.[8] Imediatamente, reconheci alguns paralelismos impressionantes entre esses dois campos – a física quântica e o zen – e esses paralelismos se aprofundaram quando comecei a estudar mais a fundo as tradições espirituais orientais. Naquela época, durante o fim da década de 1960, na Europa e na América do Norte havia um vigoroso interesse pelas tradições espirituais orientais, e muitos livros acadêmicos sobre hinduísmo, budismo e taoismo foram publicados por autores orientais e ocidentais. Em alguns desses livros, paralelismos entre essas tradições orientais e a física moderna também eram sugeridos.[9]

Para mim, relacionar física e misticismo foi, a princípio, um exercício puramente intelectual. Levei vários anos para superar a lacuna entre o pensamento racional e analítico e a consciência meditativa, para vivenciar como a mente pode fluir livremente, como esses aguçados e profundos "estalos" de percepção espiritual vêm a nós por si mesmos, sem exigir de nós nenhum esforço, emergindo das profundezas da consciência.

À medida que continuei a mergulhar nos escritos e nas práticas da espiritualidade oriental, gradualmente fui percebendo que a física moderna nos leva a uma visão de mundo consistente, que é harmoniosa com a antiga sabedoria oriental. Fiz muitas anotações ao longo dos anos, escrevi alguns artigos sobre os paralelismos que continuei descobrindo e, por fim, resumi minhas descobertas em *O Tao da Física*, publicado pela primeira vez em Londres e Berkeley, em 1975, e agora disponível em mais de quarenta edições e mais de vinte idiomas ao redor do mundo.[10]

A Tese Principal de *O Tao da Física*

Minha tese principal em *O Tao da Física* é que as abordagens dos físicos e dos místicos, embora pareçam a princípio muito diferentes, compartilham algumas importantes características. Para começar, seu método é completamente empírico. Os físicos derivam seu conhecimento de experimentos, e os místicos, de aguçadas e profundas percepções meditativas, muitas vezes equivalentes a percepções súbitas e espontâneas. Ambos os tipos de visão esclarecedora são observações de grande acuidade e, em ambos os campos, elas são reconhecidas como a única fonte de conhecimento.

Os objetos de observação são, é claro, muito diferentes nos dois casos. Os místicos olham para dentro e exploram sua consciência em vários níveis, incluindo os fenômenos físicos associados à incorporação da mente. Os físicos, ao contrário, começam sua investigação sobre a natureza essencial das coisas estudando o mundo material. Ao explorar domínios progressivamente mais profundos da matéria, eles tomam consciência da unidade essencial de todos os fenômenos naturais. Mais que isso, também percebem que eles mesmos e sua consciência constituem parte integral dessa unidade. Assim, o místico e o físico chegam à mesma conclusão, de um lado, partindo do domínio interior, e de outro, do mundo exterior. A harmonia entre suas visões confirma a antiga sabedoria hinduísta segundo a qual Brahman, a realidade exterior suprema, é idêntica a *atman*, a realidade interior.

Em muitas tradições espirituais – por exemplo, nas várias escolas do budismo – a experiência mística é sempre primária; suas descrições e interpretações são consideradas secundárias e provisórias, insuficientes para descrever plenamente a experiência espiritual. De certa maneira, essas descrições não são diferentes dos limitados e aproximados modelos com que a ciência trabalha, que estão sempre sujeitos a novas modificações e melhoramentos.

Outra importante semelhança entre o caminho do físico e o caminho do místico está no fato de que suas observações ocorrem em domínios inacessíveis aos sentidos comuns. Na física moderna, são os domínios dos mundos atômico e subatômico. No misticismo, são estados de consciência não comuns, em que o mundo sensorial cotidiano é transcendido. Em ambos os casos, o acesso a esses níveis incomuns de experiência só é possível depois de anos de treinamento no âmbito de uma rigorosa disciplina,* e em ambos os campos, os "especialistas" afirmam que suas observações muitas vezes desafiam a capacidade de ser colocadas em palavras.

O Impacto do Livro

Ao longo dos últimos quarenta anos, *O Tao da Física* foi recebido com um entusiasmo que superou minhas expectativas mais arrojadas. Essa tremenda resposta teve um forte impacto em meu trabalho e na minha vida. Tenho viajado muito, dando palestras para públicos profissionais e leigos na Europa, na América do Norte e do Sul, e na Ásia, e discutindo com homens e mulheres de todas as esferas da vida as implicações da chamada nova física. Desde essa época,

---

* No entanto, nos anos 1960, graças à experiência psicodélica, tornou-se possível àqueles jovens aventureiros do Espírito adquirir "condições de acesso" à via chamada não gradual, não meditativa, e essa outra via não "exige longos anos de treinamento", nem "uma rigorosa disciplina" para nos livrarmos do domínio implacável do dualismo. Ela tem por base a doutrina do *dzogchen*, considerada a "quintessência do budismo", a qual, segundo os que a propagam, em um futuro próximo salvará mentes e corpos das garras do conflito dualista (que governa tanto a ciência materialista e as religiões fundamentalistas, como a cegueira seletiva, fantasiosa e insana do negacionismo). No *dzogchen*, o acesso à experiência profunda começa com a "introdução direta" do discípulo, pelo mestre, à "Natureza da Mente" (a mente ordinária nos aprisiona em sua gaiola dualista, que controla nossa percepção, mas, se conseguirmos, como dizia Blake, desobstruir as portas da percepção, reconheceremos que sempre estivemos banhados na luminosa realidade não dualista da Natureza da Mente. Basta aprender a usar as ferramentas da desobstrução. Keith Dowman, um dos tradutores-chave atuais de textos *dzogchen*, nos esclareceu que "pode ser apropriado notar como o paradigma da prática espiritual do budismo tibetano foi assimilado pelo movimento psicodélico dos anos 1960. Substâncias que alteram a mente substituíram o simples sentar e os processos de criação e realização meditativos como a arena na qual a Natureza da Mente era reconhecida. Embora seja evidente que esse reconhecimento é apenas momentâneo, permitido somente enquanto dure o efeito da substância química, tal experiência é capaz de agir como uma pedra de toque, sobre a qual a realidade pode ser calibrada em uma pratica espiritual em andamento, em que a convicção da 'verdade' de toda a experiência é reconhecida,

escrevi vários outros livros, mas ainda hoje encontro pessoas em todo o mundo que me dizem: "Eu amo seu livro" ou "Seu livro mudou minha vida". E eu não preciso perguntar a que livro eles se referem. Eles se referem a *O Tao da Física.*

Repetidas vezes testemunhei como esse livro e minhas palestras sobre ele geram uma forte ressonância nas pessoas, e eu vim a compreender essa recepção entusiasmada com base no contexto cultural mais amplo do meu trabalho. Repetidamente, homens e mulheres me escreviam ou me contavam depois de assistirem a uma palestra: "Você expressou alguma coisa que eu sentia por muito tempo sem ser capaz de colocar em palavras". Essas pessoas geralmente não eram cientistas, nem místicas. Eram pessoas comuns e, no entanto, extraordinárias: artistas, avós, empresários, professores, agricultores, enfermeiras; pessoas de todas as idades, tanto com mais de 50 anos como com menos. Muitos eram idosos, e as cartas mais comoventes eram de mulheres e homens com mais de 80 anos, e em dois ou três casos, até mesmo acima de 90!

---

permitindo-nos confiar [no desdobramento dessa experiência]". Chögyal Namkhai Norbu, um dos grandes mestres atuais do *dzogchen*, que foi mentor espiritual de Keith Dowman e também mestre de Christopher Bache, amigo e discípulo de Stanislas Grof, e autor de um dos mais extraordinários livros atuais sobre a experiência psicodélica, *LSD and the Mind of the Universe*, prefaciado por Ervin Laszlo, mostra perfeitamente que Chögyal reconhecia essa função de "espaciosidade" e "espontaneidade" que não deixa dúvidas sobre a autenticidade da experiência, a Dharmakaya e a Natureza da Mente. Escreve Bache: "Depois de muitos ciclos de limpeza e luta, meu professor, Chögyal Namkhai Norbu, apareceu subitamente. Vi seu rosto e senti vigorosamente sua presença. Então, sem que nada fosse dito, ele introduziu-me na Natureza da Mente. Instantaneamente e sem que houvesse transição de qualquer tipo, minha mente se abriu em claridade pura e ilimitada. Absolutamente sem conteúdo, ela era, ao mesmo tempo, o contexto e o conteúdo de todos os pensamentos e sensações". De qualquer maneira, a "introdução direta" (a "condição de acesso") do discípulo à experiência espiritual profunda era até mesmo psicodelicamente obtida. Talvez seja por isso que, Chögyan Trugpa, outro mestre reconhecia a importância desse papel, por mais restrito que fosse, chamando carinhosamente a atenção de Bache para seu "pequeno macrossamadi", pois, apesar de ser apenas o ponto de partida, o primeiro passo no "reconhecimento de terreno espiritual", era a partir desse ponto que o discípulo poderia receber ensinamentos sobre como estabilizar e amadurecer a experiência. (N. do R.T.)

O que *O Tao da Física* desencadeou em todas essas pessoas? O que foi que elas mesmas vivenciaram? Percebi que o reconhecimento das semelhanças entre a física moderna e o misticismo oriental faz parte de um movimento muito maior, de uma mudança fundamental de visões de mundo, ou de paradigmas, na ciência e na sociedade, que agora está acontecendo em todo o mundo e equivale a uma profunda transformação cultural. Essa transformação, essa profunda mudança de consciência, é o que tantas pessoas sentiram intuitivamente nas últimas quatro décadas, e é por isso que esse livro despertou no leitor muitos acordes responsivos.

Estendendo os Paralelismos

Depois da publicação de *O Tao da Física*, em 1975, apareceram numerosos livros em que físicos e outros cientistas apresentaram explorações semelhantes dos paralelismos entre a física e o misticismo.[11] Outros escritores estenderam suas investigações para além da física, encontrando semelhanças entre o pensamento oriental e certas ideias sobre livre-arbítrio, morte e nascimento, e a natureza da vida, da mente e da consciência.[12] Além disso, os mesmos tipos de paralelismos também foram reconhecidos nas tradições místicas ocidentais.[13] Algumas dessas explorações foram iniciadas por mestres espirituais orientais. O Dalai Lama, em particular, manteve diálogos com cientistas ocidentais em várias ocasiões.[14]

As extensas explorações das relações entre ciência e espiritualidade ao longo das três últimas décadas evidenciaram que o sentimento de unidade, que é a característica-chave da experiência espiritual, é plenamente confirmada pela compreensão da realidade na ciência contemporânea. Portanto, há numerosas semelhanças entre as visões de mundo de místicos e mestres espirituais – tanto orientais como ocidentais – e a concepção holística ou sistêmica da natureza que agora está sendo desenvolvida em várias disciplinas científicas.

Ecologia e Espiritualidade

A percepção de estar conectado com toda a natureza é particularmente forte na ecologia. Conectividade, relação e interdependência são conceitos fundamentais de ecologia, e conectividade, relação e pertencimento são também a essência da experiência espiritual. Acredito, portanto, que a ecologia – e, em particular, a escola filosófica da ecologia profunda – é uma ponte ideal entre ciência e espiritualidade.

Quando olhamos para o mundo ao nosso redor, descobrimos que não estamos jogados no caos e na aleatoriedade, mas fazemos parte de uma grande ordem, uma grande sinfonia da vida. Cada molécula em nosso corpo já fez parte de corpos anteriores – vivos ou não vivos – e farão parte de corpos futuros. Nesse sentido, nosso corpo não morrerá, mas continuará a viver, vezes e mais vezes, porque a vida continua. Além disso, compartilhamos não apenas as moléculas da vida, mas também seus princípios básicos de organização com o restante do mundo vivo. De fato, pertencemos ao universo, e essa experiência de pertencimento pode tornar nossa vida profundamente significativa.

Notas

Este ensaio é adaptado de uma palestra proferida no 40º Aniversário da Mystics and Scientists Conference, Scientific and Medical Network (Reino Unido), de 7 a 9 de abril, e publicada na *Network Review, 1* (2017), e em um artigo publicado em *Resurgence*, em setembro/outubro de 2018.

1. Gould (1999), Dawkins (2006).
2. Steindl-Rast (1990).
3. Maslow (1964).
4. Veja Capra e Steindl-Rast (1991), pp. 12ss.
5. Albert Einstein em Schilpp (1949), p. 5.
6. Heisenberg (1958), p. 202; Bohr (1958), p. 20
7. Heisenberg (1958).
8. Veja Watts (1957), p. 159
9. Veja, por exemplo, LeShan (1969).
10. Capra (1975).
11. Veja, por exemplo, Zukav (1979), Talbot (1980), Davies (1983).
12. Mansfield (2008).
13. Capra e Steindl-Rast (1991).
14. Ver Luisi (2009).

Epílogo

O PROCESSO DE SELEÇÃO e edição dos ensaios reunidos neste volume naturalmente levou-me a olhar para trás em minha vida e minha carreira. Como mencionei no Prefácio deste livro, minhas pesquisas e meus escritos durante as últimas cinco décadas foram dedicados à investigação sistemática de um tema central: o da mudança fundamental de visão de mundo, ou mudança de paradigmas, que está ocorrendo agora na ciência e na sociedade, o desdobramento de uma nova visão da realidade e as implicações sociais e políticas dessa transformação cultural. Olhando para trás nessas décadas, é justo perguntar: "Quanto da mudança de paradigma que eu analisei e defendi desde a década de 1980 realmente ocorreu? Houve um ponto de mutação? Até que ponto o pensamento sistêmico progrediu e até que ponto ele é praticado nas ciências e na sociedade em geral?".

Ao longo dos anos, percebi que, por causa da natureza altamente não linear do nosso mundo globalmente interconectado, as respostas a essas perguntas não são simples. A mudança do paradigma mecanicista para o paradigma sistêmico e ecológico prosseguiu sob diferentes formas e com diferentes velocidades em vários campos científicos, bem como em diferentes segmentos das sociedades em todo o mundo. Envolveu revoluções científicas e culturais, retrocessos e balanços pendulares. Um pêndulo caótico, no sentido da teoria do caos – oscilações que quase se repetem, mas não por completo, aparentemente aleatórias e, no entanto, formando um padrão complexo e organizado –, talvez seja a metáfora contemporânea mais apropriada.

Em minha vida, as primeiras mudanças culturais radicais que testemunhei e vivenciei ocorreram na década de 1960 – aquele período mágico que descrevi e analisei no Ensaio 3. Os movimentos populares, ou de base, da década de 1960 foram movimentos de protesto contra o materialismo excessivo, o secularismo, o conformismo e a violência que percebíamos na cultura dominante. Nossa contracultura nascente respondeu a essas falhas sociais abraçando uma nova espiritualidade, informada pelas tradições místicas do Oriente e pela sabedoria indígena, um estilo de vida de beleza sensual e de vida comunal e vida em comunidade, sexualidade livremente compartilhada – "Faça amor, não faça guerra!" – e um questionamento radical da autoridade em toda a sociedade, desde os movimentos pelos direitos civis, na América do Norte, até os movimentos estudantis e contra a guerra, na Europa e na América do Norte. O efeito combinado desses valores e práticas foi um contínuo sentido de magia e de maravilha, que chegou até a década de 1970.

Durante os anos 1960, questionamos os valores da sociedade dominante, mas não formulamos nossa crítica de uma maneira coerente e sistemática. Vivíamos e corporificávamos nosso protesto em vez de verbalizá-lo e sistematizá-lo. Enquanto os anos 1970 se desdobravam, eles trouxeram uma consolidação de nossas visões, auxiliadas pelo surgimento de dois movimentos culturais – o movimento ecológico e o movimento feminista (a chamada segunda onda do feminismo) –, que, juntos, forneceram um arcabouço que foi muito necessário para nossas ideias críticas e alternativas.

Minha própria contribuição a essa consolidação consistiu em apontar que a nova espiritualidade e a ênfase na paz, na comunidade e na justiça social eram consistentes com a visão de mundo holística e ecológica implícita na ciência moderna, em particular na "nova física".

No fim da década de 1970, o fascínio por uma constelação eclética de assuntos – a espiritualidade, a nova física, a medicina holística, a psicologia humanista, e várias práticas esotéricas – deu origem ao chamado movimento *New Age*, ou Nova Era, que começou na Califórnia e depois se espalhou para o restante da América do Norte, para a Europa e para outras partes do mundo. Essas novas ideias foram discutidas em vários livros e em grandes conferências, às vezes com a presença de milhares de pessoas, e nas quais eu era um orador frequente.

O movimento *New Age* produziu as primeiras formulações provisórias da visão de mundo alternativa intuída pela contracultura. O que faltava, pelo menos no início, era a consciência política dos anos 1960. No início da década de 1980, nossa visão alternativa adquiriu essa dimensão política quando o primeiro Partido Verde surgiu na Alemanha a partir de uma coalizão de "jovens socialistas", ecologistas, feministas e ativistas da paz.[1] Durante as duas décadas subsequentes, a política Verde – a personificação política dos valores centrais dos anos 1960 – tornou-se uma característica permanente das paisagens políticas em muitos países ao redor do mundo. O movimento Verde absorveu a maioria dos seguidores do movimento *New Age*, que ampliaram seus horizontes, enquanto outros optaram por permanecer apolíticos, concentrando-se exclusivamente na espiritualidade e em várias práticas esotéricas.

Na década de 1980, vários escritores promoveram a ideia de uma mudança de paradigma global – uma mudança fundamental de visão de mundo e de valores – estendendo o conceito, originalmente proposto por Thomas Kuhn, da história da ciência à história das ideias na sociedade em geral. O livro *The Aquarian Conspiracy* (A Conspiração Aquariana), de Marilyn Ferguson, e meu próprio *Ponto de Mutação* estavam entre os primeiros livros nos quais essa ampla noção de uma mudança de paradigmas popularizou-se.[2] Em *Ponto de Mutação*, ofereci uma crítica abrangente do paradigma mecanicista e patriarcal, uma primeira síntese da visão sistêmica da vida, e uma discussão da mudança social com base em uma perspectiva ecofeminista. A edição alemã do livro, *Wendezeit*, tornou-se um grande *best-seller* na Alemanha, na Suíça e na Áustria, onde encontrou vigorosa ressonância tanto entre os Verdes como entre os adeptos da Nova Era.[3]

Quando Mikhail Gorbachev chegou ao poder na União Soviética em 1985, ele tinha plena consciência da força dos movimentos de paz norte-americanos e europeus, e aceitou nosso argumento de que uma guerra nuclear não pode ser vencida e nunca deve ser combatida. Como discuto no Ensaio 3, essa percepção foi uma parte importante do "novo pensamento" de Gorbachev, que levaria a uma série de eventos dramáticos, a maioria deles ocorrendo no período significativo que marcou o próprio fim da década de 1980: a Revolução de

Veludo na Tchecoslováquia, a queda do Muro de Berlim, a libertação de Nelson Mandela na África do Sul e o fim da Guerra Fria.

À medida que a década de 1980 dava lugar à década de 1990, essas revoluções políticas não violentas geraram um tremendo otimismo entre os movimentos de base, ou populares, que emergiram nas décadas de 1960 e 1970 e que, na década de 1980, formaram uma cultura alternativa global. Esse otimismo está claramente refletido em meus Ensaios 11 e 14. Para citar a conclusão do Ensaio 11:

> Os partidos políticos tradicionais, as grandes corporações multinacionais, e a maioria de nossas instituições acadêmicas fazem parte de uma cultura em declínio. Estão em processo de desintegração. Os movimentos sociais das décadas de 1960 e 1970 representam uma cultura em ascensão. Enquanto a transformação ocorrer, a cultura em declínio se recusará a mudar, agarrando-se cada vez mais rigidamente às suas ideias ultrapassadas; nem as instituições sociais dominantes simplesmente cederão seus papéis de liderança às novas forças culturais. Mas elas, inevitavelmente, continuarão a declinar e a se desintegrar enquanto a cultura em ascensão continuará a ascender e, por fim, acabará por assumir o seu papel de protagonista. À medida que o ponto de mutação se aproximar, a compreensão de que mudanças evolutivas dessa magnitude não podem ser impedidas por atividades políticas de curto prazo nos oferece nossa maior esperança para o futuro.

Então, no início da década de 1990, com Gorbachev promovendo, a partir do topo, um novo paradigma em pensamento e valores, e com a crescente cultura alternativa introduzindo esse paradigma no nível da base, da organização popular, com a Guerra Fria no seu final e o muito discutido "dividendo da paz" prometendo o advento de uma intensa e profunda reestruturação econômica, parecia a muitos dos que vieram da geração da década de 1960 que um ponto de mutação já estava, de fato, bem à nossa frente, virando a esquina.

Em vez disso, testemunhamos um fenômeno global que apanhou de surpresa a maior parte dos observadores culturais. Surgiu um novo mundo, moldado por novas tecnologias, novas estruturas sociais, uma nova economia e uma nova cultura. A *globalização* tornou-se o lema que passou a ser usado para descrever as mudanças extraordinárias e o *momentum* aparentemente irresistível que agora era sentido por milhões de pessoas.[4]

A revolução da tecnologia da informação permitiu a muitos de nós que construímos redes alternativas globais durante as décadas de 1960, 1970 e 1980 realizarmos efetivamente muito mais com as novas tecnologias de comunicação digital. No entanto, ela também deu origem a uma nova forma de capitalismo global, estruturado em torno de redes eletrônicas de fluxos financeiros e informacionais, e com ela um novo materialismo, uma excessiva ganância corporativa e um aumento dramático de comportamento antiético entre líderes empresariais e políticos.

A "nova economia" produziu toda uma multidão de consequências prejudiciais interconectadas, que estavam em acentuada contradição com os ideais do Movimento Verde global: desigualdade econômica crescente, colapso da democracia, rápida e extensa degradação do meio ambiente natural, e aumento da pobreza e da alienação. Levamos uma década inteira para compreender a dinâmica e as consequências dessa globalização econômica liderada pelas corporações. Na virada do século, uma impressionante coalizão de ONGs, muitas delas lideradas por homens e mulheres com profundas raízes pessoais na década de 1960, se formou em torno dos valores centrais da dignidade humana e da sustentabilidade ecológica.[5] Essas novas ONGs globais emergiram como atores políticos efetivos que são independentes de instituições nacionais ou internacionais. Eles constituem um novo tipo de sociedade civil global.[6]

Como argumentei no Ensaio 25 (escrito em 1999), o novo capitalismo global e a nova sociedade civil global representam dois cenários muito diferentes para o futuro da humanidade. O objetivo da economia global é maximizar a riqueza e o poder de suas elites. O objetivo da sociedade civil global é maximizar o bem-estar das comunidades humanas e a sustentabilidade da teia da vida.

Esses dois cenários – cada um deles envolvendo redes complexas e tecnologias especiais avançadas – estão atualmente em rota de colisão. O capitalismo global é destrutivo das comunidades locais e, portanto, inerentemente insustentável. Está baseado no valor de fazer dinheiro com o propósito de fazer dinheiro

– com a exclusão de todos os outros valores. No entanto, como escrevi na conclusão do ensaio:

> Os valores humanos podem mudar; eles não são leis naturais. As mesmas redes eletrônicas de fluxos financeiros e informacionais *poderiam* ter outros valores nelas embutidos. O desafio do século XXI será o de mudar esse sistema de valores do capitalismo global, purgando seu controle pelo dualismo até que o velho mundo tivesse condições de cair por terra, de modo a torná-lo compatível com as exigências da dignidade humana e da sustentabilidade ecológica.

Desde que escrevi essas palavras, há vinte anos, a colisão entre os dois cenários que descrevi intensificou-se, e a crise global tornou-se muito mais séria. Todas as consequências danosas produzidas pelo estrangulamento corporativo da economia e da política tornaram-se mais extremas. A desigualdade econômica aumentou significativamente, junto com o crescente desequilíbrio do poder político. Isso foi abordado de maneira brilhante em 2011, quando o Movimento Occupy rotulou a classe dos super-ricos chamando-a de "os 1%" – expressão que, desde essa época, passou a fazer parte do diálogo político norte-americano.[7] Ao mesmo tempo, a destruição do meio ambiente tornou-se mais devastadora, exacerbada pela crise climática, que foi impulsionada pela busca implacável do crescimento econômico movido por combustíveis fósseis e desencadeou uma série de catástrofes climáticas sem precedentes. E, no entanto, nossos políticos e líderes corporativos continuam a negar a realidade da crise ou a arrastar os pés em vez de mobilizar todos os recursos disponíveis para promover e realizar ações efetivas.

Por outro lado, a visibilidade e o poder da sociedade civil global também aumentaram significativamente. Com seu uso habilidoso das mídias sociais, essas ONGs são capazes de formar redes umas com as outras, compartilharem informações e mobilizarem seus membros com uma velocidade sem precedentes. A percepção da emergência climática entre o público em geral aumentou dramaticamente nos últimos anos como resultado desse novo ativismo político. As ações corajosas do movimento indígena canadense Idle No More [Ocioso

Não Mais], fundado em 2012 por quatro mulheres, três delas indígenas, inspirou inúmeros apoiadores vindos de comunidades indígenas e não indígenas fora do Canadá.[8] Mais recentemente, vimos o rápido surgimento de uma série de novos movimentos de base, movimentos populares, relacionados ao clima – Extinction Rebellion, Sunrise Movement, Fridays for Future e outros –liderados por jovens apaixonados e bem articulados.

Minha própria contribuição a esse ativismo ao longo dos últimos anos foi a de disseminar o conhecimento da visão sistêmica da vida e de suas implicações filosóficas, espirituais, éticas, sociais e políticas tão amplamente quanto possível. Minha motivação para dedicar todas as minhas energias a essa tarefa baseia-se na constatação de que mesmo que não possamos superar nossa crise global e salvar a civilização humana, se devemos ser bem-sucedidos nesse desafio existencial, só conseguiremos fazer isso se reorganizarmos radicalmente nossos modos de vida, nossos negócios, nossas tecnologias e nossas estruturas sociais – em outras palavras, implementando as soluções sistêmicas aos nossos problemas globais que já existem e que foram testados com sucesso ao redor do mundo. É isso o que estou ensinando em meus livros, palestras e seminários.

Em *A Visão Sistêmica da Vida*, Pier Luigi Luisi e eu dedicamos sessenta páginas a uma revisão abrangente dessas soluções sistêmicas.[9] Além disso, tenho ensinado a visão sistêmica da vida e suas implicações em um curso *on-line* durante mais de cinco anos. Conhecido como Capra Course (capracourse.net), ele consiste em doze palestras pré-gravadas e inclui um fórum de discussão *on-line* no qual participo regularmente durante a duração do curso. Participantes de mais de 85 países ao redor do mundo já fizeram o curso. Esses alunos constituem uma rede global de pensadores e ativistas sistêmicos, cujo número atual é de mais de duas mil pessoas.

Em todo o mundo, o pensamento sistêmico é praticado principalmente nos institutos de pesquisa e centros de aprendizagem da sociedade civil global. É onde, em minha opinião, se encontram os principais pensadores sistêmicos da atualidade. Há um menor número deles nos negócios e ainda são raros na política. A maioria dos políticos, infelizmente, está interessada principalmente em conquistar e manter poder político e, em curto prazo, em apresentar "soluções" estreitas.

No mundo acadêmico, a organização fragmentada de nossas disciplinas acadêmicas, publicações e bolsas de pesquisa é um grande obstáculo. Mesmo assim, o pensamento sistêmico também está se expandindo nesse mundo, em parte por causa do amplo reconhecimento da importância das redes na sociedade atual, que obriga os cientistas a pensar com base em relações e padrões. Há hoje muitas pequenas universidades, e muitos bolsões em grandes universidades, nos quais o pensamento sistêmico é ensinado.

E, por fim, um desenvolvimento muito positivo está no fato de que hoje temos uma geração jovem usando extensivamente as redes sociais em suas vidas diárias. Para eles, pensar com base em redes – em outras palavras, pensar sistemicamente – tornou-se uma segunda natureza. É interessante para mim lembrar que durante a minha adolescência, na década de 1950, nosso sonho era ter um carro – uma grande máquina desajeitada. Para os jovens de hoje, seu bem mais precioso é um *smartphone* – um pequeno dispositivo de comunicação que lhes dá acesso a redes globais. O fato de que nossa juventude está crescendo com essas redes de comunicação me enche de grande esperança.

A fase mais recente nos balanços do pêndulo caótico da mudança de paradigmas foi o surto de Covid-19. Nesse momento em que escrevo, ninguém pode dizer como será o nosso mundo pós-covid. Mas é provável que o impacto da pandemia levará a transformações sociais e políticas históricas.

Como eu argumento no Ensaio 27, a questão-chave será a de saber se temos a sabedoria e a vontade política de aplicar as valiosas lições de Gaia à crise climática e aos nossos outros problemas globais sistêmicos. Seremos bem-sucedidos na tarefa, preconizada pela Carta da Terra, de construir "um mundo sustentável, justo e pacífico"? Ou será que os futuros historiadores irão se referir à visão sistêmica e ecológica delineada nos ensaios deste livro como "o caminho que não foi trilhado"? O que podemos esperar para o futuro da humanidade?

Para mim, a resposta mais inspiradora a essa questão existencial, que me sustentou no meu trabalho nos últimos vinte anos, vem de uma das figuras-chave nas recentes e dramáticas transformações sociais, o grande dramaturgo e estadista tcheco Václav Havel, que transforma a pergunta em uma meditação sobre a própria esperança:

O tipo de esperança sobre a qual muitas vezes penso [...] compreendo, acima de tudo, como um estado de espírito, um estado da mente, e não um estado do mundo. De qualquer maneira, temos esperança dentro de nós ou não; é uma dimensão da alma, e não depende essencialmente de alguma observação particular do mundo ou de uma estimativa da situação [...] [A esperança] não é a convicção de que alguma coisa vai dar certo, mas a certeza de que alguma coisa faz sentido, independentemente de como ela se sairá.[10]

Notas

1. Veja Capra e Spretnak (1984).
2. Ferguson (1980), Capra (1982).
3. Capra (1983).
4. Veja Castells (1996), Mander e Goldsmith (1996).
5. Veja Hawken (2008).
6. Veja Warkentin e Mingst (2000).
7. Veja Stiglitz (2012).
8. Consulte https://www.thecanadiancyclopedia.ca/en/article/idle-no-more.
9. Capra e Luisi (2014).
10. Havel (1990), p. 181

Bibliografia

Acvaghosa. (1900). *Discourse on the Awakening of Faith in the Mahayana* (D. T. Suzuki, trad.). The Open Court.

Bateson, G. (1979). *Mind and Nature*. Dutton.

Bertalanffy, L. v. (1968). *General System Theory*. Braziller.

Bohr, N. (1958). *Atomic Physics and Human Knowledge*. Wiley.

Brown, L., *et al.* (1984 -). *State of the World*. Worldwatch Institute.

Brown, L., *et al.* (1988). *State of the World: 1988: A Worldwatch Institute Report on Progress Toward a Sustainable World*. Worldwatch Institute.

Brown, L. (2008). *Plan B 3.0*. Norton.

Brown, L. (2009). *Plan B 4.0*. Norton.

Brown, L. (2011). *World on the Edge*. Norton.

Callenbach, E., Capra, F., Goldman, L., e Marburg, S. (1993). *EcoManagement: The Elmwood Guide to Ecological Auditing and Business*. Berrett-Koehler. [*Gerenciamento Ecológico – EcoManagement – Guia do Instituto de Auditoria Ecológica e Negócios Sustentáveis*. São Paulo: Cultrix, 1993 (fora de catálogo).]

Capek, M. (1961). *The Philosophical Impact of Contemporary Physics*. Van Nostrand.

Capra F. (1972). "The Dance of Shiva: The Hindu View of Matter in the Light of Modern Physics", *Main Currents in Modern Thought, 29*, pp. 14-20.

Capra, F. (1975). *The Tao of Physics*. Shambhala. [*O Tao da Física*. São Paulo: Cultrix, 2ª edição, 2011.]

Capra, F. (1982), *The Turning Point*. Simon & Schuster. [*O Ponto de Mutação*. São Paulo: Cultrix, 1986.]

Capra, F. (1983). *Wendezeit*. Berna: Scherz.

Capra, F. (org.). (1984), *Science and Ethics*. Elmwood Discussion Transcript Number 1. The Elmwood Institute.

Capra, F. (1985). "Bootstrap Physics: A Conversation with Geoffrey Chew", em Charleton DeTar, J. Finkelstein e Ching-I Tan (orgs.). *A Passion for Physics: Essays in Honor of Geoffrey Chew* (pp. 247-286). World Scientific.

Capra, F. (1986). "The Concept of Paradigm and Paradigm Shift." *Re-Vision, 9*, 3ss.

Capra, F. (1988). *Uncommon Wisdom*. Simon & Schuster. [*Sabedoria Incomum: Conversas com Pessoas Notáveis*. São Paulo: Cultrix, 1990.]

Capra, F. (1996). *The Web of Life*. Anchor/Doubleday. [*A Teia da Vida*. São Paulo: Cultrix, 1996.]

Capra, F. (2002). *The Hidden Connections*. Doubleday. [*As Conexões Ocultas*. São Paulo: Cultrix, 2002.]

Capra, F. (2007). *The Science of Leonardo*. Doubleday. [*A Ciência de Leonardo da Vinci: Um Mergulho Profundo na Mente do Grande Gênio da Renascença*. São Paulo: Cultrix, 2008.]

Capra F. (2009). *La Botanica di Leonardo*. Sansepolcro: Aboca. [*A Botânica de Leonardo da Vinci: Um Ensaio sobre as Ciências das Qualidades*. São Paulo: Cultrix, 2011.]

Capra, F. (2013). *Learning from Leonardo*. Berrett-Koehler.

Capra, F. e Henderson, H. (2009). "Qualitative Growth", *Outside Insights*, outubro de 2009. Institute of Chartered Accountants in England and Wales. https: // www.icaew.com/-/media/corporate/files/technical/sustainability/qualitative--growth.ashx?fromSearch=1

Capra, F. e Luisi, P. L. (2014). *The Systems View of Life: A Unifying Vision*. Cambridge University Press. [*A Visão Sistêmica da Vida*. São Paulo: Cultrix e Amana-Key, 2014.]

Capra, F. e Spretnak, C. (1984). *Green Politics*. Dutton.

Capra, F. e Steindl-Rast, D., com Thomas Matus (1991). *Belonging to the Universe*. Harper. [*Pertencendo ao Universo*. São Paulo: Cultrix, 1993 (fora de catálogo).]

Castells, M. (1996). *The Information Age: Economy, Society, and Culture: Vol. 1. The Rise of the Network Society* (2ª ed.). Blackwell.

Castells, M. (1997). *The Information Age: Economy, Society, and Culture: Vol. 2. The Power of Identity*. Blackwell.

Castells, M. (1998). *The Information Age: Economy, Society, and Culture: Vol. 3. End of Millennium*. Blackwell.

Chew, G. F. (1968). *Science*, *161*, 762.

Chew, G. F. (1970). *Physics Today*, *23*, 10.

Coomaraswami, A. (1957). *The Dance of Shiva*. The Noonday Press.

Davies, P. (1983). *God and the New Physics*. Simon & Schuster.

Dawkins, R. (1976). *The Selfish Gene*. Oxford University Press.

Dawkins, R., *The God Delusion* (2006). Bantam.

Devall, B. e Sessions, G. (1985). *Deep Ecology*. Peregrine Smith.

Dutta, K. e Robinson, A. (1995). *Rabindranath Tagore: The Myriad-Minded Man*. St. Martin's.

Eliot, C. (1959). *Japanese Buddhism* (G. B. Sansom, org.). Curzon.

Engelman, R. (2012). "Nine Population Strategies to Stop Short of 9 Billion", em *State of the World: 2012: Moving Toward Sustainable Prosperity* (pp. 121-28). Worldwatch Institute.

Ferguson, M. (1980). *The Aquarian Conspiracy*. Tarcher.

Ford, K. W. (1965). *The World of Elementary Particles*. Blaisdell.

Fox, W. (1990), *Toward a Transpersonal Ecology*. Shambhala.

Goodwin, B. (1994). *How the Leopard Changed its Spots*. Scribner.

Gorbachev, M. (1987). *Perestroika*. Harper Collins.

Gorbachev, M. (1988). Speech to the United Nations, 7 de dezembro. AP News, https://apnews.com/1abea48aacda1a9dd520c380a8bc6be6.

Gore, A. (1992). *Earth in the Balance*. Houghton Mifflin.

Gorelik, G. (1975). "Principal Ideas of Bogdanov's Tektology: The Universal Science of Organization." *General Systems*, 20(3), pp. 3-13.

Gould, S. J. (1999). *Rocks of Ages*. Ballantine.

Green, Brian (1999). *The Elegant Universe: Superstrings, Hidden Dimensions, and the Quest for the Ultimate Theory*. Norton.

Griffin, S. (1978). *Woman and Nature*. Harper & Row.

Handler, P. (org.) (1970). *Biology and the Future of Man*. Oxford University Press.

Havel, V. (1990). *Disturbing the Peace*. Faber and Faber.

Hawken, P. (1993). *The Ecology of Commerce*. HarperCollins.

Hawken, P. (2000). 30 de novembro: WTO showdown. *Yes!*, março.

Hawken, P. (2008). *Blessed Unrest*. Penguin.

Hawken, P. (2010). *The Ecology of Commerce: A Declaration of Sustainability*. Harper Business.

Hawken, P., Lovins, A. e Lovins, H. (1999). *Natural Capitalism*. Little, Brown. [*Capitalismo Natural – Criando a Próxima Revolução Industrial*. São Paulo: Cultrix, 2000.]

Heisenberg, W. (1958). *Physics and Philosophy*. Harper Torchbooks.

Heisenberg, W. (1969). *Der Teil und das Ganze: Gespräche im Umkreis der Atomphysik*, Munique: Piper. Edição em inglês publicada como *Physics and Beyond: Encounters and Conversations* (A. J. Pomerans, trad.). Harper & Row, 1971.

Heisenberg, W. (1971). Carta a F. Capra, 9 de julho de 1971. O original está reproduzido em Fritjof Capra Papers. Bancroft Library, UC Berkeley, BANC MSS 2019/173.

Hume, R. E. (1934). *The Thirteen Principal Upanishads*. Oxford University Press.

Jantsch, E. (1980). *The Self-Organizing Universe*. Pergamon.

Judson, H. F. (1979). *The Eighth Day of Creation*. Simon & Schuster.

Kaiser, R. (1987). "Chief Seattle's Speech(es): American Origins and European Reception", em B. Swann e A. Krupat (orgs.). *Recovering the Word: Essays on Native American Literature* (pp. 437-536). University of California Press.

Kauffman, S. A. (1991). "Antichaos and Adaptation." *Scientific American*, *265*(2), pp. 78-85.

Kauffman, S. (1993). *The Origins of Order*. Oxford University Press.

Kelley, K. (org., 1988). *The Home Planet*. Addison-Wesley.

Kuhn, T. (1970). *The Structure of Scientific Revolutions*. University of Chicago Press.

Lennon, J. e Ono, Y. (1971). *Imagine* [Canção], On *Imagine*. Apple Records.

LeShawn, L. (1969). "Physicists and Mystics: Similarities in World View", *Journal of Transpersonal Psychology*, *1*, 1-20.

Lovelock, J. (1979), *Gaia: A New Look at Life on Earth*, Oxford University Press.

Lovelock, J. (1991), *Healing Gaia: Practical Medicine for the Planet*, Harmony Books. [*Gaia: Cura para um Planeta Doente*. São Paulo: Cultrix, 2006 (fora de catálogo).]

Luhmann, N. (1984). *Soziale Systeme*. Berlim: Suhrkamp.

Luisi, P. L. (1996). "Self-Reproduction of Micelles and Vesicles", em I. Prigogine e S. A. Rice (orgs.), *Advances in Chemical Physics: Vol. 92*, pp. 425-38. John Wiley.

Luisi, P. L. (2009). *Mind and Life: Discussions with the Dalai Lama on the Nature of Reality*. Columbia University Press.

Mander, J. e Goldsmith, E. (orgs.) (1996). *The Case Against the Global Economy*. Sierra Club Books.

Mansfield, V. (2008). *Tibetan Buddhism and Modern Physics*. Templeton.

Margulis, L. (1998). *Symbiotic Planet*. Basic Books.

Maslow, A. (1964). *Religions, Values, and Peak-Experiences*. Ohio State University Press.

Maturana, H. (1980). "Biology of Cognition", em H. Maturana e F. Varela. *Autopoiesis and Cognition: The Realization of the Living* (pp. 2-58). Dordrecht, Holland: D. Reidel (originalmente publicado em 1970).

Maturana, H. e Varela, F. (1980). *Autopoiesis and Cognition: The Realization of the Living*. Dordrecht, Holanda: D. Reidel.

Maturana, H. e F. Varela. (1987). *The Tree of Knowledge: The Biological Roots of Human Understanding*. Shambhala.

McDonough, W. E Braungart, M. (1998, outubro). "The Next Industrial Re-volution", *Atlantic Monthly*, https://www.theatlantic.com/magazine/archive/1998/10 /the-next-industrial-revolution/304695/

Merchant, C. (1980). *The Death of Nature*. Harper & Row.

Morowitz, H. (1992). *Beginnings of Cellular Life*. Yale University Press.

Mosekilde, E., Aracil, J. e Allen, P. M. (1988). "Instabilities and Chaos in Nonlinear Dynamic Systems." *System Dynamics Review*, *4*(1-2), pp. 14-55.

Muir, J. (1911). *My First Summer in the Sierra*. Houghton Mifflin (reeditado por Sierra Club Books em 1988).

Oparin, A. I. (1924). *Proishkhozhddenie Zhisni*, Moskowski Rabocii. Publicado em inglês como *The Origin of Life* (S. Morgulis, trad.). Dover, 1957.

Orr, D. (1992). *Ecological Literacy*. State University of New York Press.

Orr, D. (2002). *The Nature of Design*. Oxford University Press.

Piaget, J. (1925). *The Child's Conception of the World*. Routledge.

Porkert, M. (1976). "The Intellectual and Social Impulses Behind the Evolution of Traditional Chinese Medicine", em C. Leslie (org.). *Asian Medical Systems: A Comparative Study* (pp. 63-76). University of California Press.

Prigogine, I. (1980). *From Being to Becoming*. Freeman.

Prigogine I. e Glansdorff, P. (1971). *Thermodynamic Theory of Structure, Stability and Fluctuations*. Wiley.

Rechenberg, H. (2009). *Werner Heisenberg: Die Sprache der Atome*. Heidelberg: Springer.

Riedelsheimer, T. (Cineasta) (2001). *Rivers and Tides: Andy Goldsworthy Working with Time* [Filme Documentário]. Berlim: Mediopolis Filmproduktion.

Rockefeller, S. (2015). *Democratic Equality, Economic Equality, and the Earth Charter*. Earth Charter International.

Ross, N. W. (1966). *Three Ways of Asian Wisdom*. Simon & Schuster.

Schilpp, P. A. (org.). (1949). *Albert Einstein: Philosopher-Scientist*. The Library of Living Philosophers.

Schrödinger, E. (1944). *What is life?*. Cambridge University Press.

Schumacher, E. F. (1975). *Small is Beautiful*. Harper & Row.

Shiva, V. (2005). *Earth Democracy: Justice, Sustainability, and Peace*. South End Press.

Skinner, B. F. (1953). *Science and Human Behavior*. Macmillan.

Smolin, L. (2006). *The Trouble with Physics*. Houghton Mifflin.

Solé, R. e Goodwin, B. (2000), *Signs of Life*. Basic Books.

Sorokin, P. (1937-41). *Social and Cultural Dynamics*, 4 vols. American Book Company.

Stapp, H. P. (1971). "S-matrix Interpretation of Quantum Theory." *Physical Review*, *3*(6), 1.303-1.320.

Stapp, H. P. (1972). "The Copenhagen Interpretation." *American Journal of Physics*, *40*, 1.098-1.116.

Steindl-Rast, D. (1990). "Spirituality as Common Sense." *The Quest*, 3(2), pp. 12-7.

Stewart, I. (1989). *Does God Play Dice?*. Blackwell.

Stewart, I. (1998). *Life's Other Secret*. Wiley.

Stiglitz, J. (2012). *The Price of Inequality*. Norton.

Stone, M. e Barlow, Z. (orgs.) (2005). *Ecological Literacy: Educating our Children for a Sustainable World*. Sierra Club Books.

Stoppard, T. (1993). *Arcadia*. Faber Drama.

Suzuki, D. T. (1968a). *The Essence of Buddhism*. Kyoto: Hozokan.

Suzuki, D. T. (1968b), *On Indian Mahayana Buddhism* (E. Conze, org.). Harper & Row.

Talbot, M. (1980). *Mysticism and the New Physics*. Routledge.

Thom, R. (1972). *Structural Stability and Morphogenesis*. W. A. Benjamin.

Thomas, L. (1977). "On the Science and Technology of Medicine", em J. H. Knowles (org.). *Doing Better and Feeling Worse: Health in the United States* (pp. 35-46). Norton.

Vernadsky, V. (1926). *The Biosphere*, edição dos EUA reimpressa por Synergetic Press. Oracle, Arizona, 1986.

Warkentin, C. e Mingst, K. (2000). "International Institutions, the State, and Global Civil Society in the Age of the World Wide Web." *Global Governance*, *6*(2), pp. 237-57.

Watts, A. (1957). *The Way of Zen*. Vintage.

Watts, A. (1969). *The Book*. Jonathan Cape.

Wigner, E. P. (1964). "Enrico Fermi Course XXIX", p. XVI. *Proceedings of the International School of Physics*. Londres: Academic.

Williams, R. (1981). *Culture*. Londres: Fontana.

Winfree, A. T. (1984). "The Prehistory of the Belousov-Zhabotinsky Oscillator." *Journal of Chemical Education*, 61(8), 661, https://doi.org/10.1021/ed061p661.

Winters, M.-F. (2020). *Black Fatigue*. Berrett-Koehler.

Zukav, G. (1979). *The Dancing Wu Li Masters*. Morrow.

Índice Remissivo

Impresso por :

Graphium
gráfica e editora

Tel.:11 2769-9056